CLAUDEL

ET

SHAKESPEARE

PIERRE BRUNEL

//

CLAUDEL

ET

SHAKESPEARE

1971

LIBRAIRIE ARMAND COLIN

103, Boulevard Saint-Michel - Paris 5e

Cette étude constituait la deuxième partie d'une thèse qui en comportait cinq et s'intitulait *Orientation britannique chez Paul Claudel*. On trouvera une présentation de l'ensemble dans le *Bulletin de la Société Claudel*, n° 40, pp. 21-22. Je tiens à remercier Mme PAUL CLAUDEL, Mme RENÉE NANTET et M. PIERRE CLAUDEL, qui m'ont généreusement ouvert les Archives Paul Claudel ; M. FRANÇOIS CHAPON, qui m'a permis de consulter les documents inédits de la Bibliothèque Jacques Doucet ; M. GUY DESGRANGES, directeur littéraire de la Librairie Armand Colin, qui a bien voulu publier ce *Claudel et Shakespeare ;* Mme MARIE-JEANNE DURRY (présidente), M. CHARLES DÉDÉYAN (rapporteur), M. le Recteur GUYARD, M. JEAN BOURRILLY, M. JACQUES PETIT qui, le 7 mars 1970, ont constitué le plus bienveillant, mais aussi le plus attentif des jurys.

TABLE ALPHABÉTIQUE DES SIGLES UTILISÉS

---

1. Pour éviter la confusion possible, les sigles renvoyant à la Bible sont inscrits en capitales.

Em	*Emmaüs*, Paris, Gallimard, 1949.
Ep	*L'Epée et le Miroir*, Paris, Gallimard, 1939.
Ev	*L'Evangile d'Isaïe*, Paris, Gallimard, 1951.
FD	Fonds de la Bibliothèque Jacques-Doucet.
Fig	*Figures et Paraboles*, Paris, Gallimard, 1936.
Introd	*Introduction à l'Apocalypse*, Paris, L.U.F., Fribourg, Egloff, 1946.
J (I à X)	*Journal*, cahiers manuscrits I à X, éd. en deux tomes par J. Petit et F. Varillon, Paris, Gallimard, coll. Bibliothèque de la Pléiade, 1969-1970.
J'aime	*J'aime la Bible*, Paris, Arthème Fayard, coll. « Ecclesia », 1955.
Job	*Le Livre de Job*, Paris, Plon, 1946.
JR	*Conversation sur Jean Racine*, Paris, Gallimard, 1956.
MI	*Mémoires improvisés*, éd. L. Fournier, Paris, Gallimard, 1969.
Mil	*Au milieu des vitraux de l'Apocalypse*, Paris, Gallimard, 1966.
OC	*Œuvres complètes*, Paris, Gallimard, en cours de parution depuis 1950 [2].
Œil	*L'Œil écoute*, Paris, Gallimard, 1946.
Ois	*L'Oiseau noir dans le soleil levant*, Paris, Gallimard, 1929.
OP	*Œuvre poétique*, éd. S. Fumet et J. Petit, Paris, Gallimard, coll. « Bibliothèque de la Pléiade », 1967.
Poète	*Un Poète regarde la croix*, Paris, Gallimard, 1935.
PP (I et II)	*Positions et Propositions*, Paris, Gallimard, tome I, 1928 ; tome II, 1934.
Pr	*Œuvres en prose*, éd. Ch. Galpérine et J. Petit, Paris, Gallimard, coll. « Bibliothèque de la Pléiade », 1965.
Proph	*Présence et Prophétie*, Paris, L.U.F., Fribourg, Egloff, 1942.
RLM (I à V)	*Revue des Lettres modernes*, série Paul Claudel, Paris, Minard. I. *Quelques influences formatrices*, 1964. II. « *Le Regard en arrière* », 1965. III. *Thèmes et images*, 1966. IV. *L'Histoire*, 1967. V. *Schémas dramatiques*, 1968. VI. *La Ville*, 1970.
Rose	*La Rose et le Rosaire*, Paris, L.U.F., Fribourg, Egloff, 1947.
Ruth	*Introduction du Livre de Ruth*, Paris, Desclée de Brouwer, 1938.
Seig	*Seigneur, apprenez-nous à prier*, Paris, Gallimard, 1942.
Soph	*Les Aventures de Sophie*, Paris, Gallimard, 1937.
Th (I et II)	*Théâtre*, éd. J. Madaule et J. Petit, Paris, Gallimard, coll. « Bibliothèque de la Pléiade », tome 1, 1967 ; tome II, 1965.
TFS	*Trois figures saintes pour le temps actuel*, Paris, Amiot-Dumont, 1953.
V	*La Ville*, éd. critique par J. Petit, Paris, Mercure de France, 1967.

Les cotes BN et BM renvoient respectivement aux catalogues de la Bibliothèque Nationale et du British Museum.

2. Encore incomplète, parfois dépassée, parfois introuvable, cette édition n'a été utilisée que pour quelques textes qu'elle est seule à contenir.

INTRODUCTION

Claudel reprenait-il, pour un soir, la tradition des mardis quand, le 19 mars 1895, il conviait ses amis à un dîner littéraire dans l'atelier de sa sœur Camille ? Jules Renard, qui participait à la soirée, a noté, une fois rentré chez lui, une réflexion où se mêlent étrangement l'irritation et l'admiration latente, une réplique retenue jusqu'au moment où, éloigné de son destinataire, il a pu la confier au silence : « Shakespeare, tu dis toujours Shakespeare ! Il y en a un en toi : trouve-le » [1].

Pendant de longues années le nom de Shakespeare devait revenir dans la bouche de Claudel ou sous sa plume. Il finit même par en parler avec une familiarité où l'irrespect souligne encore mieux l'affection : « le grand Will », « Double Véesse » (JR, 11), « Celui qui a fait sortir Henry le Sixième et Hamlet de son crâne en forme de cornichon » (Th II, 1367). C'est sur ce ton à la fois insolent et ému qu'on évoque d'ordinaire le souvenir d'un vieux maître disparu. Car on ne suit un maître que pour s'en éloigner et, quand la personnalité nouvelle s'est cristallisée, le temps du sevrage arrive. Après quoi, « le maître n'a rien à prétendre sur l'âme du disciple, pas plus que le disciple sur celle de son maître » [2]...

Rien ne sert de hisser Claudel au niveau de Shakespeare, comme ont trop souvent tenté de le faire des admirateurs aveugles. Il faut étudier un « accompagnement » en ses mille détours. Une ombre naît, grandit, s'efface. Peut-être s'est-elle un instant confondue avec le vivant qui avance, mais c'est déjà, au milieu du chemin de la vie, le partage de midi.

Claudel n'est pas Shakespeare ; mais Shakespeare peut être Claudel. Je veux dire : un double, ou le reflet de Narcisse dans le miroir d'une œuvre. Le poète nouveau y contemple sa révolte en 1889, sa passion en 1905, sa puissance démiurgique en 1925, sa grandeur catholique en 1954 : dans tous les cas, son orgueil. L'ombre ressemble grossièrement à la silhouette qui la suscite et disparaît avec elle.

---

1. Jules RENARD, *Journal*, Paris, Gallimard, coll. « Bibliothèque de la Pléiade », 1966, p. 273.
2. Sören KIERKEGAARD, *Miettes philosophiques*, Paris, Seuil, p. 71.

On ne peut nier cette humaine, trop humaine projection de soi-même qui vient, d'ordinaire, fausser les rencontres. Pourtant l'Avare claudélien accapare moins qu'il ne détruit. Un critique acerbe et parfois insolent dénonce les « effondrements » de Shakespeare et ses tares. Il le traite en étranger, porte-parole trop complaisant des erreurs et de la damnation nationales. Il l'éloigne en ne voyant plus en lui que le Shakespeare des autres, avec tout l'attirail des allusions et des citations traditionnelles : la tache de sang de *Macbeth* (*Conv*, 16), « un rat ! un rat ! » (*Pr*, 1109), l'avarice de Shylock (*Em*, 177), les « sound and fury signifying nothing » (*JR*, 12). L'image se brouille et il en vient à se demander, à son tour : « Qui est Shakespeare ? » (*Conv*, 269 ; *Mil*, 227)

Les postulants sont nombreux à ce nom qui est un titre. Claudel retient un instant le nom de Francis Bacon (*Conv*, 269). Mais on a lancé aussi celui de Marlowe et tous les dramaturges de l'époque se sont partagé les dépouilles de l'œuvre gigantesque, du moins dans le cerveau d'historiens trop inventifs [3]. Juste revanche, après tout, de ces prédécesseurs, contemporains et successeurs de Shakespeare trop souvent tenus dans l'oubli.

Leur nom apparaît rarement sous la plume de notre poète. Pourtant Georges Cattaui cite le témoignage du diplomate et poète anglais Robert Nichols qui « fut étonné », au Japon, « de voir combien [il] avait pénétré l'art de tous les dramaturges élisabéthains, non seulement de Shakespeare, mais de Beaumont et Fletcher, de Marlowe, de Massinger, de Ben Jonson » (*Bull XXVII*, p. 1). La curiosité naturelle de Claudel, les milieux dans lesquels il a vécu ont créé, autour de « son » Shakespeare, cet environnement. Les souvenirs d'un de ses premiers amis, Maurice Pottecher [4], une note dans l'un de ses derniers livres (*Apoc*, 291 n) en prouvent la persistance.

Parmi les études antérieures [5], une seule est importante pour ce sujet, celle de Jean-Claude Berton, *Shakespeare et Claudel : L'Espace et le Temps au théâtre*. Le titre et le sous-titre en indiquent déjà l'esprit et la double limitation. J'adopterai, dans les pages qui suivent, une méthode toute différente. A Shakespeare, j'adjoindrai les autres « grands vieux dramaturges anglo-saxons » [6], sans nier sa place éminente parmi eux. J'essaierai de préciser quelle est, en

---

3. Voir R.C. CHURCHILL, *Shakespeare and his Betters*, London, Max Reinhardt, 1958.
4. Parus dans *Le Monde français*, juin 1947.
5. Quelques éléments dans divers ouvrages cités, en particulier ceux d'H. Guillemin, J. Madaule, E. Roberto, M.-L. Tricaud, A. Vachon, A. Alter. J'ai pu consulter un mémoire de diplôme inédit à la Bibliothèque de l'Institut de Littérature comparée de la Sorbonne : Bernard REGNAULT, *Claudel et Shakespeare* (1954) : cette étude, déjà ancienne, n'envisage que deux moments, *Tête d'Or* et *Le Soulier de satin*, sans se soucier d'une évolution pourtant frappante ; elle ne se fonde que sur de vagues comparaisons (Hamlet-Cébès, Cordélia-la Princesse, le Roi Lear-l'Empereur David) empruntées aux ouvrages de J. Madaule, et complaisamment développées. Le *Bull XII*, 15, annonce une thèse canadienne, préparée pour l'Université Laval par Sœur Marie-Rose KOHN, *Shakespearian Elements in Claudel*.
6. « Poème précédant la traduction anglaise du *Soulier de satin* », *Th II*, 1367.

France, leur fortune au moment où Claudel les aborde et les pratique. J'insisterai donc sur le rôle des intermédiaires. Au lieu de confronter deux blocs, je suivrai les méandres d'un long cheminement. Par delà le seul problème d'esthétique théâtrale, j'envisagerai les modes nombreux d'une influence diffuse, mais complexe et sans cesse renouvelée au cours de soixante-dix années. Peut-être verra-t-on pourtant émerger des préférences constantes et se créer des structures dramatiques.

CHAPITRE I

L'INITIATION

Claudel a daté de l'année 1886 sa « seconde naissance » et a rassemblé, autour de l'« instant extraordinaire » de Notre-Dame, la somme de ses « illuminations ». Wagner et Beethoven, Rimbaud et Shakespeare, le *Magnificat* entonné à Vêpres par la petite maîtrise de Saint-Nicolas-du-Chardonnet lui ont apporté la même révélation de la joie :

> Puissance merveilleuse de la voix, de l'âme directement qui atteint, qui imprègne, qui s'unit l'autre âme et qui l'entraîne avec elle, avec la connivence irrésistible de l'oreille, dans un même acte d'amour, quand c'est l'amour qui va à la rencontre de la foi.
>
> (*Cir*, 28)

Sur la lande de Douvres et dans la forêt du *Songe*, parmi les bergers de Bohême et les naufragés de *La Tempête*, il a, dit-il, entendu des « voix »[1].

Il est naturel que sa mémoire ait ainsi distillé la quintessence de ses premières émotions esthétiques et les ait fixées en un même point du temps. Mais cette rencontre trop heureuse met en éveil l'esprit critique. Si les documents précis manquent, il reste des indications (l'admiration pour *Les Deux masques*), des faits (l'amitié de Marcel Schwob, les représentations de l'Odéon), des mensonges même (l'année de *L'Endormie*) qui permettent de préciser la date et la nature des premiers contacts de Claudel avec le théâtre élisabéthain.

1. D'après Léon DAUDET, *Fantômes et Vivants*, troisième série, *L'Entre-deux-guerres*, Paris, Nouvelle Librairie nationale, 1915, p. 29.

I. LES INTRODUCTEURS

Avant toute connaissance directe de Shakespeare, il y eut sans doute des introducteurs : un livre, un ami. Au soir de sa vie, Claudel gardait un souvenir vivace des « commentaires de Paul de Saint-Victor » (*MI*, 41) qu'il avait lus à Louis-le-Grand et fait connaître à son camarade Romain Rolland [2]. Le premier volume des *Deux masques* avait paru en 1880 chez Calmann-Lévy. Il contenait des études sur la tragédie et la comédie grecques, en particulier sur Eschyle ; mais l'auteur annonçait dans la préfaec que le second serait entièrement consacré à Shakespeare. Le projet restait incertain, et la matière trop abondante : ce tome II, publié en 1882, traite d'autres pièces antiques et de l'Hindou Calidasa. Entre temps, Paul de Saint-Victor était mort, le 9 juillet 1881, laissant les éléments de deux volumes nouveaux qui devaient porter l'un sur Shakespeare, l'autre sur les comiques français. Guidés par Ernest Renan, son exécuteur testamentaire, Paul Delcrain et Alidor Delzant les fondirent en un troisième tome, paru en 1884 ; *Les Modernes : le théâtre français depuis ses origines jusqu'à Beaumarchais* [3]. Près de deux cents pages, les premières, célèbrent Shakespeare en un style constamment dithyrambique, surchargé d'images et de comparaisons éclatantes. Elles nous semblent aujourd'hui vieillies, et leur contenu assez mince. Mais l'enthousiasme du brillant polygraphe devait être communicatif pour de jeunes lycéens.

Les Deux masques, à dire vrai, ne rappellent à Paul Claudel que la révélation des tragiques grecs [4]. Peut-être n'eut-il entre les mains que le premier tome. Mais l'admiration que ce volume lui inspira dut l'inciter à poursuivre jusqu'au dernier. On est d'autant plus tenté de l'affirmer que certaines notations de Saint-Victor reparaissent dans les jugements de Claudel sur Shakespeare. Comme l'écrit justement André Vachon [5], nous avons « un premier état de la liste des *poètes impériaux* », les « seuls ascendants directs » que Claudel reconnaisse : Shakespeare se trouve placé dans « le groupe indivisible que forment Homère, Eschyle, Job, Dante, Rabelais, ces

---

2. Romain ROLLAND, *Mémoires*, Paris, Albin Michel, 1956, p. 33 : « Avec Claudel, qui m'a révélé *Les Deux masques*, je me gargarisais de *L'Orestie* et de *Prométhée*, dans les commentaires éclatants de Paul de Saint-Victor ».

3. Georges DUVAL, dans *L'Œuvre shakespearienne : son histoire* (*1616-1910*), Paris, Flammarion, 1910, prétend à tort que *Les Deux masques* furent publiés en 1867 (pp. 287-288). Son témoignage est néanmoins intéressant parce qu'il prouve combien, en 1910, ce livre gardait de prestige : « Le brillant écrivain devait donner sa note shakespearienne, il n'y a pas failli. Jamais, peut-être, n'employa-t-il de plus aveuglantes couleurs que pour peindre le portrait de Shakespeare qu'il nous a laissé ».

4. « Shakespeare m'a amené aux tragiques grecs. J'ai lu les tragiques grecs, que j'admirais déjà dans les *Commentaires* de Paul de Saint-Victor que je lisais au lycée » (MI, 41).

5. *Le Temps et l'Espace dans l'œuvre de Paul Claudel*, p. 47.

premiers-nés de l'esprit humain, ces hommes qui dominent les générations terrestres, comme Saül s'élevait au-dessus du peuple d'Israël, *de toutes les épaules* » (p. 3). Paul de Saint-Victor insiste aussi sur son universalité, comme le fera Claudel : il n'hésite pas à le comparer avec Pan, puisque « rien ne le dégoûte dans la Nature » et puisque son œuvre « renferme tous les peuples, contient tous les siècles, admet toutes les manifestations et toutes les singularités de la vie » (pp. 5-6). Bien plus, il lui confère la puissance presque divine que s'attribuera l'auteur du *Soulier de satin* :

> Il attelle dix actions de front ; il croise, lâche, resserre et dénoue d'une main infaillible vingt rênes différentes d'intrigues emmêlées. Il est partout et il entend tout : le soupir d'un cœur perdu dans la foule, comme la clameur de la bataille ; la méditation solitaire du héros et les huées de la populace. Il sonde les reins, il scrute les consciences. Tous ses personnages sont égaux devant lui comme les créatures devant le Créateur ; il les pèse, il les juge, il les absout ou il les condamne, sans que sa main tremble, sans que sa voix frémisse, sans que sa verve s'égare. Une divination transcendante lui tient lieu de science et d'étude.　　　(pp. 11-12)

Le mage romantique, le visionnaire qui sait évoquer les spectres et les sorcières, le William Shakespeare de Victor Hugo sont encore tout proches.

Dans l'ensemble de l'œuvre, Paul de Saint-Victor opère un choix : *Othello, Le Marchand de Venise, Richard III, Timon d'Athènes, Macbeth, Hamlet, Le Roi Lear, Roméo et Juliette, Comme il vous plaira*, le personnage de Falstaff, *Tout est bien qui finit bien, Peines d'amour perdues, La Tempête*. Il considère *Le Roi Lear* comme la plus étonnante création de Shakespeare dans l'ordre de la tragédie (p. 117). Mais *Roméo et Juliette*, « le drame d'amour par excellence » (p. 136), ne lui inspire qu'un bref développement. Claudel creusera, entre ces deux pièces, le même abîme.

Comme abusé par un mirage, le lecteur du volume voit aujourd'hui se profiler le « nouveau Shakespeare ». Sa personnalité dramatique s'y trouve déjà dessinée et définie, appelée par un critique de grande culture : et non seulement le paroxysme de *Tête d'Or* ou de *La Ville*, « naturel » malgré les « hyperboles gigantesques, métaphores effrénées, fusées lyriques, exclamations furibondes, fouillis d'images enchevêtrées et ardentes » (pp. 13-14), mais encore la complexité, la fantaisie, l'art des contrastes, l'ambition démiurgique du *Soulier de satin*.

A Louis-le-Grand encore, Claudel eut comme condisciple, en classe de philosophie, un précoce connaisseur de Shakespeare : Marcel Schwob.

Le père du jeune garçon, journaliste israélite, avait tenu à lui donner, très tôt, des gouvernantes britanniques et des précepteurs allemands. Aussi, dès l'âge de trois ans, parlait-il couramment trois langues. Quand il entra en sixième au lycée de Nantes, il se fit remarquer de son professeur parce qu'il maniait l'anglais comme un natif de Grande-Bretagne [6]. Venu à Paris en 1882, il est attiré par l'érudition sous toutes ses formes. Son oncle, Léon Cahun, bibliothécaire en chef de la Bibliothèque Mazarine, lui donne le goût de la philologie. Mais sa culture littéraire surtout est immense et variée. Shakespeare, dont il lit le *Hamlet* en même temps que les *Pensées* de Pascal, compte parmi les auteurs « qui l'ont profondément ému et, on peut le dire, halluciné » [7]. Léon Daudet, qui se trouvait lui aussi dans la classe du « célèbre Burdeau » (*MI*, 23), a rappelé quelle prodigieuse impression produisait le polyglotte sur ses camarades et comment il lui révéla « le milieu shakespearien » [8]. Claudel ne pouvait échapper à cet envoûtement, très vite interrompu toutefois par le volontariat de Schwob et par un éloignement heureusement temporaire.

II. UNE DÉCOUVERTE PROVIDENTIELLE

Initié par un professeur d'enthousiasme et par un camarade angliciste, Claudel n'accède pas à Shakespeare par les mêmes voies que ses contemporains.

Un étranger naturalisé

En 1886, deux siècles ont passé depuis le premier jugement connu sur Shakespeare en France, celui de Nicolas Clément, bibliothécaire de Louis XIV : « Ce poète anglais a l'imagination assez belle, il s'exprime avec finesse ; mais ces belles qualités sont obscurcies par les ordures qu'il mêle à ses comédies » [9]. Pourtant la réserve demeure, à peine atténuée, dans le jugement des critiques et pousse encore adaptateurs et metteurs en scène à « naturaliser » Shakespeare [10].

Une fois l'enthousiasme romantique passé (le *William Shakespeare* de Victor Hugo en a été en 1864 le dernier beau cri), deux tendances se manifestent [11]. Les universitaires tendent à une vue plus

6. Pierre CHAMPION, *Marcel Schwob et son temps*, Paris, Grasset, 1927, pp. 15-16.

7. *Ibid.*, p. 41.

8. *L'Entre-deux-guerres*, p. 19. Léon Daudet publiera en 1896 *Le Voyage de Shakespeare*.

9. Cité dans H. FLUCHÈRE, « Shakespeare en France », dans *Le Théâtre élisabéthain*, Les Cahiers du Sud et José Corti, 1940.

10. J'emprunte l'expression à un article de Georges PÉLISSIER, « Le drame shakespearien sur la scène française », paru dans la *Revue d'Art dramatique*, janvier-mars 1886.

11. Voir Helen BAILEY, *Hamlet in France, from Voltaire to Laforgue*, Genève, Droz, 1964.

objective du théâtre élisabéthain : Alfred Mézières [12] et Taine [13] replacent Shakespeare dans la cohorte des dramaturges ses contemporains. Les « philistins » (tel Sarcey dans ses articles du *Temps*) reviennent à l'idée de la « farce monstrueuse ». Ni les uns ni les autres n'abandonnent le principe d'explication cher à Voltaire : la critique positiviste évoque le milieu où cet art étrange s'est épanoui, déterminé par un peuple brutal et fruste, épris, jusqu'en ses hautes classes, de violence et de gaudriole [14]. Le goût français continue de manifester sa répugnance. Taine présente d'emblée Shakespeare comme « une nature d'esprit extraordinaire », mais « choquante pour toutes nos habitudes françaises d'analyse et de logique, toute-puissante, excessive, également souveraine dans le sublime et dans l'ignoble » [15]. Son style est déconcertant : il « torture » les mots en « un composé d'expressions forcenées » et semble incapable d'écrire sans crier [16]. Le spectateur moyen de 1886 considère encore *Le Songe d'une nuit d'été* comme « un insupportable essai de féerie-vaudeville tragique » [17] et Antoine lui-même appelle *Hamlet* une « dégoûtante boucherie » [18]. On l'admet désormais : Shakespeare restera toujours pour les Français un « étranger » [19].

Pourtant adaptateurs et traducteurs se sont efforcés de le naturaliser. La composition est-elle trop complexe ? On la réduit, et Jean Richepin peut présenter en 1884 un *Macbeth* en neuf tableaux. Le style trop rugueux ? les alexandrins d'Alcide Cayrou, de Reinach ou de Louis Ménard [20] lui donneront tout le poli néo-classique. On sait gré à Lucien Cressonnois et à Charles Samson, auteurs d'une nouvelle adaptation de *Hamlet,* en vers, en cinq actes et en onze tableaux, d'avoir « élagué avec habileté tout ce qui aurait rendu la pièce un peu lourde pour une scène française » [21]. On boude les traductions fidèles. Les « guizotins » s'emploient à déconsidérer l'admirable réussite de François-Victor Hugo [22]. On re-

---

12. Mézières a beaucoup fait pour introduire le théâtre élisabéthain en France avec ses volumes *Prédécesseurs et Contemporains de Shakespeare* (1863), *Shakespeare, ses œuvres et ses critiques* (1861), *Contemporains et successeurs de Shakespeare* (1864) ; sur lui et sur les autres universitaires qui s'intéressèrent alors à Shakespeare (Philarète Chasles, Stapfer, etc.), voir Georges DUVAL, *L'Œuvre shakespearienne : son histoire,* chap. IX.

13. Dans son *Histoire de la littérature anglaise* (1863-1869) ; je cite cet ouvrage d'après sa neuvième édition, Hachette, 1895.

14. TAINE, *op. cit.,* tome II, pp. 166-168.

15. *Ibid.,* p. 164.

16. *Ibid.,* pp. 187-188.

17. Louis GANDERAX, « Une Féerie de Shakespeare à l'Odéon », dans la *Revue des Deux-Mondes,* 15 mai 1886, pp. 453-466.

18. Lettre à Pauline du 16 décembre 1886 (éd. F. Pruner, Paris, Les Belles-Lettres, 1962).

19. G. PÉLISSIER, art. de janvier-mars 1886 cité.

20. Alcide CAYROU, *Chefs-d'œuvre de Shakespeare,* Plon, 1876 ; Th. REINACH, *Hamlet,* 1880 ; Louis MÉNARD, *Hamlet,* Perrin, 1886.

21. Compte rendu d'Emile MORLOT, paru dans la *Revue d'Art dramatique,* de la pièce de Lucien Cressonnois et Charles Samson, *Hamlet,* d'après W. Shakespeare, Paris, Ollendorf, 1886.

22. Les quinze volumes avaient paru chez Pagnerre de 1859 à 1866 ; voir J.-B. FORT, « François-Victor Hugo traducteur de Shakespeare », dans *Shakespeare en France, Etudes anglaises,* XIII, 2, avril-juin 1960, pp. 106-115.

proche même à Alexandre Dumas et à Paul Meurice d'avoir, dans leur *Hamlet* en vers, suivi de trop près l'original « car ils ont encore augmenté tout ce qu'il y a de nuageux et d'obscur » dans la pièce [23]. Les critiques qui regrettent de voir Shakespeare accommodé à la Ducis ou à la Hugo finissent par le juger intraduisible et condamnent toute tentative pour retrouver « cette langue poétique inventée [...] dans la langue anglaise et qui ne pouvait guère s'inventer ailleurs » [24].

Les représentations données à Paris en 1886 permettent à la Ligue de se reformer.

Le Songe d'une nuit d'été, monté par Porel, en avril, au théâtre de l'Odéon, a perdu le « duvet subtil » de ses ailes sans avoir, pour autant, été assez « accommodé au goût du jour ». Il a « fait bâiller les critiques les plus débonnaires ». Le public, mécontent, a protesté, jugeant la féerie « indigente », et dérisoire la « pièce à trucs ». La tête d'âne de Bottom est devenue la tarte à la crème des spectateurs navrés échangeant à la sortie des impressions moroses. Ils attendaient un chef-d'œuvre subtil et ont trouvé une lourde farce. « Quelle déchéance ! » Et cependant rien n'a été négligé pour le plaisir des yeux : chacun vante le luxe et le bon goût des costumes et des décors. L'excellent orchestre Colonne a admirablement exécuté la musique de scène écrite par Mendelssohn. Mais la lourde versification de Paul Meurice, l'adaptateur, a encore été accentuée par les deux acteurs chargés des rôles d'Obéron et de Titania : Paul Mounet reste « un monarque du répertoire » et imite trop son frère ; Mademoiselle Weber étale incongrûment « sa voix rauque de jeune faubourienne tragique ». Seuls Saint-Germain qui « joue avec infiniment d'esprit » le « rôle peu spirituel » de Bottom et Mademoiselle Cerny qui « dans le maillot bleu du lutin Puck se montre d'une espièglerie charmante », forcent l'admiration [25].

Le *Hamlet* de Cressonnois et Samson joué à la même époque au théâtre de la Porte Saint-Martin n'a pas été mieux accueilli malgré Philippe Garnier, dans le rôle du prince, et Sarah Bernhardt, dans celui d'Ophélie. La Comédie-Française n'hésite pourtant pas à reprendre la pièce à l'automne, dans l'adaptation ancienne, romantique, d'Alexandre Dumas et Paul Meurice [26]. La première a lieu le mardi 28 septembre et obtient « un triomphe qui ressemble fort à une apothéose ». Le spectacle, là encore, est somptueux : « Les décors, celui du Cimetière surtout, exécuté par MM. Rubé et Chaperon, sont superbes, et certains costumes ont coûté des prix exorbitants, à ne parler que du seul manteau du roi de Danemark,

23. Compte rendu anonyme paru dans la *Revue britannique*, octobre 1886, pp. 494-495 ; il s'agit d'une traduction ancienne, publiée en 1847 chez Dondey Dupré, mais qui avait été choisie pour les représentations données à la Comédie-Française.

24. L. GANDERAX, *art. cit.*

25 J'emprunte les éléments de ce commentaire au compte rendu de L. Ganderax paru dans la *Revue des Deux-Mondes* (art. cit.) et au compte rendu anonyme paru dans la *Revue britannique*, avril 1886, pp. 547-548.

26. Sur les caractéristiques de cette adaptation, voir Christian PONS, « Les traductions de *Hamlet* par des écrivains français », *Etudes anglaises*, XIII, 2, avril-juin 1960, pp. 120-121.

pavé 5 000 francs » [27]. Trop somptueux même, au dire de Mallarmé, qui juge inutile l'effort de reconstitution historique [28]. L'invasion du « discours » frappe tous les critiques. La traduction choisie en est peut-être la cause : Hamlet-René s'y exprime en tours emphatiques et « appelle à lui les orages désirés » [29]. Le lyrisme a disparu et il ne reste qu'une déclamation d'autant plus « vide et boursouflée » [30] que la diction des acteurs est médiocre ou excessive. Silvain, dans le rôle du roi, se soucie surtout de dire les vers avec majesté. Madame Agar « met au service de la reine du Danemark sa voix large, pleine, sonore » [31]. Mademoiselle Reichemberg, Ophélie, reste une ingénue du conservatoire [32]. L'ensemble paraît « copieux et solennel » [33].

Mais voici l'attraction de la soirée, Mounet-Sully dans le rôle de Hamlet. A son propos éclate un concert d'éloges délirants : « la réussite a dépassé tout ce qu'on en saurait écrire », proclame Geullette [34] ; et Ganderax : « Ah ! le bel animal ! Et qu'il doit réjouir les peintres, les sculpteurs, les gymnastes ! Il satisfait aussi, autant qu'il est possible en un pareil rôle, les amis de la poésie et du drame » [35]. Quant à Mallarmé, isolant enfin le personnage central de la bande indiscrète des comparses, il souligne la ressemblance idéale du portrait et du modèle :

Mime, penseur, le tragédien interprète Hamlet en souverain plastique et mental de l'art et surtout comme Hamlet existe par l'hérédité en les esprits de la fin de ce siècle : il convenait, une fois, après l'angoissante veille romantique, de voir aboutir jusqu'à nous résumé le beau démon, au maintien demain peut-être incompris, c'est fait. Avec solennité, un acteur lègue élucidée, quelque peu composite mais très d'ensemble, comme authentiquée du sceau d'une époque suprême et neutre, à un avenir qui probablement ne s'en souciera mais ne pourra du moins l'altérer, une ressemblance immortelle [36].

27. Ch. GUEULLETTE, *Répertoire de la Comédie-Française*, tome III, 1886, Paris, Librairie des Bibliophiles, 1887, p. 96.

28. « Non, je ne blâme rien à la plantation du magnifique site ni au port somptueux de costumes, encore que, selon la manie érudite d'à-présent, cela date, trop à coup sûr ; et que le choix exact de l'époque Renaissance spirituellement embrumée d'un rien de fourrures septentrionales, ôte du recul légendaire primitif, changeant par exemple les personnages en contemporains du dramaturge ». (MALLARMÉ, « Notes sur le théâtre », *Revue indépendante*, pp. 37-43, reprises dans *Œuvres complètes*, éd. H. Mondor et G. Jean-Aubry, Gallimard, coll. « Bibliothèque de la Pléiade », 1945, p. 300).

29. Ch. PONS, *art. cit.*, p. 120.

30. *Revue britannique*, octobre 1886, pp. 494-495.

31. Ch. GUEULLETTE, *op. cit.*, pp. 96-97.

32. *Ibid.* : « je lui reprocherai [...] une note trop douce pour le personnage. Le côté tragique d'Ophélie échappe à la toute charmante ingénue qui s'accommode mal du génie sombre et quelque peu rude de Shakespeare », et MALLARMÉ, *op. cit.*, p. 301 : « Ophélie, vierge enfance objectivée du lamentable héritier royal, reste d'accord avec l'esprit du conservatoire moderne : elle a du naturel, comme l'entendent les ingénues, préférant à s'abandonner aux ballades introduire tout le quotidien acquis d'une savante entre les comédiennes ; chez elle éclate non sans grâce, quelque intonation parfaite, dans les pièces du jour ou la vie ».

33. L. GANDERAX, « *Hamlet* à la Comédie-Française », *Revue des Deux-Mondes*, 15 octobre 1886, pp. 934-944.

34. *Op. cit.*, p. 97.

35. L. GANDERAX, *art. cit.*

36. *Op. cit.*, p. 302.

Le retour à l'original

Dans ce concert, on entend une seule voix discordante : celle de Claudel.

Eugène Roberto a pressenti qu'en cette année 1886 le jeune homme avait fréquenté les salles de théâtre, mais il regrette le manque total de documents à ce sujet [37]. On peut pourtant accorder du crédit à la supposition qu'il fait : Claudel a certainement assisté à la représentation du *Songe d'une nuit d'été* à l'Odéon. Je m'expliquerais mal, sans cela, qu'il ait donné le manuscrit de l'*Endormie* au comité de lecture attaché à cette salle [38]. Puck et Bottom dominaient la distribution ; leur avatars, Volpilla et le Poëte, constituent les premiers rôles dans ce bref essai dramatique.

Peut-être, au même moment, est-il allé voir *Hamlet* à la Porte Saint-Martin. En effet il associe la figure de Sarah Bernhardt au personnage d'Ophélie [39]. En tout cas, il a toujours gardé le souvenir de « l'interprétation jadis du *Prince noir* » donnée par Mounet-Sully, qui le « dégoûta du théâtre pour le reste de ses jours » (*Pr*, 1107). Il le rappelle dans un article publié le 21 mai 1938 par *Le Figaro* et dans une lettre adressée à Jean-Louis Barrault le 28 octobre 1941 : « Il [...] était *grotesque* » [40]. Il n'éprouva donc pas le même enthousiasme délirant que le public pour l'illustre acteur qui était rappelé jusqu'à quatorze fois [41]. Sans doute avait-il lu *Hamlet* dans le texte original avant l'automne 1886 : la confrontation de l'œuvre et de l'adaptation présentée par Claretie explique sa déception.

La grande supériorité de Claudel sur le public de son temps est en effet d'avoir goûté Shakespeare directement en anglais. « J'ai étudié de très près Shakespeare, confiait-il à Jean Amrouche, pendant un an, un an et demi ou deux ans : je l'ai lu et annoté de très près » (*MI*, 40).

Ce travail, il le cite comme le premier en date dans le cours de ses « études préliminaires » (1886-1893). Au sortir du lycée, en juillet 1895, il a « rejeté en bloc » tout le bagage qu'on avait essayé de lui imposer et, une fois livré à lui-même, il s'est « d'abord jeté sur Shakespeare » (*MI*, 40). Si l'on admet un temps de décantation nécessaire, coïncidant avec la pause des vacances, on peut dater ce premier vrai contact de la fin de l'année 1885, ou du début 1886 [42].

---

37. E. Roberto, « *L'Endormie* » de Paul Claudel ou la Naissance du génie, C. Can I, p. 64.
38. Voir *infra*, p. 23.
39. « Dans l'enclos de l'hôtel voisin, on vous montre une étrange petite flaque où le reflet de Sarah Bernhardt se mêle encore à l'agitation d'une Ophélie qui essaye sourdement de se dépêtrer de la bourbe » (*Pr.*, 1107).
40. Lettre inédite ; archives J.-L. Barrault.
41. Ch. Gueullette, *op. cit.*, p. 97.
42. E. Roberto a donc tort d'écrire « Claudel a lu Shakespeare au lycée » (*op. cit.*, 63). Il n'a eu à Louis-le-Grand que des contacts indirects avec lui, par l'intermédiaire de Schwob et de Paul de Saint-Victor : ce qui explique qu'il ait eu fortement envie de le lire et qu'il ait commencé par là.

Il dut avancer fort lentement. En effet, il n'avait pas appris l'anglais au cours de ses études secondaires, mais l'allemand [43]. Après une brève initiation, il mena de front l'apprentissage de la langue et la lecture du texte : « avec le dictionnaire d'une main, et une traduction de Shakespeare » [44], il s'adonna à cette tâche « avec une grande voracité et beaucoup de fruit » (*MI*, 42). A la langue et à la culture germaniques qu'on avait essayé de lui inculquer, il substituait ainsi, et pour toujours, la langue et la culture anglaises.

Comment ne regretterait-on pas que ses exemplaires annotés aient disparu dans le tremblement de terre de Tokyo (*MI*, 40) ? Rien n'indique que Claudel ait alors traduit Shakespeare comme il traduira Eschyle [45] : du mot-à-mot il passa progressivement à la lecture directe.

Le sens de cette découverte : une victoire sur l'hamlétisme

Ce serait le trahir que de l'imaginer se livrant à un plaisir d'érudit ou de dilettante. Il a lui-même expliqué comment, au cours de ses années de formation, « conversion, éducation morale et intellectuelle ont marché de pair » pour lui (*MI*, 40). Shakespeare, comme Beethoven ou Rimbaud, prend alors une valeur spirituelle qu'il faut tenter de préciser.

On ne saurait négliger cet autre maître, vivant celui-là, dont l'influence sur Claudel n'a pas été suffisamment soulignée : Mallarmé, depuis longtemps hanté par Hamlet dont, aux murs de l'appartement de la rue de Rome, une esquisse d'Edouard Manet représentait la rencontre avec le Spectre sur la terrasse d'Elseneur [46]. Claudel se présenta très tôt comme auditeur des « mardis » [47], après avoir adressé des vers au poète qu'il admirait : en 1887 (*MI*, 74). Il n'y venait guère qu'une fois par mois et ses visites s'espacèrent de plus en plus, puisque Mauclair, introduit dans le cercle en mai 1891, ne l'y vit que « trois ou quatre fois » [48]. Le maître aborda certainement devant lui « ce thème » familier « de causerie », « la pièce » qu'il croyait « celle par excellence » : *Hamlet*.

Non plus le prince danois. Mais, sur le « seul théâtre de notre esprit », un double fascinant et angoissant à la fois, « l'adolescent évanoui de nous aux commencements de la vie » et qui maintenant

---

43. M. Pincet, bibliothécaire du lycée Louis-le-Grand, a bien voulu me le confirmer dans une lettre du 30 avril 1963. Claudel lui-même nous confie, — non sans quelque exagération —, dans « Richard Wagner, rêverie d'un poète français » : « au lycée on m'a fait expliquer pendant huit ans de suite *Hermann et Dorothée* et les *Kranen von Ibycus* [*sic*], ça m'a suffi » (*Fig.*, 196).
44. Laquelle ? Certainement une traduction en prose, aussi exacte que possible : peut-être celle de François-Victor Hugo.
45. « C'est Shakespeare qui a été mon premier maître, j'ai traduit et annoté toute son œuvre (travail disparu) », écrivait Claudel à M. F. Guyard le 19 août 1950 (citation communiquée par M. le Recteur Guyard). L'expression est ambiguë. Il ne s'agit pas, à mon avis, d'une traduction écrite.
46. Selon le témoignage de Camille Mauclair, *Mallarmé chez lui*, Paris, Grasset, 1935, p. 19.
47. Voir H. Mondor, introduction à la Correspondance Claudel-Mallarmé, *CCI*, 17-20.
48. C. Mauclair, *op. cit.*, p. 41.

« se débat sous le mal d'apparaître » : Cébès brusquement jeté sur le chemin de Simon Agnel ! Bien plus, « ce personnage unique d'une tragédie intime et occulte » se trouve confronté avec ses propres doubles : en tuant Polonius, il repousse « le tas de loquace vacuité gisant que plus tard il risquerait de devenir à son tour, s'il veillissait » ; et avec Ophélie disparaît la « vierge enfance objectivée du lamentable héritier royal ». Sa « dualité morbide » se trouve-t-elle ainsi anéantie ? Non, jusqu'au bout, Hamlet reste double lui-même, « fou en dehors et sous la flagellation contradictoire du devoir, mais s'il fixe au dedans les yeux sur une image de soi qu'il y garde intacte autant qu'une Ophélie jamais noyée, elle ! prêt toujours à se ressaisir. Joyau intact sous le désastre » [49].

Héros idéal [50] pris entre le rêve et « les fatalités à son existence départies par le malheur », Hamlet est aussi le héros moderne, tel qu'il « existe par l'hérédité dans les esprits de la fin de ce siècle » [51]. Mallarmé avait eu l'intention de le faire dialoguer avec le vent, dans une pièce restée à l'état de projet [52]. Et peut-être l'ombre inquiète d'Elseneur passait-elle déjà sur Igitur [53], « sorte d'Hamlet plus impersonnel, dénué de toute anecdote, placé en face de soi-même et se choyant dans le mystère » [54], ou, comme le dira Claudel, « suprême Hamlet au sommet de sa tour » (PP I, 200).

Le Spectre se confond ici avec « le passé compris de sa race qui pèse sur lui en la sensation du fini » ; lui, le vivant, reste la proie du temps, l'obsédé de l'horloge et de l'attente, la victime de l'ennui. Issu des ténèbres ancestrales, il est froissé par la lumière et sent que « sa dualité est à jamais séparée ». « Sa race a été pure », mais, ravissant la pureté, l'a abandonné à la « maladie d'idéalité ». Pourtant « il peut causer l'ombre en soufflant sur la lumière » : alors, au terme de sa « folie utile », il peut accomplir l'Acte : il lance les dés pour abolir le hasard, « avant d'aller rejoindre les cendres, atome de ses ancêtres ». La scène de théâtre créée par « l'Intelligence du lecteur qui met les choses en scène, elle-même » s'achève, comme l'autre, « au tombeau » [55].

Cette lucidité dans la nuit, Claudel l'attribue à Mallarmé lui-même, « prince de la moderne Elseneur », « succédant à deux générations d'engloutis », — les deux générations des poètes maudits qui, tout pénétrés de « cette infortune d'être un homme » ont

---

49. Toutes ces citations sont extraites de l'article cité de 1886, *Œuvres complètes*, pp. 299-302.

50. Ainsi le considérait Mallarmé selon Henri de RÉGNIER, *Nos rencontres*, Paris, Mercure de France, 1931, pp. 90-91, 199.

51. MALLARMÉ, *art. cit.* L'idée lui était chère depuis longtemps. Le 5 mai 1862, il écrivait déjà à Henri Cazalis : « Que vous serez désillusionné, quand vous verrez cet individu maussade qui reste des journées entières la tête sur le marbre de la cheminée, sans penser : ridicule Hamlet qui ne peut se rendre compte de son affaissement » (éd. cit., p. 1 564).

52. George MOORE, *Avowals*, New York, privately printed, 1919, pp. 278-279.

53. Voir H.P. BAILEY, *op. cit.*, pp. 139-141.

54. Dr Edmond BONNIOT, préface à la première édition d'*Igitur*, N.R.F., 1925, éd. cit., p. 427. La comparaison faite par Claudel entre Igitur-Mallarmé et Hamlet dans son article « La Catastrophe d'Igitur », paru, l'année suivante, dans la *N.R.F.* de novembre 1926, développe cette suggestion du préfacier.

55. MALLARMÉ, *Igitur ou la Folie d'Elbehnon*, éd. cit., pp. 433-443.

conclu un accord avec le malheur. « Professeur d'attention », « Hamlet professeur d'anglais », il ne déchiffre les signes des apparences que pour découvrir l'absence, suprême, décevante explication (*PP* I, 198-202). Lui aussi, il a bu « la goutte de néant qui manque à la mer »[56]... La révélation d'*Igitur* au public a été tardive ; tardif donc, le commentaire de Claudel. Mais, en 1887, quelle que fût son admiration pour Mallarmé, il dut déjà détourner la leçon, découvrir « non pas seulement l'écriture, mais le scripteur, non pas seulement la lettre morte, mais l'esprit vivant, et non pas un grimoire magique, mais le Verbe en qui toutes choses ont été proférées. Dieu ! » (*PP I*, 206)

Que Hamlet exist[ât] par l'hérédité en les esprits de la fin de ce siècle »[57], Jules Laforgue en administrait aussi la preuve. Annoncé par un texte de présentation dans *Le Symboliste* du 22 octobre, son « Hamlet » paraissait le 15 novembre 1886 dans *La Vogue*[58]. Cette revue était chère à Claudel qui venait d'y découvrir Whitman et Rimbaud. Il lut sans doute la nouvelle et, s'il ne parla guère de l'auteur, il l'admira profondément[59].

Laforgue s'est miré en ce Hamlet inguérissable comme il se mire lui-même, du haut de sa « tour paria », dans une « mare stagnante » où le Sund évacue ses déjections. Mais, sans attendre la révélation du fossoyeur, on avait deviné en lui le frère de Yorick[60] : irrésolu, mal aimé, incompris, il se manifeste par l'ironie corrosive, la cruauté intellectuelle et morale, une attitude tristement bouffonne qu'on prend pour de la folie. « Dandy », « cabotin », il est le portrait de l'écrivain, du primitif plutôt, qui, « pour [s']exalter la piété filiale », « pour [se] remettre l'horrible, horrible, horrible événement », se rend la chose « dans toute l'irrécusabilité du verbe artiste »[61]. Pour le drame dont il est l'auteur, il a des complaisances

---

56. *Ibid.*, 443 et *PP* I, 200 ; voir Guy MICHAUD, *Message poétique du symbolisme*, Paris, Nizet, 1947, 3 vol., tome III, p. 603.

57. MALLARMÉ, « Hamlet », éd. cit., 302.

58. « Hamlet ou les suites de la piété filiale » fut inséré l'année suivante dans le recueil des *Moralités légendaires*, Paris, librairie de la Revue indépendante, novembre 1887. Entre temps, Laforgue était mort le 20 août 1887. L'actualité littéraire ne pouvait donc qu'attirer l'attention de Claudel sur « Hamlet ».

59. « C'est vrai, oui, j'aimais bien Laforgue. Presque tout ce qu'il écrivait me plaisait » (déclaration recueillie et citée par H. GUILLEMIN, *Claudel et son art d'écrire*, p. 79). Et, dans sa conférence sur Francis Jammes du 15 février 1939, il soulignait la place exceptionnelle de Laforgue dans la littérature décadente : « [...] au milieu de cette littérature anémique et larvaire a fleuri tout de même un vrai et délicieux talent. Je veux parler de Jules Laforgue, ce grand Lunaire, comme il s'appelait lui-même, né contemporain du blafard héros de Willette, " sans rien en lui qui pèse ou qui pose ", dans sa souquenille flottante en proie à tous les vents de l'automne et de la métaphysique. Il avait quelque chose qui le distinguait de ses camarades : l'esprit ! La gaminerie d'un elfe, la sensibilité d'un poitrinaire, et le don magique de faire jaillir la poésie au sein de l'argot et de la conversation courante. Tous ces dictons, toute cette sagesse anonyme qui tout à coup se met à verdoyer sous ses passes magnétiques et à pousser un thyrse bizarre et odorant, comme l'oignon d'une jacinthe ! » (*Pr*, 1476-1477).

60. Hamlet serait le fils du roi Horwendill dont les portraits rappellent « l'œil coquin et faunesque » et d'une « gypsie » diseuse de bonne aventure et déjà mère du futur fou de cour.

61. J. LAFORGUE, *Moralités légendaires*, Paris, Mercure de France, 1964, « Hamlet ou les suites de la piété filiale », p. 19.

d'homme de lettres épris de son propre talent. Ophélie morte, il s'enfuit avec l'actrice Kate qu'il finit par confondre avec elle. Mais il se détourne un instant de l'illusion et retrouve, au bord de sa tombe, le souvenir de sa vraie fiancée : alors la réalité se venge et il trouve la mort. « Un Hamlet de moins ; la race n'en est pas perdue, qu'on se le dise ! [62] »

Pour Claudel, ce « Hamlet » corrigeait sans doute l'interprétation solennelle et déclamatoire de Mounet-Sully. Il trouvait précisément « ce côté bouffonnerie sinistre » qui devait être toujours pour lui « l'essentiel du rôle » [63] et que l'illustre acteur n'avait pas su comprendre.

Mais la bouffonnerie n'exprime pas seulement le tragique ; elle le conjure. L'année 1886 a présenté côte à côte, aux yeux du jeune Claudel, *Le Songe d'une nuit d'été* et *Hamlet*. Il va renouveler cette alliance et ce contraste en écrivant tour à tour *L'Endormie* et *Une Mort prématurée*.

Déjà, malgré son admiration pour Mallarmé et son goût pour Laforgue, il dévêt l'hamlétisme et évite « la catastrophe d'Igitur ». Il sait qu'il est « fait pour dominer le monde et non pas le monde pour [le] dominer » (*PP I*, 205). Tête d'Or se débarrasse du Cébès qu'il porte en lui : il « ne veut pas être vaincu » et Claudel non plus ne voulait pas être vaincu (*MI*, 64). Avare, côtoyant, comme le Hamlet de Laforgue « des troupeaux de prolétaires, vieux, femmes et enfants, revenant des bagnes capitalistes quotidiens, voûtés sous leur sordide destinée » [64], serre le poing (*V*, 189) et se rêve « tourmenté par beaucoup de soins, tels que ceux d'un chef de guerre » (242).

Après l'illumination de Noël, Shakespeare ne peut constituer pour Claudel une impasse. S'il l'a aidé à rejeter le bagage du lycée (*MI*, 40), s'il lui a fait pressentir, comme Rimbaud, la joie bientôt révélée [65], il lui a bien ouvert, « sur un vaste horizon de rêve et d'action », une « fenêtre magique » (*Circ*, 234).

62. *Ibid.*, p. 61.
63. Lettre à Barrault du 28 octobre 1941, inédite. Archives Jean-Louis Barrault.
64. *Moralités légendaires*, éd. cit., p. 34.
65. A. VACHON, *Le Temps et l'Espace dans l'œuvre de Paul Claudel*, p. 48.

III. LES PREMIÈRES GAMMES

Les humanistes du XVIᵉ siècle trouvaient dans l'imitation une méthode de lecture approfondie[66]. Il était donc naturel qu'au cours des années où il déchiffrait patiemment Shakespeare dans le texte, Claudel sentît s'éveiller en lui les Muses du théâtre. L'exercice de style est non seulement la conséquence, mais encore le complément de la découverte livresque. Pour mener l'expérience à son terme, il fallait revêtir tour à tour les deux masques : le masque bouffon dans *L'Endormie*, le masque tragique dans *Une mort prématurée*.

« L'Endormie »

Si l'on se fie, pour dater *L'Endormie*, au témoignage de Claudel, on est contraint, soit d'avancer dans le temps ses premiers contacts avec Shakespeare, soit de nier toute influence de Shakespeare dans ce premier essai dramatique.

Quand un « fureteur »[67] exhuma le vieux texte inédit, en 1925, et qu'Edouard Champion et Daniel Jacomet tirèrent, à cent trente exemplaires, un fac-similé du manuscrit autographe, le poète, interrogé par Frédéric Lefèvre, déclara, non sans incertitude, qu'il « avait dû [le] composer » entre sa « quatorzième » et sa « quinzième année », donc en 1882-1883, au moment de sa première rhétorique à Louis-le-Grand. Quand, en 1947, les éditions Ides et Calendes publièrent *L'Endormie*, Claudel inscrivit cette dédicace : « A Richard Heyd, ce petit drame, ma première œuvre réalisée quand j'avais dans les quatorze ans. Comme il est facile de s'en apercevoir ! » Au cours de ses entretiens radiophoniques avec Jean Amrouche, en 1951, il affirmait encore que cette « pièce d'enfant » avait été écrite aux alentours de la « quinzième année » (*MI*, 31-32).

Henri Mondor, sans discuter ces indications, s'étonne de la « précocité, tout à la fois observatrice, lyrique et même dramatique, du lycéen », de son « audace » et de ses « hauts desseins »[68] ; niant toute influence de Shakespeare, il écrit même que « le grain de sel et celui d'incongruité » qui relèvent ces quelques pages « n'ont pas attendu la grande leçon prochaine » du dramaturge élisabéthain. Certes, on ne saurait faire remonter cette leçon avant 1884 puisque cette année-là seulement paraît le troisième tome des *Deux masques* et se noue, à partir d'octobre, l'amitié de Claudel et de Marcel Schwob. Mais, amené à supposer en Claudel du Shakespeare avant

---

66. J. Du Bellay, *Défense et Illustration de la langue française*, première partie, chap. VIII.
67. Expression de Claudel lui-même lors d'une interview accordée à Frédéric Lefèvre (numéro du 18 avril 1925 des *Nouvelles littéraires*). Selon E. Roberto, « *L'Endormie* » *de Paul Claudel ou la Naissance du génie*, p. 18 (ouvrage auquel renverra, tout au long de ce chapitre, la pagination), ce « fureteur » fut Auguste Rondel.
68. *Claudel plus intime*, p. 32.

la lecture de Shakespeare, Mondor est encore amené à supposer dans *L'Endormie* du Rimbaud avant la lecture de Rimbaud [69], du Mallarmé avant la lecture de Mallarmé, ou du Baudelaire avant la lecture de Baudelaire [70]. Un argument, de fait celui-là, oblige un historien plus attentif à reculer la date de rédaction. Le manuscrit s'achève sur l'indication suivante : « Paul Claudel, 21 boulevart [*sic*] Port Royal » [71]. Or, les parents du poète ne se sont installés à cette adresse qu'après sa sortie du lycée, à la fin de 1885 ou au début de 1886, après avoir résidé successivement à Paris boulevard du Montparnasse et rue Notre-Dame des Champs. Voilà, semble-t-il, le *terminus a quo*. Il faut chercher le *terminus ad quem* dans le rapport rédigé par le comité de lecture de l'Odéon, à qui Claudel avait confié cet essai. Il est daté du 19 janvier 1888 [72]. L'hypothèse de Jacques Petit [73], approuvée par Paul-André Lesort [74], selon laquelle *L'Endormie* aurait été écrite en 1888, se trouve ainsi ruinée. Me fondant sur l'impatient désir d'être joué ou imprimé qu'éprouve tout jeune auteur, je proposerai pour ma part la date 1887 : Claudel a lu Rimbaud [75] ; il a commencé à fréquenter Mallarmé [76] ; il a étudié Shakespeare dans le texte : il a probablement assisté aux représentations de Shakespeare données en 1886, en particulier à partir d'avril, au *Songe d'une nuit d'été* présenté à l'Odéon. N'a-t-il pas confié son modeste texte à ce théâtre parce qu'il jugeait que cette saynète bouffonne ne serait pas déplacée, en lever de rideau, sur une scène où l'on venait de jouer la plus illustre des bouffonneries shakespeariennes ?

La plupart des critiques ont été frappés par la parenté qui existe entre *L'Endormie* et *Le Songe d'une nuit d'été*. « Dans *L'Endormie*, [...] on découvre un climat tout shakespearien, soit influence, soit hasard — un climat de fantaisie tel celui du *Songe d'une nuit d'été* », écrit Jean-Claude Berton, qui date, lui aussi, la pièce de la quinzième année de Claudel sans prendre conscience de la difficulté qu'il soulève [77]. Henri Mondor n'hésite pas à parler de « cette autre *Nuit d'été* » [78]. Eugène Roberto cite *Le Songe* parmi les influences convergentes et déterminantes (*C. Can* I, 55) qu'il place à la source de *L'Endormie* ; et il en retrouve le « climat » qu'il analyse en quelques pages. Ce développement paraît encore

---

69. *Ibid.*, p. 40. Claudel ne découvrit Rimbaud que dans le numéro du 13 mai 1886 de *La Vogue*.
70. *Ibid.*, pp. 50-51.
71. Le manuscrit de *L'Endormie* se trouve au fonds Rondel de la Bibliothèque de l'Arsenal. Voir le fac-similé de cette dernière page dans *C. Can.* I, en face de la p. 191.
72. Il est cité par P.O. WALZER, d'après une transcription de H. Guillemin, dans *Bull* V.
73. *CC* I, pp. 158-9.
74. *Paul Claudel par lui-même*, p. 138.
75. Certaines des *Illuminations* à partir de mai 1886, *Une Saison en Enfer* en septembre.
76. *MI*, 60 ; *CC* I, 17.
77. *Shakespeare et Claudel*, pp. 32-33.
78. *Op. cit.*, p. 40.

insuffisant à Jean Onimus pour qui « *L'Endormie* est issue directement de *Midsummer-Night's Dream* »[79].

Paul de Saint-Victor n'a pas spécialement attiré l'attention de Claudel sur *Le Songe d'une nuit d'été*, mais il l'a préparé à cette lecture en lui révélant comment, dans l'œuvre de Shakespeare, la nature accompagne l'action à la façon d'un orchestre et met parfois les personnages à l'unisson de la paix des choses comme dans le chant d'amour de Lorenzo, à l'acte V du *Marchand de Venise*, sous la clarté dormante de la lune[80]. La lune baigne encore la forêt des méprises où se réfugient et se poursuivent les amants à partir du second acte du *Songe*. Dans toute la pièce, elle joue le rôle d'une présence à la fois tutélaire et ironique jusqu'à ce qu'elle apparaisse, après une métamorphose inattendue, sous la forme d'une lanterne portée par l'un des humbles acteurs de la tragédie de Pyrame et Thisbé[81].

Or voici qu'elle s'insinue dans le sous-bois de *L'Endormie*, projetant sur la pelouse l'ombre errante des branches et des feuilles, et répandant plus loin sa clarté sur la mer (*C. Can* I, 159) :

> [...] les cimes des chênes
> Paraissent couvertes d'une écume d'argent
> La mer là-bas luit comme le dos d'un poisson   (161)

Elle exerce sur les habitants de ces lieux un charme étrange et préside aux mystérieuses rencontres nocturnes. Le poète ne mène ici danser aux rayons de la lune ni l'elfe Puck ni la fée Titania, mais, par une substitution dérisoire qui donne le ton de la pièce, des vieux boucs (160) et de jeunes faunes velus « ivres du lait blanc de la nuit » (164). Elle devient, tout simplement, la « bonne dame la Lune » (171) qu'on se plaît à invoquer, ou plutôt par laquelle on jure (172) : n'attendez point d'elle qu'elle dévoile soudain à vos yeux le corps lumineux de la nymphe Galaxaure (177) ! craignez plutôt qu'elle ne balaie de ses rayons la bedaine monstrueuse d'une ivrognesse (189-190), jetant ensuite, comme un ultime ricanement, son plus superbe éclat (190-191). Le poète est à la fois la victime et l'interprète de ses farces[82], — ou de ses propres illusions...

Puck, le « joyeux rôdeur de la nuit »[83], semble créé pour se prêter à tous les caprices de la lune. Rien ne le réjouit plus que

79. Compte rendu critique du *C. Can* I dans la *Revue des Sciences humaines*, fasc. 119 ; juillet-septembre 1965, pp. 467-469.
80. *Les Deux masques*, tome III, p. 11 et *The Merchant of Venice*, V, 1.
81. I, 1, 9-11 : « THESEUS. — [...] then the moon, like to a silver bow
    New-bent in heaven, shall behold the night
    Of our solemnities... » (171).
I, 2, 104-106 : « QUINCE. — [...] meet me in the palace wood [...] by moonlight » (174).
V, 1, 263-264 : « All that I have to say, is, to tell you that the lanthorn is the moon » (190).
82. Le mot apparaît dans cette sorte de reprise de *L'Endormie* qu'est l'extravaganza radiophonique *La Lune à la recherche d'elle-même*, Th II, 1327.
83. *A Midsummer-Night's Dream* ; II, 1, 43 : « I am the merry wanderer of the night » (174).

le tour qu'il a joué à la reine des fées. Il a répandu sur ses paupières, pendant qu'elle dormait, le suc d'une fleur merveilleuse, qui a le pouvoir de la rendre amoureuse du premier être qu'elle apercevra en s'éveillant. L'heureux élu est Bottom, l'un des acteurs athéniens qui sont venus répéter leurs rôles dans le bois enchanté. Puck l'a affublé d'une tête d'âne, et ainsi, Titania est devenue amoureuse d'un monstre [84].

Le rôle de Puck revient, dans *L'Endormie*, à Volpilla. L'elfe d'Obéron se plaît à égarer la nuit les voyageurs en riant de leur peine [85], à faire traverser aux artisans marais, buissons, fourrés et ronces, tantôt hennissant, tantôt aboyant, tantôt grognant, tantôt rugissant, tantôt brûlant [86], à mener Lysandre et Démétrius par monts et par vaux jusqu'à ce qu'ils s'écroulent et s'endorment, recrus de fatigue [87]. De même, la jeune faunesse fait trotter la vieille Strombo dans la forêt pendant une heure, en lui promettant du vin jusqu'à ce qu'elle finisse par « se flanquer », « comme un sac de blé », dans un trou où elle restera à cuver son vin (165-167).

Volpilla a réussi à entraîner aussi dans sa course le Poète, un « maigre petit moutard avec une petite barbe frisée qui ressemble aux racines d'un poireau » (168-169) : voyant passer Strombo dans un éclair, il l'a prise pour la plus belle des filles sauvages de la forêt, a essayé en vain de la rattraper, et, dans l'élan de sa course, s'est lancé « roide comme une pierre dans un marais » (171-172). L'espiègle créature se conjure alors avec Danse-la-nuit pour entretenir le Poète dans son erreur, dans son amour pour cette ravissante nymphe de la mer qui n'est qu'un « vieux sanglier », un « vieux cochon », un « vieux cul tanné plus dur que le tablier d'un maréchal ferrant » (183) ; et elle fait tant qu'il finit par entrer dans la grotte de Strombo, d'où il sort bientôt en poussant des cris d'horreur et de douleur. « Ce grand thème « tragi-comique de l'amour déçu ou illusoire » (Titania caressant la tête d'âne, le poète parant un sac à vin des couleurs les plus charmeuses) traversera, comme l'a bien noté Jean Onimus, l'œuvre entier de Claudel [88].

Shakespeare avait déjà rapproché, par la voix de Thésée, les erreurs de l'amant et celles du poète :

> Le fou, l'amoureux et le poète sont tous faits d'imagination. L'un voit plus de démons que le vaste enfer n'en peut contenir, c'est le fou ; l'amoureux, tout aussi frénétique, voit la beauté d'Hélène sur un front égyptien ; le regard du poète, animé d'un beau délire, se porte du ciel à la terre et de la terre au ciel ; et comme son imagination donne un corps aux choses inconnues, la plume du poète leur prête une forme et assigne au néant aérien une demeure locale et un nom [89].

84. *Ibid.*, III, 1-2.
85. *Ibid.*, II, 1.
86. *Ibid.*, III, 1.
87. *Ibid.*, III, 2.
88. Compte rendu cité.
89. *A Midsummer-Night's Dream*, V, 1, 7-17, p. 187 ; trad. cit., I, 1193.
    The lunatic, the lover and the poet
    Are of imagination all compact :

Ce couplet, selon Eugène Roberto, définit à distance ce qu'est devenu Claudel (*C. Can* I, 68, 150). Je crois qu'il définit plutôt ce qu'il craint de devenir, dès le premier bouillonnement de son imagination où « les idées dansent comme les navets et les pommes de terre dans un pot au feu » (150) : une peur le saisit, comparable à celle que suscite un premier amour. On assiste bien dans cet essai dramatique à la naissance du génie brusquement arraché au coin du feu où mijotait la soupe familiale. Le jeune homme sent en lui une endormie qu'il n'ose amener à la conscience, tant il redoute que Galaxaure ne s'éveille Strombo. Il sait qu'il risque de créer une figure monstrueuse toute gonflée de son ivresse créatrice, quand il existe une autre endormie plus secrète et plus pure, qui peut-être n'est pas près de s'éveiller[90]. Il voudrait ne pas se laisser duper par son imagination toute-puissante et, pour prouver qu'il n'en est pas dupe, il en parodie les représentations, il détruit sa poésie, tout honteux d'avoir été séduit un instant par elle.

On pourrait ajouter des rapprochements de détail : à dire vrai, ceux que fait E. Roberto entre la fleur de Puck et la fleur de Galaxaure (*C. Can* I, 67 ; 177-178), entre les vagabondages de Puck « petit gnome balourd » et ceux du poète « maigre petit moutard » (68) sont minces et ne mènent à rien.

En revanche, il n'est pas interdit de penser qu'à l'influence du *Songe d'une nuit d'été* a pu venir se joindre le souvenir de *La Tempête*. Ainsi s'expliquerait la présence de la mer, que Claudel n'a probablement pas encore vue[91]. La grotte où gît Strombo et dont on aperçoit l'entrée au milieu d'un éboulis de roches (159), rappelle celle de Prospero ou, mieux encore, le trou de Caliban[92]. Le monstrueux fils de Sycorax était d'ailleurs aussi sensible que l'ignoble soûlarde aux vertus du vin des Iles ravi par Stephano et Trinculo à la fureur des flots[93].

Galaxaure et Strombo s'opposent encore comme Ariel et Caliban et on pourrait reprendre, pour les caractériser, les expressions de Paul de Saint-Victor : l'une « résume, dans son diaphane orga-

One sees more devils than vast hell can hold ;
That is the madman : the lover, all as frantic,
Sees Helen's beauty in a brow of Egypt :
The poet's eye, in a fine frenzy rolling,
Doth glance from heaven to earth, from earth to heaven,
And, as imagination bodies forth
The forms of things unknown, the poet's pen
Turns them to shapes, and gives to airy nothing
A local habitation and a name.

Claudel recopiera en 1928 ces derniers vers sur une feuille volante (à en-tête tel. 65 Tuxedo Park) insérée entre les pages 28 et 29 du 6ᵉ cahier du Journal.

90. « DANSE-LA-NUIT. — Tiens, tiens ! Ah ah ! — Oui ! — Oui ! dors, dors toujours, Galaxaure, Galaxaure la blanche, la plus belle des nymphes, ma chérie, ma belle ! Fais dodo ! Va, tu peux dormir tranquille, il n'est pas près encore, le jour où tu te réveilleras ! » (164-165)

91. H. MONDOR, *op. cit.*, p. 40.

92. Qui ne sont peut-être qu'une seule et même grotte. Le *within* indiqué par Shakespeare (*The Tempest*, I, 2) pourrait bien, en effet, renvoyer une fois de plus à la grotte de Prospero où, en tout cas, sera relégué Caliban à la fin de la pièce.

93. *The Tempest*, II, 2.

nisme, les subtilités et les phénomènes de l'éther » ; l'autre « ramasse, dans son corps grossier, les difformités et les richesses de
la glèbe »[94]. En outre, Ariel avait recours aux mêmes facéties que
Puck et que Volpilla, quand il entraînait le trio des ivrognes
« comme de jeunes veaux à travers les ronces mordantes, les
genêts acérés, les ajoncs pointus et les épines qui pénétraient
leurs fragiles mollets »[95] jusque dans une mare fangeuse et nauséa-
bonde.

La forme, aussi, suggère la présence de Shakespeare : pour son
premier essai, Claudel adopte le mélange du dialogue et des chan-
sons (chœur des faunes, couplet bachique de Strombo) et celui du
verset lyrique de haut style et de la prose, comme dans les dernières pièces du dramaturge élisabéthain. Mais la chanson aérienne
d'Ariel ou de Puck tourne au grotesque, le contraste entre l'enflure du style poétique et la platitude extrême de la prose rend
bouffonne la déclaration d'amour du Poète :

> Oh ! secoue le sommeil loin de ta tête
> Comme pour faire tomber l'eau restée dans ta chevelure
> Tu en fouettais l'air impatiemment !
> Donc, hein ? choisis-moi ! Oh ! comme je t'aimerais de me choisir !
> Je ne vaux pas mieux que beaucoup d'autres, probablement, en tous
> cas, je puis dire que je vaux mieux que tous ceux que je connais.
> Baste ! modestie étriquée, à bas ! Hein ? Regarde-moi un petit
> peu l'homme que je suis.   (186)

Claudel nous présente, là encore, comme la caricature de l'influence
que Shakespeare aurait pu exercer sur lui.

L'Endormie n'est-elle que *Le Songe d'une nuit d'été* revu par
Bottom ? Les deux pièces ont en commun le décor sylvestre et
lunaire, le mélange de la féerie et de la réalité familière, l'opposition du monstrueux et du céleste, la présence d'un personnage
facétieux jusqu'à la cruauté, le thème de l'imagination mystifica-
trice. Mais cocasserie et poésie cohabitent, par la grâce de Shakespeare, sans se détruire ; dans *L'Endormie*, un burlesque trop
volontaire s'acharne à dénoncer les prestiges d'une imagination
anarchique et de songeries dont le poète craint d'être la dupe.
    Conscient peut-être de porter en lui un nouveau Shakespeare,
Claudel se sert de Shakespeare pour détruire le Shakespeare qu'il
sent là. Pour reprendre la subtile distinction d'Eugène Roberto,
Shakespeare vient soutenir tantôt Claudel, tantôt l'anti-Claudel, les
défiant tour à tour, les contraignant l'un et l'autre à lutter en
aveugles contre un adversaire qui se dérobe et reparaît plus loin,
tel Puck entre Lysandre et Démétrius. Comme eux, Claudel et
l'anti-Claudel s'éprennent de la même femme — Hermia, la Beauté
—, puis de son contraire, — Héléna, le Burlesque —, pour suivre
finalement chacun de son côté celle qui lui était destinée...

---

94. *Les Deux masques*, tome III, p. 179.
95. *The Tempest*, IV, 1.

En tout cas, il est sûr que Claudel connaît *Le Songe* quand il écrit *L'Endormie*. La comparaison des textes est décisive et permet de reculer la date de cette pochade. Et l'auteur n'a-t-il pas fini par avouer à Henri Guillemin qu'il avait anti-daté son texte parce qu'« on a toujours envie, quand on est vieux, de passer pour avoir été un enfant de génie » [96] ?

« Une Mort prématurée »

La « première fermentation » du « génie » s'est aussi manifestée dans un drame écrit, si l'on en croit le poète [97], « deux ans après [sa] conversion », en 1888 (*MI*, 35) et intitulé, d'après une expression de Roméo [98], *Une Mort prématurée*. Claudel en a malheureusement détruit le manuscrit après n'avoir consenti à publier que les deux dernières scènes. Ce « fragment d'un drame », pour intéressant qu'il soit, reste un document ambigu et doit éveiller, chez son interprète, une grande prudence.

Le seul texte connu, celui que présentait en 1892, sous l'anonymat, *La Revue indépendante*, ne reproduit pas exactement la rédaction primitive, jugée impubliable par l'auteur. En 1891, le proposant à Albert Mockel qui l'avait prié de collaborer à *La Wallonie*, Claudel demandait déjà le temps de le « recopier » et de « faire les retouches nécessaires » (*CC* I, 141). Et après avoir finalement promis à Camille Mauclair de le réserver à la revue de Savine, il le fait longtemps attendre : le délai qui lui a été accordé, jusqu'au 10 février, ne lui suffit pas, il lui faut quatre mois encore (*CC* I, 151-2).

Or le problème des sources ne se pose pas dans les mêmes termes en 1888 et en 1892. Le génie naissant évolue plus vite que le génie mûrissant. Il se révèle plus perméable aux influences, plus asservi aux modèles qu'il se donne. Enfin la sève shakespearienne, plus brûlante avant *Tête d'Or* et *La Ville*, est ensuite plus nourrissante et mieux assimilée.

Claudel se souvient d'avoir écrit *Une Mort prématurée* « dans l'enivrement des poètes dits classiques latins et grecs qu'[il] venai[t] de découvrir » [99]. Pourtant, présentes dès l'origine ou seulement introduites au moment de la refonte, les réminiscences de Shakespeare sont nombreuses.

Elles restent imprécises. Avatar des sorcières de *Macbeth*, des « vieux sorciers nus à quatre pattes comme des Loups / Jappent

---

96. Témoignage cité dans *C. Can* I, 16.

97. Et on peut ici l'en croire, puisqu'en 1891 il parlait déjà d'*Une Mort prématurée* comme d'un drame écrit « il y a deux ans » (lettre à Mockel citée dans *CC* I, 141).

98. « [...] by some vile forfeit of untimely death » (*Romeo and Juliet*, I, 4, 112). H. Guillemin a avancé une autre hypothèse, moins convaincante à mon avis, selon laquelle ce titre viendrait de Rimbaud : « Le sort du fils de famille, cercueil prématuré couvert de limpides larmes » (« Mauvais sang » dans *Une Saison en Enfer*) ; voir J. MADAULE, *Le Théâtre de Paul Claudel*, pp. 15-16 ; *Th* I, 1237.

99. Entretien avec Frédéric Lefèvre d'avril 1925 ; cité *Th* I, 1238.

contre le mur des cimetières » (*Th* I, 21). Fossoyeur, comme le poète de *Hamlet*, Claudel déterre à demi « le squelette [...] dont les côtes poudreuses servent aux jeux du campagnol sous les froids rayons lunaires » (25). Marie, emportée par le fleuve du « monde pervers », s'est comme Ophélie [100], « maintenue sur l'eau et sur les fleurs », avant d'être entraînée aux fanges de la mort (25). Enfin Henri, en comparant les mains suppliantes au

[...] vieillard fou de chagrin
Qui lève son enfant morte vers la noire lande, vers le pays de la mer.
(26)

fait repasser sous nos yeux la pathétique vision du Roi Lear errant sur la lande de Douvres en tenant dans ses bras le cadavre de Cordélia [101].

Ces quatre exemples présentent une caractéristique commune : une scène de Shakespeare se réduit à une simple image qui vient rehausser le langage tragique. Le spectacle se situe moins sur la scène, dont l'écrivain n'a guère souci, que dans les visions suggérées par la déclamation dramatique. Le fragment d'un drame projette des fragments de drames shakespeariens gardés jusqu'alors au creux de la mémoire.

Venant après *L'Endormie*, *Une Mort prématurée* ne présente pas seulement l'autre face, — le masque sombre —, du théâtre élisabéthain ; Claudel, usant d'une technique plus subtile, en incorpore plus intimement les éléments à ses propres créations.

100. *Hamlet*, IV, (2), 7.
101. *King Lear*, V, 3.

CHAPITRE II

L'IMPRÉGNATION

Tête d'Or passe pour le plus shakespearien des drames de Claudel. Après en avoir lu seulement le premier quart, Alain-Fournier écrivait à Jacques Rivière, le 22 janvier 1906 :

> Claudel [...] est ici superbement, pour moi, superbement incompréhensible. On pense à Shakespeare. Il en a la brutalité, le *naturalisme* voulu, les immenses laïus, sans raison apparente, les images très précises, brutales toujours, belles souvent, qui arrivent encore sans raison apparente [1].

Est-ce une « imitation », un « pastiche » ? Il n'est pas loin de le penser quand il remarque qu'on prendrait du Shakespeare traduit mot à mot pour du Claudel : voilà « l'écueil » [2]. Pourtant le poète nouveau, comme inspiré par ce souffle primitif, rejoint son modèle en ce qu'il a de plus grand, et l'on sent « d'un bout à l'autre du livre, cet immense et grossier effort pour s'élever, s'élever vers on ne sait quoi, tout en partant de la bassesse, de la simplicité, de la physiologie (même — surtout — en images), comme Shakespeare » [3].

Claudel a lui-même reconnu sa dette. Dès 1890, il expliquait à Albert Mockel, qui s'avouait froissé par l'imitation trop concertée du drame shakespearien, que cette impression provenait sans doute de la « longue et minutieuse » étude qu'il en avait faite (*CC* I, 139, 141). Soixante ans plus tard, il déclarait encore à Jean Amrouche :

> Quand on voit ma première version de *Tête d'Or*, on retrouve partout l'influence de Shakespeare, de sa stylistique, de son répertoire d'images, son mouvement, enfin ses procédés de composition : tout cela est shakespearien, on le retrouve dans ce drame de *Tête d'Or*.
> (*MI*, 41)

Il faut toutefois se garder de répéter trop pieusement les paroles de Claudel, comme le fait Wallace Fowlie [4], Il y a loin de l'aveu

---

1. Jacques RIVIÈRE et ALAIN-FOURNIER, *Correspondance*, Paris, Gallimard, 1926, p. 146, tome I.

2. *Ibid.*, pp. 167-168.

3. *Ibid.*, p. 151.

4. Wallace FOWLIE, *Paul Claudel*, London, Bowes and Bowes, 1957, p. 17 : « During the four or five years following his conversion in 1886 he taught himself, following an ambitious programme of reading which centred on Shakespeare, whose influence is conspicuous in the imagery, rhythm, and form of the first version of *Tête d'Or* ».

condescendant de la lettre à Mockel à la surenchère des *Mémoires improvisés*. A nuancer cette influence indéniable, on risque de la placer dans une perspective plus juste.

De plus, il faut déjà sortir Shakespeare de son splendide isolement. En 1889 paraît le théâtre de Marlowe, intégralement traduit par Félix Rabbe [5]. Les critiques, quand ils commentent cette publication nouvelle, ne parlent que de *Tamerlan*, ce long drame qui jette sur le théâtre un héros « menaçant le monde avec des mots sublimes qui frappent de stupeur » [6]. La coïncidence, curieuse, mérite de retenir l'attention.

5. *Théâtre de Christophe Marlowe*, traduit par Félix Rabbe, Paris, Savine, 1889, 2 vol.

6. Paul GINISTY, « Causerie littéraire. — Un prédécesseur de Shakespeare : le *Théâtre* de Marlowe traduit par M. F. Rabbe », — *Gil Blas*, nº du vendredi 21 juin 1887, p. 3 ; d'après le prologue, *trad. cit.*, p. 98. — Jules Lemaître, dans l'article cité plus loin, s'en tient aussi à *Tamerlan*.

I. STRUCTURE ET SIGNIFICATION DE L'AVENTURE TÊTE D'OR ET TAMERLAN

Cela est naïf, frénétique et grandiose. Cela tient des mystères et du théâtre du Moyen-Âge, et cela tient aussi, par endroits, des tragédies d'Eschyle. Les personnages ressemblent à des marionnettes gigantesques qui ne font chacune que deux ou trois gestes, simples, violents, toujours les mêmes. Et ces marionnettes ont des bouches d'airain qui épanchent, à flots écumeux, des cataractes de métaphores pédantesques et retentissantes.

On croit entendre l'un des jugements proférés par les premiers lecteurs de *Tête d'Or*, — celui de Maeterlinck par exemple (*CC* I, 137-138). Ainsi, pourtant, s'élevait la voix autorisée de Jules Lemaître commentant le *Tamerlan* de Marlowe [1].

Faut-il s'en étonner ? Richepin, le préfacier des deux volumes, établissait un parallèle entre les deux fins de siècles : la Renaissance avait, comme l'époque nouvelle, « déchaîné l'individu » et son « rut de révolte et de curiosité ». Voilà pourquoi « l'heure de Marlowe » était « revenue » : son génie, enfin redécouvert, battait au même rythme accéléré que les jeunes cœurs [2].

Claudel, exhalant la fureur conquérante de son héros, abordait bien la carrière dramatique comme, trois siècles plus tôt [3], l'étudiant de Cambridge quand il proposait à un public épris d'émotions fortes la geste de l'aventurier barbare. Le parallèle est tentant, si nombreuses sont les analogies dans l'affabulation et dans le ton des deux ouvrages. Il resterait vain si l'hypothèse d'une influence de *Tamerlan* sur *Tête d'Or* se trouvait exclue. Or la chronologie la permet : la traduction de Rabbe paraît dans la première moitié de l'année 1889 [4] ; c'est probablement au même moment [5] que Claudel commence son drame qui paraîtra en 1890.

---

1. Début du compte rendu écrit à propos de la traduction de Rabbe le 14 octobre 1889 et recueilli dans *Impressions de théâtre*, cinquième série, Paris, Lecène, Oudin et Cie, 1891, pp. 83-95. A noter que, p. 87, Lemaître rapproche *Tamerlan* du théâtre annamite qui a également exercé son influence sur *Tête d'Or*.

2. RABBE, trad. cit., p. X : « Ainsi que notre fin de siècle, la Renaissance a été " un moment de tremblement de terre et d'orage ", une halte en pleine anarchie, " une de ces heures où l'on fait ribote d'existence ". Elle avait le vin gai, nous l'avons triste ; mais la rage de boire est pareille ici et là. Nous sommes donc, par suite, à un de ces instants psychologiques où nous nous sentons volontiers en communion d'idées avec les écrivains et les poètes du XVIᵉ siècle. Nous nous trouvons donc plus près d'eux que des écrivains mêmes du siècle dernier. Nous sommes tout préparés pour réparer, en même temps, d'injustes oublis de la postérité, pour rendre leur vraie place à des artistes presque méconnus par elle, pour les faire remonter à la lumière » (reproduit dans *Art et Critique* du 29 juin 1889, n° 5, p. 80).

3. On attribue d'ordinaire aux cinq premiers actes de *Tamburlaine-the-Great* la date de 1587 et celle de 1588 aux cinq derniers. La première partie fut publiée chez Richard Jones en 1590, trois siècles exactement avant la première édition de *Tête d'Or*.

4. Les volumes ne donnent pas la date de l'achevé d'imprimer ; celle du dépôt légal est le 24 août 1889 (*Journal général de l'Imprimerie et de la Librairie*, deuxième série, t. XXXIII, année 1889, n° 34, 9356, p. 569). Mais l'article du *Gil Blas* déjà cité date du 21 juin.

5. André TISSIER, dans son étude sur « *Tête d'Or* » *de Claudel*, opte pour mars 1889 ; mais rien ne permet de l'affirmer.

Le destin des conquérants

Tamerlan, le futur maître de l'Asie, ne fut d'abord qu'un berger scythe. Le nom de Simon Agnel, par sa consonance pastorale[6], ne laissait pas davantage prévoir une fulgurante destinée de roi du monde. Issu d'une humble souche paysanne, Tête d'Or a d'abord vécu, sinon sous la tente, du moins dans un creux de ferme, au pied d'un clocher d'ardoise villageois, et il a mangé le bouilli en famille jusqu'au jour où « un esprit farouche », la honte de respirer l'odeur de la marmite et le désir d'aller plus loin l'ont fait sortir du « ventre de la maison » (*Th* I, 33).

Il peut bien troquer son sarrau contre une armure et sa houlette contre une lance : devenu général-en-chef, il considère encore l'humanité comme un troupeau (*Th* I, 100) dont il est à la fois le chien et le gardien :

> Je leur ai aboyé aux talons ! je les ai fait lever de leur fiente
> comme des vaches !   (*Th* I, 77)

Mais il surgit aussi comme le lion des forêts quand il vient semer l'épouvante parmi les animaux paisibles :

> Ah ! Ah !
> Vous êtes des daims et des chevreuils, et moi je suis un lion,
> une chose
> Féroce, terrible !   (*Th* I, 102)

Téchelles présentait à peu près dans les mêmes termes Tamerlan à Zénocrate :

> Semblable au lion royal, quand il se lève, déployant ses griffes et menaçant les troupeaux, ainsi dans son armure apparaît Tamerlan[7].

Jupiter n'avait pas dédaigné de se déguiser sous l'habit d'un berger (v. 934). Pourquoi, à son tour, un berger ne chercherait-il pas à s'élever au rang des dieux (v. 396)? Tamerlan et Simon Agnel profitent de la maladie d'un empire pourrissant, — la Perse mutilée de Mycète (v. 163-164) ou l'anonyme « nation des poules d'eau » (*Th* I, 55) gouvernée par l'empereur David —, pour s'arroger, au prix d'un régicide, la couronne d'or qu'ils brandissent d'une main victorieuse, eux les rustres de naguère, avant de la poser sur leur tête. Mais ils ne sauraient se contenter d'un trône, ni même du titre de « General of the World » (v. 2233) ou de « Roi des hommes » (*Th* I, 105). Ils ont conçu le désir plus haut de conquérir l'immortalité.

---

6. *Ibid.*, p. 99, n. 4.
7. Trad. Rabbe, t. I, p. 106. *The Works of Christopher Marlowe*, éd. C.F. Tucker-Brooke, Oxford, at the Clarendon press, 1910-1957, *Tamburlaine-the-Great*, v. 248-250. Les références précédées de v. renverront à la numérotation des vers dans cette édition.
   As princely Lions when they rouse themselves
   Stretching their pawes and threatning heardes of Beastes,
   So in his Armour looketh Tamburlaine.

> Je tiens les destins enchaînés dans des chaînes de fer, et de ma
> main je tourne la roue de la Fortune, et le soleil tombera de sa
> sphère avant que Tamerlan soit tué ou vaincu [8]

s'écrie le héros de Marlowe (369-372), et Tête d'Or juge inébranlable
son cœur royal :

> Car que peut le chaos même de la nuit de la création
> Contre celui dont l'âme, au milieu des ténèbres, dans l'oreille
> même du tourbillon, reste fixe,
> Et qui ne craint point la douleur et la mort ?
> [...]
> Fouillez mon cœur ! et si vous y trouvez
> Rien d'autre qu'un désir immortel, jetez-le au fumier, faites-le
> manger par les cloportes !   (*Th* I, 105)

Irritée par la mort d'un être cher, — Zénocrate, la fille du paysan,
Cébès —, cette exigence d'immortalité, élevée à la hauteur d'une
conviction par une illusion volontaire, fait désormais leur orgueil.

Ils ont le sentiment d'être protégés par les dieux et ils cherchent
la confirmation de leur destin exceptionnel dans les astres.

Tamerlan se fie au langage des étoiles souriantes qui ont présidé
à sa naissance (v. 1140, 1477). Et n'est-il pas semblable à Phébus, lui,
le fléau de Dieu, la terreur du monde, « mesurant les limites de son
empire de l'orient à l'occident » [9] ? Zénocrate, dans un élan d'amour,
n'hésite pas à le comparer au soleil levant (v. 1032-1034).

Simon Agnel sent, lui aussi, sa destinée suspendue aux astres. Il
sait qu'il y a là, au-dessus de sa tête, dans l'échancrure des nuages,
son « étoile éclatante qui se consume sur son bûcher immortel entre
Jupiter et Pluton » (*Th* I, 48). Laquelle ? Il l'ignore... Alors, il parie,
et telle est bien la plus grande, et peut-être la seule audace de
Tête d'Or. Il décide que son étoile sera le soleil ; il noue son destin
à la course de l'astre dans le ciel. Au moment crucial de son aventure, — Cébès est mort ; le vieux David, impuissant, rôde dans les
ténèbres de son propre palais —, le général vainqueur demande si
le jour se lève :

> TÊTE D'OR. — Je vous prie, vous qui êtes là près de moi, vous,
> Fait-il clair ?
> LE SECOND. — Mais lui qui le demande, voit-il clair ?
> L'ASSISTANT. — Le jour se lève.
> TÊTE D'OR. — Il se lève !   (*Th* I, 93)

Dès lors, il va régler son ascension sur celle du soleil. Aux
yeux de ses comparses le voici qui brille, « espérance d'or », « comme
le soleil [...] quand il inonde les vieux toits après des siècles de

---

8. Trad. Rabbe, pp. 108-109 ; éd. cit., v. 369-372.
I hold the Fates bound fast in yron chaines,
And with my hand turn Fortune wheel about,
And sooner shall the Sun fall from his Spheare,
Than Tamburlaine be slaine or overcome.

9. Trad. cit., p. 106 ; éd. cit., v. 235-236.
Measuring the limits of his Emperie
By East and West, as Phoebus doth his course.

suie » (*Th* I, 108). Ses troupes en marche portent comme enseigne, la plupart du temps, « l'image du soleil qui naît parmi les herbes odorantes ou que des mains incombustibles poussent à travers les champs de nuages » (*Th* I, 132).

Mais bientôt il ne suffit plus à Tamerlan d'être l'aimé des astres, ni même leur égal. Il voudrait régner sur eux, régir leur rayonnement et il lance à ses étoiles ce cri insolent :

> Dédaignez d'emprunter la lumière de Cynthia ! Car moi, le plus glorieux flambeau de toute la terre, après m'être d'abord levé dans l'Est avec un doux éclat, maintenant arrêté sur la ligne du Méridien, j'enverrai du feu à vos sphères tournantes et forcerai le soleil de vous emprunter sa lumière [10].

A l'en croire, Jupiter tremble maintenant devant lui, craignant que cette puissance nouvelle ne le chasse de son trône (v. 2234-2235). Arrive l'heure du déclin. Tamerlan se refuse obstinément à la reconnaître. Il défie les dieux plus brutalement que jamais, il tourne même vers eux ses troupes armées comme s'il avait juré de les anéantir (v. 4434-4445). Sur une carte, qu'il s'est fait apporter, il regarde les territoires qui lui restaient à conquérir (v. 4514 sq.). Le soleil couchant est là, accompagnant son agonie, présence désormais moins tutélaire que narquoise puisqu'il s'enfonce vers cet Occident sur lequel jamais ne régnera l'aventurier :

> Regardez ici, mes enfants ; voyez quel monde s'étend à l'Occident depuis le milieu de la ligne du Cancer jusqu'à la naissance de cet hémisphère où le soleil, quand il disparaît à notre vue, commence le jour pour nos Antipodes ! Et je dois mourir sans le conquérir [11] ?

Tête d'Or, blessé à mort, exhale aussi sa rage de n'avoir pu dominer les monts et les mers et de devoir accepter sa condition d'homme :

> Je ne peux pas ! je ne peux pas ! je ne suis pas un dieu !
>
> (*Th* I, 146)

Cette prise de conscience forcée l'amène à nier l'existence du divin et la possibilité d'une seconde vie :

> Je ne crois plus aux fables des mères ;
> Ni que l'augure pressant sa charrue vit germer Tagès du sillon ;
> Et qu'il existe dans cette salle du monde
> D'autre dieu que l'homme ignorant,

10. Trad. cit., p. 147 ; éd. cit., v. 1479-1484.
    Disdain to borrow light of Cynthia,
    For I the chiefest Lamp of all the earth,
    First rising in the East with milde aspect,
    But fixed now in the Meridian line,
    Will send up fire to your turning Spheares,
    And cause the Sun to borrow light of you.
11. Trad. cit., p. 244 ; éd. cit., v. 4538-43.
    Looke here, my boies, see what a world of ground
    Lies westward from the midst of Cancers line,
    Unto the rising of this earthly globe,
    Whereas the Sun declining from our sight,
    Begins the day with our Antypodes :
    And shall I die, and this unconquered ?

Ni que cet enfant de la femme, quand il a rendu sa forme mal
assurée,
Renaisse du sein d'Isis !   (*Th* I, 150)

Puisque ce dieu qu'il croyait être va mourir, Dieu est mort. Ne reste
plus qu'un pantin, pas même : un tas de boue (*Th* I, 159).
Et pourtant, non, tout ne meurt pas. Le fidèle désir, le tenace
désir continue à vivre dans le cœur de celui qui « entre cru dans la
mort » (*Th* I, 150). Le héros le sent rouler, comme une flamme, dans
sa poitrine (*Th* I, 160). Ce n'est plus sa tête désormais qui, comme
celle de Tamerlan (477-478), va répandre une splendide chevelure
(*Th* I, 108), mais il sent son âme « chevelue » (*Th* I, 160). Alors le
soleil couchant envahit la scène. Point de révolte ici ; point de défi...
Jusqu'au bout, Simon reste lié à son astre, auquel il finit par se
consacrer en se proclamant son « esclave » (*Th* I, 161), en se mêlant
à lui comme il a naguère mêlé son sang à celui de Cébès. Son destin
ne s'achève pas dans la colère, mais dans une acceptation passionnée.
Le dépit de Tamerlan, son blasphème, sont surmontés en un dernier
acte d'amour. Et, si les troupes qui survivent à leur général accompagnent aussi le soleil dans sa plongée vers l'Occident, ce n'est pas
pour tenter une fois de plus l'impossible, mais pour revenir

En avant ! chez nous ! vers l'Ouest !   (*Th* I, 167)

L'ambiguïté du message

Les commentateurs de *Tamerlan* s'accordent habituellement pour
penser que Marlowe a été séduit par la volonté de puissance exacerbée
chez un surhomme. Même si l'aventurier scythe peut sembler, dans la
première partie, prêter son bras à Dieu, en véritable protecteur des
chrétiens, on est obligé de reconnaître que ce Dieu se réduit à la
Force [12]. Dans la seconde partie, le héros finit par secouer toute
tutelle, et par se révolter ouvertement contre les maîtres dont il
s'est d'abord cru le protégé [13]. Il brûle le Coran pour mettre en
échec Allah et Mahomet, il attaque le ciel pour effrayer Jupiter. Veut-
il faire triompher un seul Dieu, le sien, le garant de sa force ? Sa
maladie et sa mort l'obligent à douter de son existence.
L'intention du dramaturge reste obscure. A-t-il lâché la bride
à son imagination sans arrière-pensée ? A-t-il voulu exprimer, sous
le couvert d'un mythe flatteur, son orgueil de philosophe émancipé
et de *scholar* libertin [14] ? On a pu soutenir les deux thèses. Les

---

12. Voir Paul H. KOCHER, *Christopher Marlowe : a critical study of his thought, learning
and character*, New York, Russell, 1962, pp. 70-71.
13. Il ne faut pas chercher à exagérer la coupure entre les deux parties de *Tamerlan*
sous prétexte que Marlowe a exploité son sujet : il devait se sentir naturellement tenté de
mener à son terme l'épopée de son aventurier, laissée en suspens avec le mariage de
Zénocrate. Sur l'homogénéité des deux *Tamerlan*, on trouvera une discussion intéressante
dans David M. BEVINGTON, *From « Mankind » to Marlowe*, Cambridge, Harvard University
press, 1962, pp. 212-217.
14. E. LEGOUIS et L. CAZAMIAN, *Histoire de la littérature anglaise*, Paris, Hachette, 1924,
p. 396.

invectives que lui lançait Robert Greene laissent en tout cas supposer que, dès 1592, l'ouvrage était considéré come un pamphlet anti-
religieux chargé de substituer aux perspectives chrétiennes un idéal
de *virtue* purement terrestre et purement humain [15]. Pourtant, si
Tamerlan se confond avec Marlowe, on s'explique mal sa démesure
finale et son échec. Les dieux attaqués restent vainqueurs, s'ils
existent ; en revanche, la volonté humaine, apparemment magnifiée,
s'écrase contre les portes de la mort [16]. Peut-être le poète a-t-il cherché, en créant son personnage, un moyen d'exister suivant une
autre dimension, par les seuls moyens du langage et de l'imaginaire [17].
Car il appartient lui aussi, il le sait, à la race de ceux qui nourrissent
des pensées égales aux nuages. Mais ces rêves se dégonflent au
contact de la réalité ; et ce n'est pas sans un cri de colère et un geste
de blasphème qu'il quitte le paradis de ses visions pour retrouver
ses tyrans ordinaires.

Tête d'Or nous laisse sur la même impression d'ambiguïté, comme
le prouvent tant de commentaires contradictoires, — à commencer
par ceux du poète lui-même !

Sans doute Claudel a-t-il, bien souvent, dénoncé en Nietzsche, ce
« vociférateur » (*Soph*, 36), un « fou odieux » [18]. Faut-il pour autant
affirmer catégoriquement, comme le fait Henri Mondor, que « rien
n'a pu passer de Nietzsche dans *Tête d'Or*, si ce n'est par dérision »
et que l'auteur lui-même y a veillé [19] ? S'il existait dans *Tamerlan* du
nietzschéisme bien avant Nietzsche [20], il y a dans *Tête d'Or* du
nietzschéisme (peut-être) sans Nietzsche [21]. Dans un brouillon contemporain de la première version, l'auteur lui-même notait, en marge
du discours du Messager, qu'il avait « voulu montrer le triomphe
de la volonté individuelle, sauvage, furieuse, enivrée du désir *surhumain* de la toute-puissance » [22]. « Qui me donnera la force ? » demandait Simon Agnel, impatient et angoissé (*Th* I, 48). Maintenant, elle
le fait délirer, elle l'étreint, elle le brûle (*Th* I, 84). Il l'attribue à une
divinité amputée, réduite à la Force, qui finit par le posséder tout
entier au point qu'il s'identifie avec elle et vient parmi les hommes
« comme un dieu » [23]. Le mythe débouche, encore une fois, sur la
démystification.

---

15. « Groatsworth of Wit », in *Works of Robert Greene*, ed. Grosart, London, 15 vol.
1881-1885, tome XII, p. 141.
16. D.M. BEVINGTON, *op. cit.*, p. 212 et 216-217, parle de « the ambiguity of moral impact
in *Tamburlaine* ». Cette ambiguïté s'explique, selon lui, par le fait que Marlowe est resté
tributaire de la structure linéaire par épisodes.
17. Voir Wolfgang CLEMEN (*English Tragedy before Shakespeare*, transl. by T.S. Dorsch,
London, Methuen, 1955), p. 124.
18. Expression rapportée par H. MONDOR, *Claudel plus intime*, p. 216.
19. *Ibid.*, p. 176.
20. P.H. KOCHER, *op. cit.*, p. 72 : « Tamburlaine [...] speaks like a prior incarnation of
Nietzsche ».
21. Des éléments de discussion dans H. GUILLEMIN, *Claudel et son art d'écrire*, p. 31, et
A. VACHON, *Le Temps et l'Espace dans l'œuvre de Claudel*, pp. 51-52.
22. Manuscrit 5708 du fonds Doucet, *Catal.*, 28.
23. L'expression revient plusieurs fois et l'on passe du simple vœu (p. 101 « Oh ! que
comme un dieu, je pusse lever deux bras chargés de tonnerre / Pour écraser cette basse
chiennaille ») à sa réalisation illusoire (p. 104) et, dans la troisième partie, à la désillusion
(p. 146).

Quelle est, pour le poète, la signification, la résonance intime de cette tentation et de cet échec ? On a tenté bien souvent d'identifier Claudel et Tête d'Or, la conversion et la conquête du monde. Mais les conclusions divergent. Tantôt un nouveau chrétien fait sauter la carapace du matérialisme, tantôt un barbare, qui a reçu l'illumination divine, s'obstine dans la résistance [24]. A juste titre, Jean-Claude Morisot a préféré relever les ambiguïtés de la volonté de puissance, « enracinée » et « destinée », tendue à la fois vers « l'avoir » et vers « l'être », vers « l'avoir » et vers « le voir » [25]. Il en va de même pour toute quête de l'Absolu. La recherche du pouvoir dans laquelle s'obstinait Tamerlan recouvrait la recherche du savoir et de la beauté, vocation de l'artiste [26]. L'aventurier claudélien ne veut pas tant se donner, par la possession du monde, une perfection de jouissance qu'« accomplir cette possession dans la contemplation de l'ordre total » et retrouver la pureté perdue « en rendant l'homme innocent à un monde innocent dans la fulguration de la force » [27]. La quête fut, un instant, celle de Rimbaud et déboucha sur le silence. Or il n'est pas sûr que le silence y mette fin. Au terme de *Tête d'Or* brille une ardeur dont les modalités restent indécises mais qui ne consent pas à s'éteindre, un désir vivant dans la mort même, immortel peut-être s'il se détache de l'admiration de soi-même pour s'affirmer dans l'appel d'une transcendance. Le renoncement à l'orgueil, non ; mais l'orgueil permis, retrouvé dans un acte de dévouement, donc de dévotion.

Cette énergie jaillit du génie adolescent de l'artiste, ivre de langage. *Tamerlan* contient deux fois plus de métaphores que les autres drames de Marlowe [28]. *Tête d'Or* déborde d'images que l'on « rend », disait Maeterlinck, « par les oreilles, par la bouche, par le nez » (*CC* I, 137). Les tirades de Tamerlan, les discours de Simon Agnel : encore des actions. Les poètes y déchaînent l'indomptable volonté de leurs héros, mais aussi un ouragan de paroles pour « réveiller l'humanité de sa morne indifférence » (*CC* I, 141).

Le « sadisme » des deux œuvres n'apparaît pas alors comme une concession faite au public [29], mais comme l'exaspération de cette énergie. Là encore, le parallèle est frappant. Tamerlan éprouve une véritable jouissance à torturer ses captifs : Bajazet et Zabina se brisent le crâne sur les barreaux de leur cage ; les rois de Trébizonde et de Soria traînent son char, le mors à la bouche, avant d'être exécutés. La pièce tout entière est « une orgie de sang » [30]. *Tête d'Or* atteint le comble de l'horreur quand le déserteur crucifie

---

24. Sur ce point, A. BLANCHET, « Tête d'Or est-il païen ? » *Etudes*, décembre 1959.

25. J.-C. MORISOT, « *Tête d'Or* » ou les aventures de la volonté, pp. 37, 54, 57.

26. Sur ce point, voir Frederick S. BOAS, *Christopher Marlowe : a biographical and critical study*, Oxford, at the Clarendon press, 1940, qui étudie la superposition, dans *Tamerlan*, de la fable et de l'idéal personnel.

27. J.-C. MORISOT, *op. cit.*, pp. 56-57.

28. D'après une enquête de F.I. Carpenter, citée dans Harry LEVIN, *Christopher Marlowe, the overreacher*, London, Faber, 1952, p. 42.

29. Comme le pense F. BOAS, *op. cit.*, p. 96.

30. P. GINISTY, *art. cit.*

la Princesse à un arbre comme un émouchet (*Th* I, 128-129). Le baptême du sang (*Th* I, 47) rappelle plus précisément l'acte III du second *Tamerlan* où le héros, s'emportant contre la lâcheté de son troisième fils, Calyphas, lui donne une leçon de courage en se perçant le bras et en invitant ses deux autres fils à fouiller de leurs doigts sa blessure pour baigner leurs mains dans son sang[31].

A contempler ces actions lustrales, dont le *Jules César* de Shakespeare présente un autre exemple célèbre, on croit deviner l'aspiration secrète du génie qui se donne une expression voyante. Pour se laver de ses stupres, ou de la scolastique, ou de l'enseignement positiviste, il faut laisser s'écouler, comme la colère de Tamerlan, ou le sang de Tête d'Or, la source du langage que sent en soi le poète. La pureté est à ce prix.

31. P. GINISTY avait été frappé par cette scène.

II. LE HÉROS ET SON DÉCOR

« Shakespeare, avec ses audaces, paraît sage et classique à côté de son devancier » Marlowe, écrivait en 1889 le chroniqueur du *Gil Blas*[1]. *Tamerlan* et *Tête d'Or* battant au même rythme, peut-on revenir à Shakespeare ?

Le champ de bataille

Les exégètes ont proposé qui *Macbeth*[2], qui *Le Roi Lear*[3], qui *Coriolan*[4]. Mais il convient de s'arrêter d'abord sur la correspondance que Claudel a soulignée lui-même entre son premier drame et la trilogie d'*Henry VI* (*MI*, 73). Le rapprochement peut paraître surprenant. La Princesse, malgré sa fureur d'un moment, ne ressemble guère à Margaret. Si le souverain a la faiblesse de David, sa jeunesse s'oppose à la sénilité du « blaireau chassieux » (*Th* I, 99). Enfin, le conquérant claudélien est purement « lion », alors que les ambitieux de Shakespeare, Suffolk ou York, sont plutôt « renards »[5]. L'alternance de l'assaut et de la débâcle, dans la Troisième Partie, rappelle bien toutefois le flux et le reflux qui ne cessaient de ballotter la trilogie sur les champs de bataille pendant la guerre de Cent ans ou la guerre des Deux Roses. Ici et là on voit mourir des héros que l'on avait cru invincibles (Talbot, Simon), souffrir injustement des innocents (l'enfant Rutland poignardé par Clifford, la Princesse crucifiée par le Déserteur), combattre des indomptables qui trouvent dans la défaite une énergie nouvelle (Warwick, le Cavalier). Rétabli sur son trône, Edouard IV fait un tragique bilan, le prix de sa victoire :

> Que de vaillants adversaires, ainsi que des épis d'automne, nous avons moissonnés au faîte de leur orgueil ! Trois ducs de Somerset, champions triplement illustres pour leur intrépide hardiesse ; deux Clifford, le père et le fils, et deux Northumberland : jamais deux guerriers plus braves n'éperonnèrent leurs coursiers au son de la trompette ; et, avec eux, ces deux ours vaillants, Warwick et Montague, qui liaient à leurs chaînes le lion royal, et faisaient trembler la forêt de leurs rugissements[6].

---

1. P. GINISTY, *art. cit.*
2. J.-C. BERTON, *op. cit.*, p. 145.
3. J. MADAULE, *Le Drame de Paul Claudel*, p. 25.
4. H. GUILLEMIN, *Claudel et son art d'écrire*, note 95 ; J.-C. MORISOT, *op. cit.*, p. 52.
5. Pour reprendre la subtile analyse de E.M.W. TILLYARD (*Shakespeare's History Plays*, London, Chatto and Windus, 1944, pp. 185-186), qui applique aux figures royales de *Henry VI* une terminologie symbolique inspirée du *Prince* de Machiavel.
6. Trad. cit., I, 380 ; *King Henry VI*, third part, V, 7, v. 3-12, éd. cit., p. 595.
   What valiant foemen like to autumn's corn,
   Have we mow'd down, in tops of all their pride !
   Three Dukes of Somerset, threefold renown'd
   For hardy and undoubted champions ;
   Two Cliffords, as the father and the son ;

(*suite p. 41*)

Et le Commandant constate, avec la même amertume :

> Trois rois morts ! des événements étranges !
> Les lois de l'usage brisées, la faiblesse humaine surmontée,
> l'obstacle des choses
> Dissipé ! Et notre effort arrivé à une limite vaine
> Se défait lui-même comme un pli.
> Etendez la Reine dans ses habits royaux sur une civière !
> Nous l'emporterons avec nous.   (*Th* I, 167)

Mais le théâtre de Shakespeare contient mainte scène de bataille. La mort du comte de Melun dans la plaine de Saint-Edmundsbury, à l'acte V du *Roi Jean*, appelle par des traits bien plus précis la comparaison avec celle de Tête d'Or : le désir de se faire emporter loin du bruit et de la fureur des armes [7] ; le recueillement à l'instant suprême ; l'agonie simultanée du guerrier et du soleil [8]. Henry IV et le prince Henry remarquent, quand le jour se lève sur la campagne de Shrewsbury, que le soleil et le vent se conjurent pour annoncer le combat [9] : de même, au matin précédant la défaite, le Maître-de-la-Cavalerie entend « un souffle » qui « ébranle faiblement les tiges des trompettes creuses. / Vers les menthes d'argent de l'aurore de givre » et voit se colorer d'un « feu précurseur » les fossés pleins de neige (*Th* I, 120).

Enfin Claudel a imaginé d'après le célèbre cri de Richard III à Bosworth

> Un cheval ! un cheval ! Mon royaume pour un cheval [10] !

l'épisode du soldat enivré de fureur guerrière :

> LE SOLDAT. — [...] Ho ! Ho ! Un cheval !
> N'y a-t-il pas de cheval ici ? Le mien est tombé.
> A la bataille ! Un cheval ! un cheval !   (*Entre un cavalier*)

---

7. And two Northumberlands : two braver men
Ne'er spurr'd their coursers at the trumpet's sound
With them, the two brave bears, Warwick and Montague,
That in their chains fetter'd the kingly lion,
And made the forest tremble when they roar'd.
7. *The Life and Death of King John,* V, 4, 44-48, p. 378.
MELUN. — In lieu whereof, I pray you, bear me hence
From forth the noise and rumour of the field,
Where I may think the remnant of my thoughts
In peace, and part this body and my soul
With contemplation and devout desires.
      Et cf. :
TÊTE D'OR. — Mon adieu, camarades : Partez, laissez-moi. Je mourrai seul. [...]
      Coupez les chemins ! encombrez l'abord de pierres et de ronces !
                                                        (*Th* I, 150)

8.   MELUN. — [...] this night, whose black contagious breath
            Already smokes about the burning crest
            Of the old, feeble, and day-wearied sun. [...]
                                              (V, 4, 33-35 et *Th* I, 161)

9. KING HENRY. — How bloodily the sun begins to peer
            Above yon busky hill ! the day looks pale
            At his distemperature.
PRINCE HENRY. —   The southern wind
            Doth play the trumpet to his purposes,
            And by his hollow whistling in the leaves
            Foretells a tempest and a blustering day.
                              (*Henry IV*, first part, V, 1, 1-6, p. 432)
10. Trad. cit., I, 472 ; *King Richard III*, V, 4, 7, p. 633.

LE SOLDAT, *se jetant à la bride.* — Ton cheval !
LE CAVALIER. — Arrière, bougre !
LE SOLDAT. — Je n'ai pas le temps de marchander ! Vite ! descends !
Ton cheval ! ou je te fous mon sabre dans le ventre !
LE CAVALIER, *tirant son sabre.* — Lâche la bride !
LE SOLDAT. — Tiens ! (*Il le tue et le jette à bas*) En avant ! (*Il monte à cheval*)   (*Th* I, 136)

Curieusement, il semble que Claudel, en 1889, ait été attiré par ce qui, dans ces épisodes, dépasse les limites de la scène. Loin de vouloir imposer à Shakespeare la bride des conventions, comme l'avait fait Ducis, et après lui, quoi qu'ils en aient dit, les romantiques, il en préserve l'audace ; il doit faire sentir, à son tour, l'odeur forte de ces « drames faits pour secouer des hommes violents et sombres, qui les écoutaient à cheval — dans des plaines de boue »[11]. Les contemporains ont jugé *Tête d'Or* impropre à la scène[12] : mais Claudel, comme Maeterlinck[13], jugeait sans doute Shakespeare tout aussi injouable, et s'est d'abord fort peu soucié lui-même d'être joué[14]. *Henry VI* représentait à cet égard un cas extrême. Mais je serais surtout tenté de penser qu'au soir de sa vie le vieux poète ne rapprochait pas sans quelque coquetterie le point de départ de sa carrière et les débuts de l'Elisabéthain, ces drames historiques pour lesquels il avouait, au même moment, n'avoir qu'un goût fort modéré (*MI*, 43).

L'histoire

A dire vrai, *Tête d'Or* n'est ni une *chronicle-play* ni une *history*. Claudel n'embarrasse pas de faits connus son dessein dramatique. Bien plus, le rapport entre le drame et l'histoire est ici comme inversé. Les événements connus servent de support, dans *Richard III* par exemple, à la tragédie d'un ambitieux qui gravit les degrés du pouvoir et retombe brutalement. Au contraire, dans une action située comme en dehors du temps, Simon Agnel crée l'histoire comme si elle n'avait jamais existé, parce qu'il « ne peut vivre sa propre résolution et son propre défi qu'en le faisant passer dans le destin même des hommes »[15].

11. ALAIN-FOURNIER, lettre à J. Rivière du 17 février 1906, *Correspondance*, I, 167.
12. *Ibid.*, I, 151.
13. Maurice MAETERLINCK, *Théâtre* I, Paris, Fasquelle, 1929, p. 161 : « La plupart des grands poèmes de l'humanité ne sont pas scéniques. *Lear, Hamlet, Othello, Macbeth, Antoine et Cléopâtre* ne peuvent être représentés, et il est dangereux de les voir sur la scène ». Sur ce point, voir Jacques ROBICHEZ, *Le Symbolisme au théâtre*, Paris, L'Arche, 1957, pp. 83-84.
14. Le Théâtre d'Art de Paul Fort en caressa pourtant le projet en 1892 (voir J. ROBICHEZ, *op. cit.*, p. 139). Claudel le reprendra à diverses reprises, mais plus tard (voir *CC* V, 108, 130 ; *CC* III, 54, 279 ; *Œ. C.* VI, 402). Il refusera finalement sa pièce à J.-L. Barrault (*CB*, XXV, 25).
15. J.-C. MORISOT, *op. cit.*, p. 39. J.-C. BERTON, *Claudel et Shakespeare*, pp. 145-148, adopte un autre point de vue. Il oppose au conquérant shakespearien soucieux de conquérir le Temps le conquérant claudélien désireux de conquérir l'Espace. « Le temps, écrit-il, compte fort peu dans *Tête d'Or*. » Tête d'Or me paraît plutôt s'avancer hardiment vers l'avenir pour réaliser au terme une orgueilleuse cristallisation de son passé, de l'Histoire qu'il a créée, en un éternel présent.

Les héros de Shakespeare subissent l'histoire et ils en écarteraient volontiers le poids, s'ils le pouvaient, pour redevenir de simples pasteurs de troupeaux [16]. Simon Agnel a refusé, lui, la lente décoloration d'une existence anonyme de berger (*Th* I, 36) pour gravir le trône du Temps (*Th* I, 131) ; il est parti à la recherche de l'histoire parce qu'il a besoin de trouver, parmi les hommes, le témoignage de lui-même (*Th* I, 34). En dirigeant le cours des événements, il a cru pouvoir arracher au néant sa geste mémorable :

> Vous avez environné notre action d'une mémoire non méprisable. Quelles choses
> Nous fîmes ! et quel palais
> Egal à notre succès peut faire resplendir ses fenêtres ?
> Nous, n'ayant de séjour que notre âme, nous avons bâti nous-mêmes notre gloire.   (*Th* I, 149)

La mort, à laquelle il n'a pu échapper, lui apparaît encore comme une « affaire entre [lui] et l'oubli » (*Th* I, 150). Il envie un instant la stupidité du vacher, parce qu'il a ressenti la peur intolérable de n'avoir été rien (*Th* I, 159). Mais il meurt en triomphe, en un flamboiement exemplaire (*Th* 1, 161).

L'action ne stylise pas un événement connu pour en tirer une leçon politique ou morale ; elle vient corriger, en « réalisant » le désir du héros, « la couleur d'invraisemblance, de hors du temps » (*Catal*, 28) que Claudel voulait à tout prix éviter. Et pourtant, ce n'est pas sans hésiter qu'il a lancé son héros dans l'Histoire. « Il ne faut pas », écrivait-il au moment de la genèse de son drame, « que l'exaltation de la gloire dans la foule tue la manifestation puissante, solitaire, individuelle qui constitue le sujet. Voilà le nœud de la difficulté. Il faut donc que cette farouche manifestation solitaire demeure notre principal point de vue. Par conséquent, qu'il y ait antagonisme, se montrant par un triomphe frénétique inouï de la volonté individuelle furieuse et arrivée à son paroxysme d'enthousiasme sur la foule qui ne le comprend pas et l'admire seulement (et ensuite qu'entre la foule et lui il reste toujours quelque chose d'inconnu) » (*Catal*, 28).

La foule

Claudel a pu penser au choix de Coriolan qui, dans son orgueilleuse solitude, dédaigne les acclamations de la foule dont ne peuvent se passer les tribuns de la plèbe. Le héros romain voit dans la guerre l'occasion d'ouvrir la porte aux « rats » — les gens du peuple — et d'en purifier la cité [17]. Ses exploits restent purement individuels et s'accommodent du service commandé (il n'est que le second de Cominius) ; en revanche, son arrogance le rend inapte au comman-

---

16. Voir le monologue du roi dans *Henry VI*, troisième partie, II, 5, 21-22, p. 575 :
   O God ! methinks it were a happy life,
   To be no better than a homely swain.
17. *Coriolanus*, I, 1, 230-232, p. 703.

dement, comme s'il ne pouvait supporter l'assentiment de subordonnés qu'il juge incurables [18]. Aussi, finalement, la carrière de ce guerrier intraitable s'achève-t-elle dans l'échec ignominieux.

Tête d'Or méprise aussi la « basse chiennaille », l'« immonde phalanstère » (*Th* I, 101), et il injurie avec la même violence que Coriolan l'incapable qui, au lieu de les guider, les laisse s'engluer dans leur mollesse [19]. Lui, précisément, il est venu pour les sauver. Sa première victoire n'est pas d'avoir chassé l'ennemi, mais d'avoir levé une armée en éveillant dans le cœur des plus faibles l'inquiétude, le remords et la colère (*Th* I, 72). « Tu as su commander à tous ces hommes ! Ils ont pu t'obéir ! » (*Th* I, 78) s'écrie Cébès, plein d'admiration.

En leur apprenant « à se tenir sur leurs pieds et à craindre de désobéir » (*Th* I, 93), Simon a lui-même désappris à servir. Il ne se sentira libre que s'il exerce la toute-puissance, que s'il sent soumis à son autorité « ce royaume peuplé » (*Th* I, 96). Non qu'il veuille régner sur des esclaves vils, mais sur des hommes à qui il aura donné une « nouvelle naissance » (*Th* I, 76) et conféré une indiscutable valeur :

> Il n'y a pas un de vous qui ne me soit précieux ; pas un de vous,
> si vil qu'il soit, que je ne désire
> Emprendre comme l'air flamboyant !   (*Th* I, 98)

Il aurait pu obéir, si tout avait été parfait ; or il doit commander, parce que le monde est à refaire (*Th* I, 99). A défaut d'innocence, la force doit absoudre (*Th* I, 103), et il refoulera dans son cœur la conscience qu'il garde de sa faiblesse (*Th* I, 108), pour mieux communiquer aux autres l'audace et l'oubli de la mort. Cette soumission des sujets, qui doit assurer leur rédemption, permet surtout à Tête d'Or l'accomplissement de sa destinée solitaire. Parallèlement à la conquête se déroule la conquête de soi-même [20]. Il rend hommage à ses comparses (*Th* I, 149), mais veut, au moment de mourir, retrouver l'isolement. Car il n'a jamais fait que « se proposer [...], au plus haut de la solitude, comme une promesse terrible à accomplir » [21].

Claudel n'a donc pas imité *Coriolan* dans *Tête d'Or*. Le drame de Shakespeare lui a plutôt permis de prendre conscience d'une des impasses de la volonté, quand elle refuse de s'enraciner dans la présence et dans le consentement des autres hommes.

---

18. *Ibid.*, II, 1, 221-222, p. 711.

19. Coriolan s'en prend au tribun Sicinius Velutus qui ne fait que flatter les bas instincts de la plèbe (III, 1, 176-178, « hence, old goat », « hence, rotten thing ») ; Tête d'Or reproche à David de songer seulement à assurer « la marmite et l'humble chanteau » (*Th* I, 97) et lui lance aussi des injures : « vieux joujou » (99), « blaireau chassieux », « vieux mâle », « couillon » (99), « va-t-en avec les choses passées » (100).

20. Voir J.-C. MORISOT, *op. cit.*, pp. 54 sqq.

21. *Ibid.*, 52.

Le soleil

L'image du soleil comme symbole royal tient une place importante dans la mythologie Tudor et, par voie de conséquence, dans la
littérature élisabéthaine. « Cette terrible tempête ne cessera de faire
rage que quand le cercle d'or posé sur ma tête, comme le splendide
soleil aux transparents rayons, aura calmé la furie de cette folle
bourrasque » [22], déclare York révolté contre Henry VI et désireux
de montrer cette « tête d'or » qui inspire le respect. De même, il
suffit à Simon Agnel de s'emparer de la couronne et de lever sa
« tête ceinte d'or » pour défier l'assistance (*Th* I, 105). Il se produit
bien un « miracle des soleils », celui qui, selon Henry IV, attire sur
la majesté semblable au soleil le regard admiratif de tout un peuple [23], celui qui, dans *Tête d'Or*, force Cassius à s'agenouiller le
premier devant le nouveau souverain (*Th* I, 106).

Henry IV, Simon : deux usurpateurs pourtant. Shakespeare a
accentué dans *Richard II* le motif du *sun-king* pour mieux souligner
cette faute inexpiable, le régicide, qui a pesé sur toute l'histoire
d'Angleterre et qui étend son ombre menaçante sur toutes les *histories* de l'époque élisabéthaine. Quelle que soit la faiblesse du sou-
verain-poète, quelles que soient les qualités personnelles de Bolingbroke, le crime de Pomfret laisse une tache ausi odieuse, aussi
ineffaçable que celle de lady Macbeth, et ouvre, comme elle, un
monde de malédictions [24]. Le meurtre de l'impuissant David est-il
plus légitime ? La deuxième partie de *Tête d'Or* pourrait le laisser
croire. En effet, le vieil empereur n'invoque comme garants de son
trône menacé que le choix d'un timonier par les autres passagers
du navire (*Th* I, 96), l'antiquité de son pouvoir ou les services
rendus (*Th* I, 98). Il rôde dans les ténèbres ; la noirceur le couvre
(*Th* I, 50), et il s'incline devant le général vainqueur, l'« astre éblouis-
sant » qui a « dans une nuit noire apporté la victoire » (*Th* I, 96).
Le porte-lumière peut donc se considérer comme le Roi [25] désigné par
le soleil pour conduire les hommes, « là où le matin brille, sur
Chanaan » (*Th* I, 107).   ,

---

22. Trad. cit., I, 267-268 ; *King Henry VI*, second part, III, 1, 351-354, pp. 546-547.
   [...] this fell tempest shall not cease to rage
   Until the golden circuit on my head,
   Like to the glorious sun's transparent beams,
   Do calm the fury of this mad-bred flaw.
23. *King Henry IV*, first part, III, 2, v. 79-80, p. 426.
   [...] sun-like majesty
   When it shines seldom in admiring eyes.
24. *King Henry IV*, I, 3, 160-164, p. 413.
HOTSPUR. — [...] shall it be that you, that set the crown
   Upon the head of this forgetful man,
   And for his sake wear the detested blot
   Of murd'rous subornation, shall it be,
   That you a world of curses undergo [...]
25. Faut-il accorder quelque importance au fait que David soit l'*Empereur* et Tête d'Or
le *Roi* ? A suivre le texte en son détail, il faut reconnaître que Claudel use assez indifférem-
ment des deux termes. Dans la seconde version, il n'utilisera plus ni pour Simon ni pour
David le titre d'empereur.

Mais cette expédition ne se présente-t-elle pas en réalité, sans qu'il s'en doute, comme une croisade expiatrice ? L'usurpateur n'accomplit-il pas le voyage même qu'Henry IV projetait en Terre Sainte pour laver du sang de Richard sa main coupable [26] ? A l'heure de sa mort, au moment même où la Princesse crucifiée lui offre le spectacle d'une nouvelle Passion, un doute l'étreint, une inquiétude, une certitude bientôt, quand il a reconnu sur sa victime la douce luminosité du « dernier soleil » (*Th* I, 158), le signe même de la vraie royauté. « Qu'elle soit Reine ! » murmure-t-il en son dernier soupir (*Th* I, 163).

Parce qu'il s'est fié à sa chevelure d'or, parce qu'il a parié pour son astre, Simon a non seulement pris la couronne, mais encore il s'est cru le premier Roi (*Th* I, 105). Le Chœur célébrait Henry V, roi-soleil, œil de Dieu qui dispens[ait] à tous une universelle largesse, en faisant fondre la peur glacée » [27]. Une fois paré de l'or royal, Simon Agnel lance un défi à l'éternité railleuse, au chaos, à la douleur et à la mort (*Th* I, 105). Pour régénérer ces hommes abâtardis, il suffira que « le soleil rouge frappe [leurs] visages » (*Th* I, 109), que le Chef fasse briller « l'Espérance d'or », la Force, « comme le soleil fait paraître plus douce sa potion, / Quand il inonde les vieux toits après des siècles de suie » (*Th* I, 108).

Mais un autre soleil était apparu aux yeux des veilleurs et aux yeux de Cébès, les regardant avec sa « face rayonnante » (*Th* I, 62) : la Princesse. De même que, selon Richard II, l'œil pénétrant du ciel, dardant sa lumière sur les autres coupables, met à découvert les meurtres, les trahisons et les crimes détestés [28], de même elle se tourne vers les humains « avec le visage des choses passées et du remords » (*Th* I, 63). Elle est encore là, près de Tête d'Or mourant, pour lui rappeler qu'elle devait être la Reine et qu'il meurt justement (*Th* I, 154).

Elle vient surtout pour rappeler le parfum lointain d'une joie oubliée et la douceur de l'amour, le bonheur qu'on éprouve à se donner au lieu de se suffire à soi-même (*Th* I, 63-64). C'est elle qui appelle Simon pour que, devenu faible, il accomplisse un acte plus fort que la Force en laquelle il avait cru, un acte de charité. Il se lève, et il marche. Et alors seulement, elle le reconnaît pour Roi :

> Tu as pu
> Redresser debout ces débris, ce haillon de corps,
> Et, contredisant à la destruction,
> Marcher vers moi, affliction vivante, tel qu'un muscle écorché !
> O aspect très plein de douleur
> Que nous nous soyons rencontrés alors, tous deux, Roi !
> (*Th* I, 160)

26. Fin de *Richard II* et début de *Henry IV*.
27. Trad. cit., I, 796 ; *King Henry V*, IV, prologue, v. 43-45, p. 487 :
    A largess universal, like the sun
    His liberal eye doth give to every one,
    Thawing cold fear. [...]
28. *King Richard II*, III, 2, 36-51, p. 395.

La Princesse et Tête d'Or, Cordélia et le Roi Lear : Jacques Madaule [29], Jean-Claude Berton [30] ont déjà tenté le rapprochement qui, en effet, s'impose.

Le roi Lear abandonné par ses filles, s'abandonnait au plus sauvage désespoir : « hagard, hurlant, frénétique, un hérissement de cheveux blancs autour de son front », il battait la lande, fouetté par la bise, aveuglé par l'éclair, tandis que « la pluie l'inond[ait] de son ruissellement » et que « les vents déchaînés se ru[aient] sur lui comme à une curée » [31]. Au milieu des champs lugubres et dénudés par l'hiver, Simon Agnel apparaît à son tour, après la mort de sa compagne

> [...] comme un roi détrôné, revêtu d'habits dérisoires [32] [qui]
> reste immobile, les yeux hagards,
> Et dont le vent fou, comme une catin, s'amuse avec les cheveux,
> Et qui contemple sans comprendre l'ouverture du jour,
> Empli comme un chêne mort de balbutiements.
>   (*Th* I, 40)

Mais son égarement n'est-il pas plus grand encore quand, dans la seconde partie, il chasse la Princesse, aveuglé par les adulateurs comme Lear quand il éloignait Cordélia ? Paul de Saint-Victor avait analysé l'étrange renversement qui se produit à la fin du *Roi Lear* : la fille fidèle et maltraitée devient « la mère » de ce vieux fou qu'on vient de ramener de la campagne où il errait égaré, le front ceint de fumeterre sauvage, de ciguë et de sénevé » [33]. C'est une mère aussi que retrouve Simon dans sa victime :

> Voilà le courage du blessé, le soutien de l'infirme,
> La compagnie du mourant [...]
> Considère-le ! Je fus homme ! et par moi l'effort de l'homme a
> satisfait à sa volonté,
> Et tout à coup j'ai été brisé ; j'ai été jeté à l'ombre d'un arbre,
> comme une charogne inutile !
> Eux, je n'ai point voulu qu'ils me vissent mourir. Mais nous
> pouvons ne pas nous cacher
> Des yeux de la femme qui enfante.   (*Th* I, 156-157)

Elle est en même temps sa « fille » (*Th* I, 157) et sa « mère meilleure » (*Th* I, 160) qui, par une seconde naissance, lui fait « naître une âme chevelue » [34].

La scène où le général mourant arrache à grand'peine les clous qui retiennent à l'arbre la jeune fille crucifiée se déroule dans un climat qui rappelle irrésistiblement le mélange de pitié et d'horreur répandu dans les scènes les plus pénibles du *Roi Lear* : l'énucléa-

---

29. *Le Drame de Paul Claudel*, p. 25.
30. *Op. cit.*, p. 185.
31. Paul de SAINT-VICTOR, *Les Deux masques*, tome III, p. 126.
32. Claudel a pu mêler ici l'apparition de Lear et celle d'Edgar à l'acte III.
33. Paul de SAINT-VICTOR, *op. cit.*, t. III, p. 129.
34. Le passage est obscur, et je peux seulement risquer cette interprétation. Une analyse du symbolisme multiple de la femme entraînerait trop loin et, malgré les commentaires tardifs de Claudel, dans les sentiers de la pure conjecture. Je renvoie donc à L. MAURER, *Gestalt und Bedeutung der Frau im Werke Paul Claudels* et surtout André VACHON, *op. cit.*, pp. 117-123.

tion de Gloucester ensuite soutenu par le fou de Bedlam ou la tentative du vieux roi pour empêcher que Cordélia ne soit pendue.

L'école interprétative moderne a, depuis G. Wilson Knight, accordé une importance privilégiée à la « métaphore développée » de la roue de feu dans *Le Roi Lear*. Or la même image reparaît à la fin de *Tête d'Or*, au moment où le héros se donne au soleil couchant. Le rapprochement, suggéré pour la première fois par Jean-Claude Berton [35], est d'un usage particulièrement délicat et risque d'être faussé par l'élucidation des symboles, passionnante mais nécessairement conjecturale.

A la fin de l'Acte IV, Lear apparaît dans le camp français, où il retrouve Cordélia, rayon de lumière qui pénètre dans la prison de sa folie : « Vous me faites tort en me sortant de la tombe. Tu es une âme bienheureuse, mais je suis lié sur une roue de feu, et mes propres larmes brûlent comme du plomb fondu », s'écrie-t-il [36], comme un damné qui, au fond même de la Géhenne, torturé sur la roue de feu, l'un des supplices chers à l'imagerie médiévale de l'Enfer, verrait au loin les lumières du Paradis.

Tête d'Or, « mourant, le bras écartés », tient « le soleil comme une roue » (*Th* I, 161). Subit-il le châtiment que réserve l'enfer du *Repos du septième jour* à l'« orgueilleux rigide », — tandis que le « Feu indéfectible » l'examine, il « supporte, écarté comme une croix, la lourdeur de ses bras » (*Th* I, 830). Supplice peut-être, mais supplice exaltant, parfaitement accordé à ce « grand désir » qui n'a cessé d'étreindre Simon et qui, au dernier instant de sa vie terrestre, « roule comme une flamme dans [sa] poitrine » [37] (*Th* I, 160).

La critique shakespearienne ne s'est pas contentée de la lettre. G. Wilson-Knight voit dans la roue de feu qui torture Lear la roue du Temps où se consume l'être qui lui est lié, « the fiery wheel of mortal life » [38]. Henri Fluchère lui prête une valeur rédemptrice, et la considère comme « le centre imaginatif qui contiendrait en substance la vision dynamique de la conscience d'un père et d'un roi soumis à l'épreuve d'une action décisive pour sa fonction de père et de roi, et, par transcendance ou par dépouillement (ce qui revient au même, pour l'homme) » [39]. A dire vrai, Lear est moins obsédé par le temps que par l'immobilité à laquelle il se trouve soudain contraint dans le tombeau de sa vie désormais impuissante et vidée d'espérance.

---

35. *Op. cit.*, 208-211. Ces pages, pleines d'intuitions et de rapprochements intéressants, n'en tirent pas parti, faute de rigueur.

36. Trad. cit., II, 940 ; *King Lear*, IV, 7, 45-48, p. 937.
   You do me wrong to take me out o' the grave ;
   Thou art a soul in bliss ; but I am bound
   Upon a wheel of fire, that mine own tears
   Do scald like molten lead. [...]
   J.-C. BERTON, abusé par le démon de l'analogie, écrit que Lear prononce ces paroles en mourant (*op. cit.*, 209). Nous sommes seulement à l'acte IV...

37. Autre interprétation dans A. TISSIER, *op. cit.*, p. 127.

38. G. WILSON-KNIGHT, *The Wheel of fire*, London, Methuen, 1949, p. 200.

39. Dans son commentaire pour l'édition de la « Bibliothèque de la Pléiade », tome II, p. *CXXIV*.

Sa destinée ne suit plus le cours d'un astre ; elle se consume dans la rage d'une fièvre inutile.

La roue de feu peut-elle aussi représenter, dans *Tête d'Or*, la « Machine de vie » ? Est-elle la « roue ruisselante » sur laquelle dansent hommes, femmes et enfants[40] ? Confère-t-elle au Temps une valeur rédemptrice ? L'imagerie de la Passion est en effet fortement soulignée dans les dernières paroles du héros. Je suggérerais plutôt que Simon saisit et tient la roue du soleil comme celle d'une destinée toujours renaissante[41]. Il s'est rêvé frère du soleil, et, au moment de mourir, il se rend compte que ce frère meurt aussi à l'Occident. Mais comme le lendemain renaîtra la lumière du jour, pourquoi n'y aurait-il pas, pour lui aussi, une résurrection ?

Car dans *Tête d'Or* comme dans le théâtre de Shakespeare, le soleil a valeur de présage. A la veille de la bataille de Bosworth, l'or du couchant annonce à Richmond le jour splendide de la victoire[42]. Au contraire, devant la défaite de Richard II, l'astre meurt en pleurant, réfugié au fond de l'horizon comme s'il prévoyait les malheurs et les désordres futurs[43]. Or l'immense rougeur qui envahit la scène à la mort de Simon et qui absorbe le héros, cette « église colossale du flamboiement » (*Th* I, 161) célèbre un « triomphe », à la manière d'un *hosannah* (*Th*, I, 161).

C'est par cette « vapeur d'espérance »[44], par cette ouverture[45] que l'imagerie solaire, dans *Tête d'Or*, se distingue finalement de celle de Shakespeare.

---

40. *Le Repos du septième jour* (*Th* I, 858) ; rapprochement suggéré par J.-C. BERTON, *op. cit.*, mais la typographie de la p. 209 trahit sa pensée.

41. A la façon de la « roue des renaissances » de la philosophie hindoue dont parle J.-C. BERTON, *op. cit.*, p. 208, sans faire le rapprochement avec *Tête d'Or*.

42. *Richard III*, V, 3, 19-21, p. 630 :
The weary sun hath made a golden set,
And, by the bright track of his fiery car,
Gives token of a goodly day to-morrow.

43. *Richard II*, II, 4, 21-22, p. 394 :
Thy sun sets weeping in the lowly west,
Witnessing storms to come, woe and unrest.

44. J.-C. MORISOT, *op. cit.*, p. 82.

45. Sur le symbolisme de la porte dans l'œuvre de Claudel, voir les « repères » modestement signalés par le P. François VARILLON dans *CC* I, 186-220.

III. LE PESSIMISME

Tête d'Or continue *Une Mort prématurée*, et fait entendre de nouveau la voix de Hamlet. Mais il ne s'agit plus pour son auteur de mirer, comme un néo-romantique ou comme un décadent, sa propre inquiétude dans l'inquiétude élisabéthaine, de chérir comme des idoles tant de chevaliers à la triste figure ; il doit plutôt dénoncer l'hypocondrie qui les tourmente. Peut-il alors vouer à Shakespeare, en 1889, une « admiration sans bornes » (*MI*, 41), comme il l'a prétendu plus tard ? Ce serait supposer que son « maître » ne fut pas dupe du désespoir de ses héros ; que le dernier mot de sa philosophie ne fut pas le pessimisme, mais le courage et la foi ; que, comme Tête d'Or, il a voulu ne plus pleurer. Le problème ainsi posé m'amène à déceler des reflets de l'absurde shakespearien dans *Tête d'Or*, et à me demander s'il faut voir dans le premier Shakespeare de Claudel un Shakespeare à son image ou un Shakespeare insatisfaisant qu'il fallait en quelque sorte « convertir » à l'espérance.

L'absurde shakespearien

Hamlet est resté le type du héros élisabéthain confronté à l'absurdité de la vie humaine. Mais presque tous les personnages de Shakespeare, même au-delà de la *tragic period*, mêlent leur voix au débat qu'elle suscite.

Un scandale premier vient vicier l'existence et la rendre monstrueuse ou impossible : la présence du mal. Même dans l'esprit du serein Périclès, la luxure d'Antiochus et le crime de la femme de Cléon éveillent des « émotions morales » et à son côté surgit cette triste compagne, la mélancolie au regard terne [1]. S'y ajoute l'inquiétude d'un homme qui se sent solidaire d'une race abominable, et craint que sa nature ne soit dénaturée [2]. Les juges, le juge que chacun croit porter en lui, sont aussi coupables que les coupables qu'ils condamnent.

Mais ce mal commis ne fait que reproduire un mal subi par une perpétuelle victime dont la vie, rongée par la faim, la misère, les chagrins, la maladie, traîne en une longue agonie. Les quelques maigres joies ? elles se dissipent bientôt au gré d'un destin qui conduit

---

1. *Pericles, Prince of Tyre,* I, 2, v. 2, p. 1050, « The sad companion, dull-ey'd melancholy ».

2. *Hamlet,* III, 2, v. 418-420, p. 891.
    O heart ! lose not thy nature ; let not ever
    The soul of Nero enter this firm bosom ;
    Let me be cruel, not unnatural.
    King Lear, IV, 6, 165-168, p. 935.
    Thou rascal beadle, hold thy bloody hand !
    Why dost thou lash that whore ? Strip thine own back ;
    Thou hotly lust'st to use her in that kind
    For which thou whipp'st her. [...]

au néant. Périclès, au moment de l'épreuve qui devrait l'exalter, sent monter en lui une nausée venue lui rappeler la vanité de son effort : « L'image de la mort est comme un miroir qui nous dit que la vie n'est qu'un souffle et que s'y fier est une erreur »[3]. Vaut-il la peine d'intervenir ? Hamlet en doute et hésite. La vie humaine, dépourvue de sens, ignorante de son terme, n'est qu'un fantôme de vie, une histoire de fous[4], un cauchemar, parfois tout au plus un heureux rêve dont il faut s'éveiller[5]. Peut-on envisager la solution la plus radicale, le suicide ? Mais l'au-delà reste inconnu, le néant n'est pas sûr. La question qui ronge le cœur de Hamlet intrigue même les bonnes gens et les bouffons[6].

Le monde est empoisonné ! Qu'importe la fraîcheur d'un matin de printemps, puisqu'il cache mille turpitudes et que, sitôt arrivé, il passe[7] ? Le temps est énervé puisqu'il ne reste plus rien à faire. Hamlet apparaît, en définitive, comme un fou un peu plus lucide que les autres : il a dévoilé le secret, le déterminisme qui régit tous les êtres. Les badins des comédies n'avaient pour toute liberté que l'ignorance des causes qui les faisaient agir. La vie est une farce à mener par tous ; le jeu, la seule attitude raisonnable ; la seule lucidité, celle des « fous ». Au comble de la fureur, le roi du *Conte d'hiver* crie à son petit garçon :

> Va, joue, petit, joue ; ta mère joue, et moi aussi je joue, mais rôle si ingrat qu'au bout de la pièce je mourrai sous les sifflets : mépris et huées seront mon glas funèbre[8].

Lear peut alors proclamer l'irresponsabilité des hommes[9] : le théâtre a envahi la vie.

---

3. Trad. cit., II, 1249 ; *Pericles*, I, 1, 45-46, p. 1049.
   For death remember'd should be like a mirror,
   Who tells us life's but breath, to trust it error.

4. *Macbeth* ; V, 24-28, pp. 867-868.
   Life's but a walking shadow, a poor player
   That struts and frets his hour upon the stage,
   And then is heard no more ; it is a tale
   Told by an idiot, full of sound and fury,
   Signifying nothing. [...]

5. *Richard II*, V, I ; 17-20, p. 403.
   [...] learn, good soul,
   To think our former state a happy dream ;
   From which awak'd, the truth of what we are
   Shows us but this. [...]

6. *Cymbeline*, V, 4, 175-181, pp. 1041-1042.
   POSTHUMUS. — I am merrier to die than thou art to live.
   GAOLER. — Indeed, sir, he that sleeps feels not the toothache ; but a man that were to sleep your sleep, and a hangman to help him to bed, I think he would change places with his officer ; for look you, sir, you know not which way you shall go.

7. *Hamlet*, II, 2, 316-322, pp. 882-883 ; « [...] indeed it goes so heavily with my disposition that this goodly frame, the earth, seems to me a sterile promontory ; this most excellent canopy, the air, look you, this brave o'erchanging firmament, this majestical roof fretted with golden fire, why, it appears no other thing to me but a foul and pestilent congregation of vapours ».

8. Trad. cit., II, 1400, *Winter's Tale*, I, 2, 187-189, p. 326.
   Go play, boy, play ; thy mother plays, and I
   Play too, but so disgrac'd a part, whose issue
   Will hiss me to my grave. [...]

9. *King Lear*, IV, 6, 173, p. 935 : « None does offend, none, I say none ; I'll able 'em ».

Sa résurgence dans « Tête d'Or »

La reprise de la scène du cimetière au début de *Tête d'Or* est trop évidente pour qu'on ne reconnaisse pas que la pièce baigne dans l'absurde shakespearien. Ici Hamlet et Horatio, — je veux dire Simon Agnel et Cébès son « confossoyeur » (*Th* I, 36) —, ne rencontrent point par hasard deux paysans armés de bêches et de pioches en train de creuser la tombe d'Ophélie ; ils sont eux-mêmes ces deux paysans occupés à leur tâche funèbre. Cébès ressent la même surprise douloureuse que le prince danois devant la mort de la femme aimée. Simon lui-même naquit frère des hésitants et des désemparés qui ont « nourri beaucoup de rêves » (*Th* I, 33), qui regardent avec des « yeux désespérés » le « monde navrant », avec la « honte » aussi de se sentir impuissants à le changer (*Th* I, 83).

Les hommes sont « abruti[s] de vices » (*Th* I, 60). Leur grossièreté (*Th* I, 65) fait de leur société un « conciliabule d'ivrognes » (*Th* I, 63), l'étable de sujets-pourceaux, vautrés dans la paresse. Le tableau serait « risible » (*Th* I, 78) s'il n'y avait l'horreur du crime, des « enfants violés et tués par leurs pères » (*Th* I, 41), des mères criminelles qui enterrent leur progéniture « sous le fumier avec / Les assiettes cassées et les chats morts, dans la terre pleine de gros vers roses » (*Th* I, 82). La femme, symbole de la luxure pour Eumère comme pour Hamlet ou Posthumus [10], n'est qu'une « table de tromperie » qu'il faut repousser du pied (*Th* I, 36).

On voit flotter le « monstrueux drapeau » de la « misère » (*Th* I, 74) : l'ennui « par qui l'âme ruisselle sa graisse » (*Th* I, 70), la souffrance et la maladie.

> CÉBÈS. — [...] Il y a des gens dont les yeux
> Fondent comme des nèfles fendues qui laissent couler leurs pépins,
> Et des jeunes filles qui, des années,
> Hurlent sur le dos, et dont le maigre tas d'ossements comme des sarments se recroquevillent,
> Chuintent une liqueur cadavérique,
> Et des nouveau-nés monstrueux, des hommes ayant un mufle de veau [...].
> Toutes les maladies veillent sur nous, l'ulcère et l'abcès, le cancer qui ronge la langue et la lippe ; un malade lève son masque couvert de larves infectes !
> La phtisie fait son feu ; les parties honteuses moisissent comme le bois ; et le sac du ventre
> Crève et vide dehors les entrailles et les excréments.
>
> (*Th* I, 41)

La Faucheuse qui rôde vient ôter toute signification à la vie, la décolorer « comme les bluets », la transformer en une « promenade de mourants » et nous rappeler sans cesse que nous sommes « enfants de la Mort» (*Th* I, 36). Faut-il mettre fin à l'insupportable attente par le suicide ? Mais nous sommes « imbécile[s], ignorant[s] »

10. *Cymbeline*, II, 5, p. 1024.

(*Th* I, 31) et le « to be or not to be ? » vient, comme un coup de fouet rageur, raviver notre angoisse. Simon Agnel a beau feindre d'être assuré qu'un jour tout s'achève, son ultime entrevue avec Cébès agonisant ramène la question redoutable :

> CÉBÈS. — Je ne sais pas... comprends-moi... hein ? quel orgueil intérieur, quelle secrète flamme ... ?
> TÊTE D'OR. — Moi aussi, je ne sais pas. Je suis las !
>
> (*Th* I, 84)

Presqu'aussi désabusé que Hamlet, Simon irait volontiers jusqu'à dénoncer le masque universel de l'homme, l'« or » illusoire, les « faux fruits » dont un « couchant de feu » couvre le « pommier dans la neige » (*Th* I, 94). Tous les efforts sont vains ; il le sait, mais s'acharne à l'oublier. Le théâtre de la vie offre quantité de rôles. Tête d'Or a choisi de jouer le plus éclatant.

Solutions proposées, solutions refusées

On peut suivre, dans le premier grand drame claudélien, la manière dont l'auteur envisage les solutions données par Shakespeare au problème de l'absurde.

Le dramaturge et ses personnages sont perpétuellement tentés, tout d'abord, de l'éluder, d'oublier. Périclès, ce « vrai prince », ne songe qu'à fuir hors du monde et de ses bassesses [11]. Rien de plus précieux surtout que le sommeil, « the golden slumber of repose » [12] image de la mort parfaite, puisqu'il efface même l'angoisse suscitée par notre ignorance de l'au-delà ; « pour la vie future, quand la pensée m'en chaut, je la chasse, en dormant » [13], déclare dans le *Conte d'hiver* Autolycus le fripon.

La correspondance est également très fréquente, dans *Tête d'Or*, entre sommeil et mort. « Va dans la fosse », crie Simon en jetant le cadavre de sa femme, « [...] à même dans la terre, là où tu n'entendes plus et ne voies plus, la bouche contre le sol, / Comme quand, le ventre sur le matelas, nous nous ruons vers le sommeil » (*Th* I, 35). Le sommeil ! c'est toute la philosophie des bonnes gens qui se frottent les yeux en se demandant « comment avez-vous dormi ? » (*Th* I, 91) et, paradoxalement, des veilleurs du palais ; si leur charge les oblige parfois à errer à travers les salles et à monter aux tours de guet, ils ne marchent qu'en somnambules (*Th* I, 59).

Car les gens éveillés peuvent dormir, laissant passivement se dérouler devant eux le cours des événements et se contentant d'ajouter, de loin, un brin de commentaire, un grain d'ironie. La figure qu'ils font dans le monde s'est même détachée d'eux ; elle n'est plus que le dernier personnage dont ils plaisantent, comme le faisait

---

11. *Pericles*, acte I, sc. 2.
12. *Ibid.*, III, 2, 23, p. 1060.
13. *Winter's Tale*, IV, 2, 30-31, p. 339, « for the life to come, I sleep out the thought of it », trad. cit., II, 432.

Richard II [14]. Sur le visage de Simon Agnel passe aussi une expression énigmatique, « le sourire perfide de la jeune fille » (*Th* I, 75) gravé par le spectacle des hommes défilant lentement vers la mort (*Th* I, 36). Il s'est un instant contenté de laisser espérer à Cébès « le repos qui vient après que les yeux sont fermés » (*Th* I, 41). Il s'est étendu, au soir de la première journée, en demandant à la Nuit de répandre de la terre sur ses paupières (*Th* I, 48). Après la mort de son ami, il a cru pouvoir rester indifférent devant la « bouffonnerie de la vie » (*Th* I, 90). Et pourtant il sait qu'il est là pour se redresser Tête d'Or, pour maudire les dormeurs (*Th* I, 195). Qui une fois l'a entendu n'oublie point ses paroles et, laissant sa femme seule dans son lit, marche toute la nuit dans la chambre, jusqu'au moment où il sort pour aller le rejoindre (*Th* I, 73).

Comment le poète, qui a fait sien le refuge des rêves, n'y abriterait-il pas les plus chères de ses créatures ? Périclès connaît, au bout du chemin, une idylle dans un autre Eldorado, Pentapolis. Les bannis de *Cymbeline* retrouvent, au fond d'une caverne galloise, l'innocence qu'ils avaient oubliée. Bien loin, en Bohême, Florizel et Perdita ont, pour mieux s'aimer, quitté l'orgueil des princes et revêtu des habits de bergers ; hélas, ce n'est qu'un conte, qu'on se raconte l'hiver, au coin du feu. Enfin, voici l'île de la réconciliation, en un lieu incertain où s'abolit l'espace : Milan s'élève encore là-bas, et Naples, avec les vices cachés et les intrigues de cour ; mais c'est seulement le pays d'où l'on vient, et la distance entraîne l'oubli.

Du royaume des songes s'éveille aussi la Princesse, dans la seconde partie de *Tête d'Or*. A grand'peine ses paupières se déclosent au sortir du doux pays « Je dors » (*Th* I, 62), du « tapis de muguet » où chantant comme Matelda, la Belle Dame de *La Divine comédie*, la frivole jeune fille, la « cueilleuse de fleurs » (*Th* I, 67) s'égarait en dansant. Va-t-elle délaisser ses vêtements trop lourds pour se faire, avec la dentelle verte des fougères, une robe d'espérance (*Th* I, 62) ? Va-t-elle renoncer à la grotte où chantent les fontaines ou aux ravins déserts entre les chênes (*Th* I, 65) pour tendre la main aux carrefours ? Sa furtive apparition prouve que le moment pour elle n'est pas encore venu d'emprunter « le chemin terrestre » (*Th* I, 65). Un autre assure le relais ; il n'a point honte « de mendier sur les ponts, dans les carrefours, tendant ses mains princières » (*Th* I, 72) ; il est venu secouer les « rêveurs de rêves », il se réclame « des choses [...] telles qu'elles sont », et non pas « des apparences que le rêve de l'usage promène » (*Th* I, 105) ; il veut dissiper les « formes de fumée, rêves, prestiges, passé » et frapper du pied le Réel.

Jean de Gand conseillait à son fils exilé [15] une résignation calme ; pour y parvenir, il suffit que l'imagination substitue au monde des

---

14. *Richard II*, acte V, sc. 5.
15. *Richard II*, I, 3 ; 275-280, p. 386.
GAUNT. — All places that the eye of heaven visits
       Are to a wise man ports and happy havens.

(*suite p. 55*)

chagrins celui des fleurs ou qu'une sagesse orgueilleuse fasse de chaque refuge le havre souhaité. Mais Tête d'Or ne saurait se satisfaire de l'illusion volontaire. Il ne vit pas « malgré *cela* », mais pour supprimer ce *cela*. En David, il tue l'acceptation du médiocre et la cécité complaisante.

Pourtant sa révolte audacieuse, en se proposant l'infini, se meut dans l'imaginaire. Son ambition cosmique est une façon d'absorber le monde qui le gêne. Venu pour dissiper les rêves, il les remplace par un autre rêve, le sien ; on songe à Antoine magnifié dans le souvenir de Cléopâtre à tel point qu'il devenait aussi grand que le monde, aussi beau que le ciel [16].

Est-il dupe de son rêve ? il tombe alors dans ce vice shakespearien : l'oubli. N'en est-il pas dupe ? Suit-il son illusion la sachant illusoire ? il tombe alors dans cet autre vice : l'hamlétisme ; il renie l'être faible qu'il porte en lui sans le nier (*Th* I, 107) ; il joue un rôle tout en sachant qu'il ne joue qu'un rôle. Ce chasseur de rêves a parfois peur de chasser en rêve (*Th* I, 114). Il se demande s'il n'agit pas comme s'il se racontait une histoire :

> Qui veut se dresser devant moi, et me grincer des dents à la face, en jurant
> Que je ne suis qu'un sabre de bois, et que, comme un stupide bambin,
> J'ai mené ma hoste dans ce désert, confondant avec des histoires lues marches et batailles ?   (*Th* I, 143)

demande-t-il en un cri pathétique au moment où sa blessure bée, ironie sanglante, pour lui rappeler sa véritable condition. Ses exploits passés n'ont plus alors que la consistance ténue des souvenirs, donc d'autres rêves. La grande terreur de Tête d'Or, c'est l'imaginaire, refuge final des héros de Shakespeare. « Etre ou ne pas être » : la vie et la mort posent la même question douloureuse.

L'amour : refuge, exigence, don

Faut-il réduire *Tête d'Or* à un jeu funèbre sur des thèmes shakespeariens, à un drame « surshakespearien » où Claudel se serait livré à une surenchère de pessimisme ? On oublierait alors la Princesse, et le cheminement, auquel la conversion n'est pas étrangère, du thème de l'amour.

L'amour représentait peut-être surtout, pour les personnages de Shakespeare, une dernière façon de fuir (*Comme il vous plaira*), de dormir (Hermia et Lysandre), de mourir (Roméo et Juliette), de

---

Teach thy necessity to reason thus ;
There is no virtue like necessity.
Think not the king did banish thee,
But thou the king. [...]
16. *Antony and Cleopatra*, V, 2, 79-83, p. 1008.

rêver : Antoine et Cléopâtre, Margaret et Suffolk ont bu au philtre qui permet au couple, cellule étroitement refermée, de conjurer la présence d'autrui. Il est encore le refuge des veilleurs, la caresse d'un songe pour Cébès, et pour Simon Agnel la torture d'une nostalgie. Mais soudain il éclate comme un cri, comme un appel à la ferveur. La Princesse apparaît pour le susciter. Elle échoue. Alors survient le général vainqueur. Il entraîne dans leur premier amour les hommes qui suivent sa chevelure d'or comme lui-même suit la chevelure d'or du soleil. Finalement, ils connaissent peut-être l'amour alors que leur chef l'ignore. Tête d'Or fait parfois, à travers leurs propos, figure de Christ qui n'aurait pas la foi et qui, oubliant son rôle de simple médiateur, quêterait pour lui seul la dévotion due à son Dieu. Il lui importe moins d'aimer que de faire naître l'amour : la fuite de la jeune paysanne venue le rejoindre, l'agenouillement de Cébès devant lui (*Th* I, 47), son adoration et son attente étaient les premiers points d'appui de sa puissance ; bientôt, il lui faut l'amour de tout un peuple, bien plus, celui que lui vouera l'humanité entière, pour ce « témoignage de lui-même » dont il a tant besoin.

Mais l'Amour s'était endormi pendant ce temps-là. Dans la troisième partie, la Princesse crucifiée, qui avait prévu son sacrifice (*Th* I, 68), se réveille d'un sommeil plus épais que jamais (*Th* I, 153). Elle n'use plus de reproches. Elle n'enseigne plus. Elle est pur appel. Elle est là pour appeler à son tour Tête d'Or :

> Mon Dieu ! mes os ! mes bras ! Ah ! ah ! Simon, Simon Agnel !
> (*Th* I, 154)

Son pardon généreux rappelle celui de Cordélia parce qu'il est amour. Comme la fille du roi Lear, elle révèle à celui qu'elle aime son erreur, qui était un manque d'amour.

Alors ce mourant marche. Pour la dernière fois, Tête d'Or lutte contre son destin, en se levant « du lit paresseux de la mort » (*Th* I, 155). Il tombe, et à son tour elle le relève. Ayant accompli son premier acte véritable de charité, ayant été en même temps témoin du premier acte véritable de charité qu'il ait suscité, il est gagné à l'amour. Sa soif de grandeur ne le quitte pas ; il voit en sa compagne le dernier éclat du soleil. Mais c'est un soleil si grand qu'il ne peut plus que l'adorer, se fondre en lui, écouler le sang de ses plaies dans la nappe rouge du Couchant. Cette extraordinaire Passion de Tête d'Or entraîne une complète réhabilitation de la souffrance et de la mort. Elles ne sont plus acceptées passivement, mais héroïquement, dans un définitif refus de dormir. Vaincu par l'Amour, Simon sait transférer sa gloire en une Gloire qui le dépasse. Comme Cébès, maintenant réintégré en lui, il est devenu « savant [...] à [se] donner » (*Th* I, 78) à plus fort que lui.

Le dernier mot du théâtre de Shakespeare est peut-être, comme l'a soutenu G. Wilson-Knight, l'amour, la charité, la réconciliation, le spirituel. Je doute fort que Claudel (ses commentaires ultérieurs le prouveront) l'ait interprété de la sorte. A travers *Tête d'Or*, forêt toute foisonnante de thèmes shakespeariens, on devine plutôt sa sensibilité au climat d'angoisse et de désespérance qui pèse sur les drames historiques, sur les grandes tragédies, et s'insinue encore dans les comédies « ambiguës » ou les pièces romanesques. Ce monde absurde, il le noircit encore en des visions d'une horreur insupportable, il le tend à un point tel qu'il faut bien qu'il éclate. Et il s'en échappe moins la chevelure d'or d'un conquérant qu'une voix, d'abord inquiète puis impérieuse et qui, d'une frêle jeune fille, apprend finalement à proférer son premier vrai cri d'amour.

IV. LA VERSIFICATION

La versification claudélienne a beaucoup intrigué les premiers lecteurs de *Tête d'Or*. Le problème qu'elle pose passionnait et irritait le poète lui-même qui, devant Frédéric Lefèvre, manifestait une fois de plus sa mauvaise humeur : les grammairiens, ces intrus, n'avaient-ils pas fait courir une étrange nouvelle au pays des traités et des manuels, — la naissance d'une forme prosodique inouïe baptisée, « d'une façon qui [lui] déplai[sait] assez », le « verset claudélien » [1].

Mais voici que surgit cet autre intrus : l'historien, celui qu'il eût sans doute volontiers désigné avec mépris comme « l'évolutionniste en littérature ». Car à cette nouvelle espèce de vers, il faut bien découvrir des origines pour mieux en nier l'originalité. Pères et parrains se présentent en foule : le psalmiste, Rimbaud, les vers-libristes de l'époque symboliste, Whitman, Blake, Eschyle, Pindare, et, pourquoi pas, Shakespeare [2]...

Un partage difficile

Devant tant d'hypothèses, on reste perplexe comme Salomon et on est tenté de renvoyer les plaideurs dos à dos. La prudence veut qu'on se réfère aux dires de Claudel lui-même. On s'aperçoit alors qu'il n'attribue à personne la paternité de son vers « sans rime ni mètre » (*V*, 383) :

> On m'a souvent demandé la raison de la forme que j'ai adoptée et de ces lignes inégales que pour moi je considère comme des vers. [...] Je note que j'ai toujours écrit sous cette forme, même mes premiers bégaiements d'enfant. Quand vous écoutez quelqu'un parler, vous vous apercevez que son discours est divisé, non par les arrêts logiques, mais par la nécessité de reprendre haleine plus ou moins fréquemment suivant que l'émotion ou la réflexion précipite ou retarde son débit. La phrase comprise entre deux reprises d'haleine constitue, pour moi, le vers essentiel [3].

1. F. LEFÈVRE, *Une Heure avec* [Paul Claudel], 3ᵉ série, Paris, Gallimard, 1925, p. 154.

2. Claudel ne connaît Whitman qu'en janvier 1894 (date indiquée sur son exemplaire appartenant à la coll. Jacques de Massary) ; tout au plus a-t-il pu lire les quelques traductions qu'en avait données Laforgue dans *La Vogue* en 1886. Il n'étudie Pindare qu'en 1900. Son vers n'est ni la prose poétique de Rimbaud ni le vers libre des symbolistes. La fréquentation intime des *Psaumes* est également plus tardive.

3. Texte écrit à l'intention de Maurice Barrès, inédit (FD, ms 8296 130 ¹/₂). Barrès projeta, au début de l'année 1911, d'écrire « une grande étude » sur Claudel (voir *CG*, 160) et chargea Philippe Berthelot de demander au poète un résumé de ses tendances (voir la lettre de Philippe Berthelot à Paul Claudel du 3 mars 1911, *Bull XXVIII*, pp. 25-26). C'est ce texte que nous citons ; le manuscrit n'est pas de la main de Claudel. Barrès en accuse réception à Berthelot le 30 mars 1911 (voir la lettre citée *ibid.*, note 2). Mais il n'écrira jamais l'étude, peut-être comme le suggère R. Mallet, parce que la place excessive de Rimbaud dans la formation de Claudel lui a déplu (*CG*, 324), peut-être surtout parce que Barrès connaît trop mal Claudel (voir la lettre de Berthelot citée).

Pourtant il le considère aussi comme le résultat « d'une longue étude des formes lyriques et dramatiques des écrivains anciens »[4]. Les deux confidences ne sont pas inconciliables. Une tendance naturelle s'est trouvée confirmée par le refus d'utiliser la prosodie française[5] et par l'étude des poètes étrangers. Lequel ? Claudel répond encore lui-même à cette question. Bien qu'il eût commencé par étudier Shakespeare, qui l'a « amené aux tragiques grecs », c'est d'Eschyle qu'il a reçu « la formation prosodique dont [il] avai[t] besoin » (*MI*, 41-42). Puis il s'est aperçu que le vers ïambique utilisé dans *L'Orestie*, « le vers dramatique par excellence », renaissait dans le théâtre de Shakespeare[6] qui lui aurait ainsi apporté, non pas une révélation, mais une confirmation[7]. Il fallait donc que la leçon prosodique fût plus frappante ou plus complète chez le poète grec.

Le partage, pour les premiers drames écrits à Paris, reste difficile. En effet, Claudel semble bien n'avoir analysé systématiquement la prosodie d'Eschyle qu'à partir de 1893 au moment où, pour cette raison précisément, il a entrepris de traduire l'*Agamemnon*[8]. En 1891, il parle à Mockel de la « longue et minutieuse étude » qu'il a faite de Shakespeare, mais seulement d'une « communion d'esprit » avec Eschyle (*CC* I, 141). Dans *Tête d'Or* et dans *La Ville*, l'influence du premier ne doit pas s'effacer devant celle du second. D'ailleurs, à la naissance même du drame claudélien, le mélange utilisé dans *L'Endormie* provenait bien du théâtre élisabéthain[9].

« L'haleine intelligible »

Le vers utilisé le plus fréquemment par Shakespeare est, remarque Claudel, le « vers blanc [...] ou discours divisé en laisses d'un nombre approximatif de dix syllabes » (*PP* I, 14). Dans cette définition, il détourne de son sens propre le mot « laisse » qui désigne normalement un ensemble de vers, une tirade, en particulier les couplets monorimes dans la poésie provençale : il l'applique au vers lui-même, qui devient, par le jeu d'une image, un fil de syllabes, un fragment

---

4. Texte écrit pour Miloš Marten afin de lui permettre de préparer une conférence qu'il prononça le 27 mai 1910 au Cercle français de Prague. Coll. A. Klecandová-Martenová ; reproduit dans *Rencontres*, 1965, n° 1, p. 14.

5. Discours prononcé à l'Université de Cambridge et écrit le 15 mai 1939 : « it was natural that I sought help outside : I always disliked French prosody » (inédit ; APC).

6. Voir *MI*, 41 ; lettre à Brandès du 24 août 1903 ; « un simple coup d'œil fait voir que tous les auteurs dramatiques depuis Eschyle jusqu'à Shakespeare, en passant par Plaute et Sénèque, ont employé le vers ïambique traité souvent fort librement » (*Pr*, 1408) ; « L'Orestie d'Eschyle » (août 1942), *Pr*. 421.

7. Il est nécessaire de corriger sur ce point les pp. 142-143 de l'étude d'A. Tissier.

8. Note relative aux *Choéphores* : « Quand j'ai mis en français l'*Agamemnon*, mon objet était surtout l'étude du vers ïambique » (*Th* I, 1319).

9. Voir *supra*, p. 27.

Y. SCALZITTI, dans son essai sur *Le Verset claudélien : une étude du rythme* (*Tête d'Or*), pp. 8-9, affirme l'influence de Shakespeare sur la versification de Claudel, mais ne part seulement du *Fragment d'un drame*.

de phrase pris entre deux blancs et constituant une unité respiratoire, « l'haleine intelligible » (*CC* I, 141).

Toutefois la respiration ne conserve pas, chez l'acteur, la régularité qu'elle a chez l'homme au repos ; elle varie selon l'émotion. La division en vers, « fondée sur les reprises de la respiration, découpe la phrase « en unités non pas logiques, mais émotives » [10]. Le vers est donc « une unité lyrique et physiologique, servant de mesure aux émotions dont les différents personnages sont agités en dehors du sens de leurs paroles » [11]. Le décasyllabe de Shakespeare, soumis au « compteur » de la respiration (*PP* I, 13) peut s'enfler, si le ton devient pathétique, si la colère gronde, en un hendécasyllabe ou en un dodécasyllabe. Notre « métronome intérieur » n'a pas la régularité implacable du métronome alexandrin qui sclérose le drame et le transforme en « une série d'articles comme le code » (*PP* I, 23).

Les *Réflexions et Propositions sur le vers français* emprunteront une série d'exemples à *Richard II*. La reine a surpris le jardinier en train d'expliquer à ses deux garçons les erreurs de la politique royale ; elle ne retient plus son irritation,

> Oh ! I am press'd to death through want of speaking [12]

sort de sa cachette, et s'écrie :

> How dares thy harsh rude tongue sound this unpleasing news ?
> What Eve, what serpent, hath suggested thee
> To make a second fall of cursed man [13] ?

Le calcul auquel se livre Claudel permet de suivre son analyse : le premier vers, de onze syllabes, traduit l'impatience ; l'alexandrin, la colère ; le retour au rythme normal du décasyllabe correspond au sarcasme plus sec, plus frappé, des deux derniers vers.

Excluant la prose [14] et d'une forme très élaborée, *Richard II* présente en effet des cas multiples d'irrégularités métriques. On peut toutefois se demander, dans la plupart des cas, s'il s'agit d'irrégularités véritables. On a relevé quarante-six hendécasyllabes : mais la généralisation des élisions et la prise en considération (contestée, il est vrai, par certains) de la terminaison féminine intérieure permettent d'abaisser ce chiffre à une dizaine. Et, pour ces dix-là, il faut songer à des explications possibles : la négligence de l'auteur, des erreurs de copie, l'obéissance de Shakespeare à un intérêt accentuel. Le premier vers relevé par Claudel ne constitue pas une irrégularité métrique : la dernière syllabe n'est pas accentuée ; ce type de vers

---

10. P. CLAUDEL, « Mes idées sur la manière générale de jouer mes drames », *Bulletin de l'Œuvre*, n° 9, octobre-décembre 1912, pp. 162-165.

11. P. Claudel, texte écrit pour Maurice Barrès, *inéd. cit.*

12. *Richard II*, acte III, sc. 4, v. 72, p. 399 ; « Oh ! j'étouffe à en mourir tant il faut que je parle »

13. *Ibid.*, v. 74-76 ; trad. cit., I, 580 ; « comment oses-tu de ta voix rauque balbutier cette sinistre nouvelle ? Quelle Eve, quel serpent t'a insinué de répéter ainsi la chute de l'homme maudit ? » Ces vers sont cités dans *PP* I, 14, n. 1.

14. Si l'on excepte deux lignes probablement apocryphes ; seules trois autres pièces (*Henry IV*, première partie, *Henry VI*, troisième partie et *King John*) sont entièrement écrites en vers.

se rattache à l'hendécasyllabe italien qui est précisément à l'origine du décasyllabe anglais [15].

On a compté quarante-deux alexandrins dans *Richard II* et même si certains, refusant l'emploi du terme et préférant compter les accents, contestent l'appartenance de certains vers à cette catégorie, il faut reconnaître que le second vers cité dans *Positions et Propositions* y appartient irréductiblement [16]. Généralement empreint d'une certaine solennité [17], l'alexandrin correspond à une recherche stylistique. Il atteste en tout cas l'assouplissement progressif de la versification shakespearienne, et Claudel l'a fort bien compris.

Il y a loin toutefois de la variété du « verset » à ce simple assouplissement... Sa longueur semble parfois dépasser la capacité pulmonaire de l'acteur et, comme l'écrit plaisamment Etiemble, le « sous-gorille » s'épuise en vain à vouloir régler son souffle sur celui du « gorille » Claudel [18].

> [...] Fixant devant lui ses yeux étincelants, tel qu'une Andromède aux crins de cheval, plus fier que le Dieu du Vent quand devant les eaux
> Il s'agenouille, tendant ses mains aux chaînes, sur les rochers d'Occismor,
> Jusqu'à ce qu'il entrât jusqu'à l'enfourchure dans l'aumône.
> *(Th I, 72)*

La versification suit bien ici l'enthousiasme du messager porteur d'une nouvelle qui fait pénétrer dans l'atmosphère étouffante du palais un autre souffle, une respiration plus grande... Mais elle ne se justifie pas toujours aussi clairement, sinon par la violence de l'effort accompli par le poète, tout au long de sa pièce, pour « réveiller l'humanité de sa morne indifférence » (*CC* I, 141).

Le rythme iambique

« Tous les grands poètes dramatiques ont employé l'ïambe, note Claudel, que ce soient les tragiques grecs, que ce soit Shakespeare, que ce soient les grands lyriques, Pindare, etc., tous ont pour principe l'ïambe, c'est-à-dire la succession d'une brève et d'une longue : tic-tac, tic-tac, ou alors tic-tic-tac,tic-tic-tac » (*MI*, 41-42). Ainsi se traduit, de la manière la plus naturelle et la plus simple « cette pulsa-

---

15. Ces hendécasyllabes à terminaison féminine deviendront de plus en plus fréquents. Goswin KŒNIG, dans son ouvrage *Der Vers in Shakespeare Dramen*, Strasbourg, Trübner, 1888, en compte de 5 % dans les premiers drames à 35 % dans *The Tempest*.

16. Autres exemples dans *Richard II*
II, 3, 29 : « He was not so resolv'd when last whe spake together » ;
V, 5, 75 : « To look upon my sometimes royal master's face ».
Richard II est, avec *Cymbeline*, la pièce de Shakespeare la plus riche en alexandrins.

17. Alexander POPE, *An Essay on Criticism*, v. 356-357 :
A needless Alexandrine [...]
That, like a wounded snake, drags its slow length along.
(*Collected Verse*, coll. « Everyman's », London, Dent and sons, 1965, p. 67).

18. ETIEMBLE, « Claudel et le vin des rochers », *N.R.F.*, 1er sept. 1955, p. 483.

tion qui ne cesse de compter le temps dans notre poitrine » (*PP* I, 16). Pendant l'unité respiratoire (le vers) se succèdent plusieurs battements du cœur (les mètres). Le rythme ïambique domine en effet dans les vers pairs de Shakespeare. En voici un exemple pur, dans un décasyllabe :

Sŭffŏlk, ărĭse Wĕlcŏme, Quĕen Mȃr găret [19]

Ce schéma-type admet des substitutions. A la place de l'ïambe (⌣ ᷄ , « tic-tac ») on glisse aisément l'anapeste (⌣ ⌣ ᷄ , « tic-tic-tac »). Mais Shakespeare n'use pas seulement du rythme ïambique : dans les vers impairs, le rythme trochaïque l'emporte. Le rythme ïambique lui-même, quand il l'adopte, reste très libre et peut s'interrompre. Enfin, l'analyse métrique semble assez vaine, morcelant trop le vers en éléments disjoints et ramenés au même plan, alors que sa trajectoire devrait plutôt ressembler à une courbe mélodique.

L'ïambe que Claudel a voulu « pratiquer à fond » (*Pr*, 421) n'est pas vraiment « l'assemblage d'une brève et d'une longue (rythme prosodique), mais la succession d'un élément muet et d'un élément accentué (rythme tonique) [20]. La métrique grecque se fondant sur la quantité des syllabes et la métrique anglaise sur l'accent d'intensité, il faut reconnaître que notre poète est plus près de Shakespeare que d'Eschyle.

De plus, l'« ïambe » claudélien ne comprend pas seulement deux syllabes, mais une séquence de syllabes « brèves » (c'est-à-dire non accentuées) ponctuée par une syllabe « longue » (c'est-à-dire accentuée) : « on peut dire que le français est composé d'une série d'ïambes dont l'élément long est la dernière syllabe du phonème, et l'élément bref un nombre indéterminé pouvant aller jusqu'à cinq ou six de syllabes indifférentes qui le précèdent » (*PP* I, 67). Comme le remarque justement Y. Scalzitti, « on chercherait en vain la phrase ïambique pure dans l'œuvre de Claudel » [21]. Son vers se meut avec beaucoup plus de liberté que le trimètre ïambique des dialogues d'Eschyle ou que le décasyllabe shakespearien. Il utilise pourtant d'une manière remarquable un élément « ïambique », l'anapeste, fréquent dans les chœurs grecs, « plus flexible », « plus complexe » que le « puissant » ïambe pur. Ainsi pour exprimer le halètement de l'agonisant :

J'ĕntrĕ crŭ / dăns lă mȍrt / ĕt ăvĕc / ŭn désĭr

Quĭ vĭt   (*Th* I, 150)

19. *Henry VI*, deuxième partie, I, 1, 17, p. 531.
20. Claudel a, semble-t-il, confondu les deux choses. C'est pourquoi il me semble trop subtil de distinguer le « rythme prosodique » et le « rythme tonique », comme Y. Scalzitti, qui d'ailleurs est obligée de reconnaître la fragilité du partage (*op. cit.*, 29). J'utiliserai donc les signes habituels ⌣ et ᷄ ; mais, et pour Shakespeare et pour Claudel, ⌣ désignera une syllabe non accentuée, ᷄ une syllabe accentuée.
21. Y. Scalzitti, *op. cit.*, 17.

La succession des anapestes est interrompue par un ïambe qui constitue à lui seul un vers [22], cri étouffé d'un homme à la limite de l'épuisement. Ce système ïambique, Claudel ne le revendique pas pour lui seul. C'est le rythme même de la langue française, où chaque mot est accentué sur sa dernière syllabe. Il n'en va pas de même en anglais, où l'accent est beaucoup plus mobile. Claudel (mais tout aussi bien Racine) est alors plus purement « ïambique » que Shakespeare.

Ses déclarations contiennent une étrange contradiction. Il cherche le type du vers ïambique non pas dans les dialogues en trimètres ïambiques de la tragédie grecque, mais dans les chœurs d'Eschyle ou de Pindare (*MI*, 41) qui usent d'un vers beaucoup plus varié, beaucoup plus complexe, et où l'ïambe n'apparaît pas nécessairement [23]. A la limite, on pourrait dire que le vers que Claudel considère comme le modèle du vers ïambique n'est pas ïambique. C'est pourquoi il confond sans cesse en une seule et même chose le « vers lyrique » et le « vers dramatique » [24]. Curieusement, il met alors sur le même plan le vers des odes pindariques et celui de Shakespeare [25].

Plus curieusement encore, il « réduit » ce vers à « deux temps » et en fait une unité ïambique. Dans sa lettre à Brandès du 24 août 1903, il s'explique complètement sur ce point :

> On peut dire que l'ïambe ou rapport d'une grave et d'une aiguë, de l'hémistiche et de la rime, de la tonique et de la dominante est le principe musical de tout vers, qui l'élabore à sa manière. Il suffit d'écouter parler quelqu'un pour remarquer que toute émission de voix comporte un maximum aigu et un minimum grave. Cela est surtout sensible en français où la voix s'abaisse toujours sur le dernier mot de la phrase et la dernière syllabe du mot (rime, accent tonique). Il m'a semblé que je pouvais créer un vers d'une richesse et d'une musique beaucoup plus profondes si, au lieu de me servir uniquement de la similitude de la dernière syllabe qui produit des effets si odieux chez Leconte de Lisle par exemple, je le fondais sur un rapport de différence entre la dominante ou hémistiche et la rime ou tonique en les rejoignant par des modulations appropriées. Le français si varié dans ces sonorités terminales m'offrait pour ce traitement nouveau des ressources inépuisables. (*Pr*, 1408)

Il emprunte à Pascal les exemples sur lesquels il appuie sa démonstration : le plus élémentaire

Que de roy*au*mes — nous ign*ore*nt

22. Y. SCALZITTI scande autrement : 3 | 3 | 6 || 2 | (*op. cit.*, 19)

23. Ce n'est pas le lieu ici d'aborder la difficile question de la scansion dans la lyrique grecque. Je renvoie au savant ouvrage de Jean IRIGOIN, *Recherches sur les mètres de la lyrique chorale grecque, la structure du vers*, Paris, Klincksieck, 1953.

24. *MI*, 41 ; texte écrit écrit pour Barrès, ms cit., etc.

25. Texte écrit pour Barrès, ms cit., : « Ce vers, que j'appellerai le vers lyrique, ou dramatique, a toujours existé à côté de vers épiques et de la prose purement intellectuelle. C'est le vers des chœurs grecs de Pindare et de Shakespeare, aussi long et aussi court qu'on le voudra, mais toujours essentiellement réduit à deux temps ».

combine deux timbres d'une même voyelle, le son grave et le son éclatant, l'« atome foncé » et l'« atome clair » ; le plus subtil

> Le silence éternel de ces espaces infinis — m'effraie

est fondé « sur le rapport de l'*i* aigu et de l'*e* ouvert [26]. « Le vers au lieu de rimer *module*. Au lieu de rimer avec le vers précédent, il rime intérieurement avec son hémistiche et *module* plus ou moins richement à l'intérieur de ces deux termes. [27] » Cette théorie, à laquelle l'*Art poétique* donnera des prolongements philosophiques [28], semble élaborée dès l'époque où Claudel écrit *Tête d'Or*. En effet, dans sa réponse à Albert Mockel, il définit déjà le vers comme « l'unité sonore constituée par l'ïambe ou rapport abstrait du grave et de l'aigu » (*CC* I, 141).

Shakespeare n'a pas aboli la rime aussi complètement que Claudel. Sur les 2 752 vers de *Richard* II, 537 sont rimés. Dans *Peines d'amour perdues*, les vers rimés sont deux fois plus nombreux que les vers blancs. Il est vrai toutefois que leur nombre diminue au fur et à mesure que l'on avance dans l'œuvre : *Le Conte d'hiver*, qui constitue la seule exception, ne contient aucun vers rimé. Mais un autre fait plus frappant marque l'évolution de la versificaion shakespearienne : elle respecte de moins en moins la césure mécanique au quatrième pied ; en revanche, le nombre des vers interrompus en leur cours par un signe de ponctuation impératif augmente considérablement. La phrase ne s'arrête même pas toujours sur une syllabe accentuée, mais, parallèlement, se développera le phénomène de la « terminaison féminine intérieure »

> I do remain as neuter. So, fare you well [29].

Le vers contient bien alors deux temps : la voix retombe à l'hémistiche, éclate en fin de vers. Il y a une « ascension mélodique » [30] comme dans les vers de *Tête d'Or* (rares, il est vrai) qui illustrent le mieux la théorie du « vers ïambique ». L'accord se fait entre la « dominante » et la « finale », entre la « grave » et l'« aiguë » comme dans cet appel au départ de la Princesse : « Et toi aussi, mon père, voilà que je te vois, rongeant ta barbe »,

> Fixer par terre tes yeux sangl*ant*s. Laisse-moi partir, je te pr*ie* !
> (*Th* I, 67)

26. *PPI*, 73 ; *MI*, 54 ; lettre à Brandès, *Pr*, 1408.

27. Texte écrit pour Miloş Marten, *Rencontres*, n° cit., p. 14, et cf. texte écrit pour Barrès, ms cit. : « C'est une unité musicale. Toute l'harmonie du langage humain réside essentiellement dans le rapport d'une grave et d'une aiguë, entre lesquelles il devient possible de moduler ».

28. *OP*, 143 : « La métaphore, l'ïambe fondamental ou rapport d'une grave et d'une aiguë, ne se joue pas qu'aux feuilles de nos livres : elle est l'art autochtone employé par tout ce qui naît » et lettre à Brandès : « ces deux théories par lesquelles je justifie la forme instinctive de vers que j'ai inventée — théorie de la respiration, — théorie de la différence — servent aussi de base à ma philosophie » (*Pr*, 1408).

29. *Richard II*, II, 3, v. 159, p. 393.

30. Y. SCALZITTI, *op. cit.*, 58.

L'enjambement

La ponctuation forte en milieu de vers entraîne aussi fréquemment l'enjambement

> What ! is my Richard both in shape and mind
> Transform'd and weeken'd ! *Hath Bolingbroke depos'd*
> *Thine intellect ?* hath he been in thy heart [31] ?

Shakespeare en use de plus en plus au cours de sa carrière, et d'une manière particulièrement hardie dans ses derniers drames. En voici un exemple particulièrement expressif emprunté au *Conte d'hiver* : Léontès, étonné de la trop chaude amitié que manifeste Hermione à Polixénès, sent la jalousie pénétrer dans son cœur

> Go play, boy, play ; thy mother plays, and I
> Play too, but so disgrac'd a part, whose issue
> Will hiss me to my grave : contempt and clamour
> Will be my knell. Go play, boy, play. There have been,
> Or I am much deceiv'd, cuckolds ere now ;
> And many a man there is even at this present,
> Now, while I speak this, holds his wife by the arm,
> That little thinks she has been sluic'd in's absence,
> And his pond fish'd by his next neighbour, by
> Sir Smile, his neighbour [...] [32].

Un pronom personnel peut être ainsi disjoint du verbe dont il est sujet, une préposition du complément qu'elle introduit. La versification, en bouleversant la phrase, traduit le désordre intérieur du personnage en proie à sa passion.

Claudel a été très frappé par ces audaces. « Dans les derniers drames de Shakespeare, note-t-il, le principal instrument prosodique est l'enjambement, la rupture de la phrase au milieu d'un membre logique, l'introduction de blancs » (*J* V, 27), « *the break,* le heurt, la cassure aux endroits les plus illogiques, comme pour laisser entrer l'air et la poésie par tous les bouts » (*PP* I, 14-15), « une rupture qui cause une espèce d'hémorragie du sens » (*MI*, 44). Il se trompe quelque peu en datant seulement du *Conte d'hiver* l'apparition de ce phénomène et en ne le constatant que dans « les cinq derniers drames » [33], mais il a le grand mérite d'en comprendre

---

31. *Richard II*, V, 1, 26-28, p. 403 ; trad. cit., I, 589 : « Quoi ! mon Richard est-il changé et affaibli d'esprit, comme de corps ? Bolingbroke a-t-il détrôné ton intelligence ? A-t-il été jusqu'à ton cœur ? »

32. *The Winter's Tale*, I, 2, 187-196, p. 326 ; trad. cit., II, 1400-1401 : « Va, joue, petit, joue ; ta mère joue, et moi aussi je joue, mais rôle si ingrat qu'au bout de la pièce je mourrai sous les sifflets : mépris et huées seront mon glas funèbre. Va, joue, petit, joue. Il y a eu, ou je me trompe fort, des cocus avant moi. Et il est maint homme, au moment précis où je parle, qui tient sa femme par le bras et ne se doute guère qu'en son absence on la lui a débondée, et qu'on lui a pêché son étang : son plus proche voisin, messire Sourire, son voisin ».

33. *MI*, 44. En effet : 1° *Pericles* et probablement *Cymbeline* sont antérieurs à *The Winter's Tale* ; 2° Selon M.A. BAYFIELD (*A Study on Shakespeare's Versification*, Cambridge University press, 1920, pp. 408-409), *Antony and Cleopatra* correspond au moment d'apogée de la métrique shakespearienne. Claudel introduit-il cette tragédie dans les « cinq derniers drames », dont il exclurait alors *Henry VIII* ? Mais on relève précisément dans cette dernière pièce un grand nombre de vers enjambés, à tel point qu'on l'a souvent, pour cette raison même, attribuée à d'autres, en particulier à Fletcher (voir H. Fluchère, introduction à *Henry VIII* dans l'éd. de la Pléiade, I, CLXXXII-CLXXXIV). Sur ce problème, voir *infra*, p. 162.

la valeur poétique. L'enjambement, loin d'assurer la continuité des vers, obligeant la poésie à raser la prose, comme on l'a parfois prétendu, crée au contraire une surprise et arrache la poésie à la prose [34].

Cet aspect de la versification shakespearienne a séduit Claudel dès les années 1886-1892 (*MI*, 44) et on relèverait dans ses premières œuvres dramatiques de très nombreux exemples d'enjambements. Ainsi le bouleversement apporté par Tête d'Or dans la vie ordinaire, la révolte contre la mort à laquelle il invite un peuple tout entier se traduit par ce hoquet de surprise et de dégoût :

> Ils le virent, posant eux-mêmes leurs pieds sur un sol engraissé
> du bétail obscur de leurs
> Pères et de leurs mères.   (*Th* I, 74)

Thalie peut de la même façon, modifier brusquement la vie d'un seul homme

> — Non seulement celle-là ! Mais tu
> Connaîtras la force de mes liens quand je dirai :
> « Il faut que tu prennes mon cœur comme une pomme ».
>   (*V*, 167)

Claudel, comme encouragé par Shakespeare, va plus loin encore que lui quand il disloque un mot pour distribuer les phonèmes qui le composent entre deux vers différents. Le procédé a beaucoup étonné les premiers commentateurs du drame. Charles-Henry Hirsch, en 1892, avouait « n'avoir pas saisi le motif qui lui fait couper en deux, au milieu d'une syllabe, un mot, et le porter ainsi tronqué d'une période sur l'autre, par enjambement » [35]. La volonté expressive apparaît pourtant, en toute clarté.

Tête d'Or se lève et lance son puissant appel :   ,

> [...] si quelqu'un est las de cette vie de tailleur, qu'il me suive !
> S'il en est
> Qu'indigne cette vile et monotone après-midi, reste de la digestion
> et veille du somme, qu'il vienne à moi !
> Si vous songez que vous êtes des hommes, et que vous v-
> -Ous soyez empêtrés de ces vêtements d'esclaves, oh ! cri-
> -Ez de rage et ne le supportez pas plus longtemps [36] !
>   (*Th* I, 104)

---

34. Comme l'a démontré Jean Cohen dans *Structures du langage poétique*, Paris, Flammarion, 1964, pp. 76-77.

35. Compte rendu paru dans *La Revue indépendante*, février 1892, t. XXXII, pp. 274-279 ; le passage est cité dans *CC* I, 155. Valère Gille se montrait encore plus incompréhensif dans *La Jeune Belgique*, en janvier 1891 : « L'auteur devait haleter en écrivant son drame car, à tout instant, sans rime ni raison, il interrompt sa phrase et court à la ligne ; signe évident d'une agitation des plus graves ». Maeterlinck lui-même jugeait « bien inquiétantes » ces « étranges dispositions typographiques » et était tenté d'y voir, comme Lombroso, des « signes de la folie » (lettre à Mockel du 29 décembre 1890, reproduite dans *Le Centenaire de Maurice Maeterlinck*, Académie royale de langue et de littérature françaises, Bruxelles, Palais des Académies, 1964, pp. 136-137).

36. Le texte initial, tel que le reproduit Maeterlinck (lettre citée), est plus saccadé encore :
> Si vous songez que vous êtes des hommes et que v-
> -Ous soyez empêtrés de ces vêtem-
> -Ents d'esclaves. Oh ! cri-
> -Ez de rage et ne le supportez pas plus longtemps.

Le son vocalique, libéré de la consonne ou de la semi-consonne, éclate pur comme un cri [37].

Un dernier élan d'amour, — le dernier soupir d'un amour qui se meurt, soulève Cébès agonisant :

> Ça, cette chose presque froide,
> Sans yeux, sans rien, presque é-
> -Touffée, ça aime encore, ça veut
> Encore   (*Th* I, 89)

A une longue inspiration de la voyelle initiale filant dans le silence succède l'explosion de la consonne et de la respiration retenue [38].

Inutile de chercher l'origine du procédé dans la versification shakespearienne : dans les odes de Pindare ou dans les chœurs d'Eschyle, on constate que le mot ne s'achève pas en même temps que le vers [39]. Mais il faut rappeler que seuls les érudits alexandrins, et sans doute Aristophane de Byzance le premier, ont introduit ces divisions. Aucune tradition remontant au poète lui-même ne les garantit. Depuis Boeckh on a tenté de regrouper ces « membres », ces κῶλα en vers. Ce qui était transcrit

> γεγωνήτεον, ὄ-
> πι δίκαιον ξένων [40]

Claudel a supprimé le premier enjambement dans la deuxième version. En revanche il en a introduit un autre. L'annonce de la victoire si inattendue laisse le troisième veilleur stupéfait :

> Je t'écoute en tremblant !
> -Mment cela est-il possible ?   (*Th* I, 210)

37. On trouvera une autre analyse de ce passage dans Y. SCALZITTI, *op. cit.*, p. 9.

38. Autre commentaire dans Y. SCALZITTI, *op. cit.*, 11. Je laisse délibérément de côté l'exemple de la p. 62. A son réveil du pays des songes, la Princesse s'étire, et le vers s'étire aussi langoureusement :

> Je dors, — s'appelle-t-il. Quelle disgrâce si douce m'empêche
> Comme la danseuse qui ne peut quit-
> -Ter le tapis de muguet, un charme nuptial appesantit ses chevilles.

Ici, donc, au contraire, pas de rupture, pas de surprise, mais une vibration qui se prolonge et se renforce avant de disparaître à jamais.

La première *Ville* offre également deux exemples moins remarquables :

> ANGÈLE. — [...] Mais ap-
> pelle L-
> éon   (*V*, 148)

> LE DEUXIÈME CONSACRÉ. — Nous ne vous avons point menti. Ce que je dis, je ne le dis point, Mais le texte, le texte, le T-
> -tt texte est là, qui le dit.   (*V*, 277)

Claudel ne fait pas que s'amuser, comme le prétend Y. SCALZITTI (p. 11). Le renforcement du rôle émotif et dynamique de la consonne n'est pas spontané, comme dans la colère de Simon ou le réveil de la princesse, mais volontaire. A l'effet de surprise que cherchait à créer le poète dans *Tête d'Or*, succède ici une accentuation plus banale de la diction. L'enjambement, loin de créer un silence entre les deux vers, les unit davantage. C'est donc l'inverse du *break* shakespearien.

Après avoir abandonné le procédé (*MI*, 44), Claudel le reprendra dans les *Cent phrases pour éventails* et dans *Le Vieillard sur le mont Omi*. G. GADOFFRE, étudiant l'article de *L'Art poétique* sur la consonne considérée comme « une attitude sonore provoquée par l'idée génératrice qu'elle mime », le rapproche des *Mots anglais* de Mallarmé (*CC* VIII, 234-235).

39. Exemples : *Agamemnon*, v. 983-987 :

> χρόνος δ', ἐπεὶ πρυμνη-
> σίων ξὺν ἐμβολαῖς,
> ψάμμος ἄμπτα, παρή-
> 6ησεν, εὖθ' ὑπ' "Ιλιον,
> ὦρτο ναυβάτας στρατός

Texte établi par Paul MAZON, Paris, Les Belles-Lettres, 1949, p. 46.

40. PINDARE, *Olympiques*, éd. A. Puech, Paris, Les Belles-Lettres, 1949, p. 128.

et considéré comme les vers 11 et 12, dans la *Deuxième Olympique*
de Pindare, ne forme en réalité qu'un vers

γεγωνητέον, ὄπι δίκαιον ξένων

La rupture était le fait d'une graphie contestable que Voltaire et
Claudel ont prise au sérieux, l'un pour ridiculiser la poésie de
Pindare, l'autre pour en tirer toutes les conséquences phoniques [41].
Le procédé se révélait, en effet, riche de suggestions. Sur la
syllabe ou sur le mot rejetés se porte, en début de vers, après un
silence (où peut encore vibrer, dans le lointain, le dernier son des
vers précédents), l'attaque de la voix, comme celle de l'archet sur
les cordes du violon. C'est ce que Claudel appelle la « tension », le
« chargement » des mots que l'enjambement met en relief (*PP* I, 15).
Ainsi se trouve accentuée la différence entre la parole et le silence
qui la précède. La succession du blanc et du vers n'est-elle pas alors
la forme fondamentale du rythme ïambique ? Après le recueillement de Mnémosyne, la déflagration du poème (*OP*, 223) ; après la
gravité du moment où l'on écoute, le cri aigu des mots proférés.

L'étude de Shakespeare a confirmé Claudel dans le choix spontané d'une versification dont il a fait un usage plus libre. Elle a ali-
menté des spéculations complexes auxquelles le poète s'est livré
dès *Tête d'Or* et qu'il a poursuivies jusqu'en sa vieillesse. Elle lui
a fourni un exemple : dans le *blank verse*, libéré de la rime et de
la tyrannie du chiffre, il suivait le souffle de l'émotion ; il retrouvait
dans son élément fondamental, l'ïambe, le rythme même de la
langue française ; de plus en plus nombreux dans les dernières
œuvres, les terminaisons intérieures et les enjambements hardis
l'incitaient à adopter le vers à deux temps, cassé aux endroits les
plus inattendus. La métrique grecque, plus implacable dans les
dialogues, plus libre dans les chœurs, plus surprenante dans sa
graphie (même trompeuse) l'entraînait toutefois plus loin encore,
— où voulait aller sa fantaisie...

---

41. Il faut compléter sur ce point l'essai d'Y. Scalzitti qui reste au stade des hypothèses
prudentes p. 11. Pierre Aquilon, dans son article sur « Claudel et Eschyle » (*CC* I, pp. 7-43)
n'a pas davantage étudié cet aspect curieux de l'influence d'Eschyle sur Claudel. A. Tissier,
qui a le mérite de le signaler (*op. cit.*, p. 143), n'établit pas la distinction entre les vers
et les Κῶλα .

V. L'HOMME ET LA NATURE
LA PREMIÈRE « VILLE »

La première version de *La Ville* a paru en 1893. Sa date de rédaction, 1890-1891 [1], la rapproche de *Tête d'Or*. Et pourtant, selon Claudel, elle en reste spirituellement lointaine. Entre les deux, explique-t-il, s'est dénoué le drame de la conversion, par cette défaite qui est une victoire, la seconde communion [2]. En réalité, la genèse de l'œuvre et l'ultime phase du combat se sont déroulées en même temps. Il n'en faut pas davantage pour expliquer l'extraordinaire violence de cette fresque dramatique et l'atmosphère apaisée, liturgique, du troisième acte.

« *Unde hoc mihi ?* », notait Claudel en marge d'une scène (*V*, 27). La question des sources se trouve ainsi posée, encore que la plus importante — celle à laquelle il pensait lui-même — doive échapper à toute enquête livresque. J. Petit a tenté de recenser les éléments de ce que l'auteur appelait lui-même « un étrange salmigondis » [3] : Virgile, Ovide, le *Kalevala*, les *Eddas*, Wagner, Mallarmé, Rimbaud, Verlaine, Leconte de Lisle, la Bible, peut-être Hugo et Eugène Sue, etc. (*V*, 27-31), Shakespeare aussi, bien sûr.

Le misanthrope : Avare et Timon d'Athènes

Ce drame à l'aspect « barbare et contourné et rocailleux » [4] appelle la comparaison avec les œuvres les plus violentes de Shakespeare, surtout si l'on songe que, à la fin du XIXᵉ siècle, le public et la critique ont surtout ressenti, devant le théâtre élisabéthain, une « impression d'horreur [et] de terreur » [5].

Le misanthrope, Avare, est plus proche de Timon que d'Arnolphe, même si par son nom, il s'oppose radicalement au prodigue athénien. Car s'il souhaite la solitude (*V*, 135) et se retire finalement loin de ses semblables (244), il entend surtout créer son propre désert et faire le vide autour de lui. Timon encourageait Alcibiade à détruire Athènes [6] ; Avare attend le moment où « les villes, pleines d'âmes, flamberont » (134). Il voudrait les « éventrer [...] comme des fourmilières » (*V*, 242). La révolution qu'il dirige reste incomplète à ses yeux, car, s'il avait écouté sa passion, il aurait « rendu toute réunion d'hommes exceptionnelle » et livré « le monde aux pas-d'âne » (239).

---

1. Chronologie établie par J. Petit dans son édition critique de *La Ville*, p. 427.
2. Lettre à Byvanck du 30 juillet 1894, *CC* II, 272 : « la grande crise de ma vie était terminée ».
3. Selon le témoignage d'H. Guillemin, *Claudel et son art d'écrire*, p. 71.
4. Lettre à H. Guillemin du 3 septembre 1942, *ibid.*, *loc. cit.*
5. François de Nion, dans *La Revue indépendante*, déc. 1891, p. 421 (à propos des *Aveugles* de Maeterlinck).
6. *Timon of Athens*, IV, 3.

Le fer et le feu, les murs croulants et les vierges égorgées ne suffisent pas à chacun de ces deux héros. Par un raffinement de cruauté, ils convoquent, pour ravager l'humanité entière, l'armée des maladies. Timon invite les deux courtisanes qui accompagnent le général transfuge à répandre partout le mal vénérien. Avare voue Besme, qui tente de le retenir, aux pires tortures physiques, le « panaris », la « gangrène noire » (134-135), et voit les hommes tomber comme des feuilles mortes ou des bandes d'oiseaux décimés. A l'immortalité qui éblouissait Simon Agnel succède un rêve de mort universelle. Tête d'Or se réveille Maldoror.

Le drame de Shakespeare nous fait assister à la brutale transformation qui s'opère dans l'esprit du généreux Athénien. La déception inattendue, l'écœurement laissé par ce monde hypocrite et ingrat alimentent chez Timon une fureur excessive qui n'est que la contrepartie d'un excès de confiance aveugle, d'une coupable irresponsabilité à l'égard de ses propres affaires. La colère d'Avare s'explique moins aisément : dès sa première apparition, le personnage s'affirme dans toute sa violence — il poursuit une femme échevelée (133) —, et il n'en laisse deviner l'origine qu'au gré de rares confidences, dans les deux derniers actes. A la technique linéaire de Shakespeare, Claudel préfère les retours en arrière successifs qui éclairent et approfondissent une donnée brutale.

Est-ce la seule haine du riche savourant sa nullité (191) qui anime Avare ? La rancune de l'anonymat (239) dans lequel il se promenait à Ivry et à Belleville, « le poing fermé », « enfoncé parmi les hommes jusqu'à la tête » (189) ? Le désir fou d'une liberté absolue qui ne peut être conquise que dans le néant (135) ? Sous le vengeur on soupçonne un apôtre de la pureté, un chevalier errant des temps modernes désireux, comme Tête d'Or, de sauver l'humanité. Il se distingue alors nettement de Timon, cette loque humaine, plus déchue que le monde lui-même.

Premier objectif commun : la destruction de l'or. Timon avait bien compris que « l'esclave jaune » pervertit les meilleurs [7]. La cause de ses maux se révélait alors son meilleur moyen de défense. Sa diatribe tournait à l'éloge. Et il répandait sur Phrynia, sur Timandra, sur les déserteurs venus le dépouiller, le métal devenu doublement précieux. La gratification accordée à Flavius [8], l'intendant honnête et fidèle, prenait elle-même un sens ambigu. Timon se sentait gêné par la présence d'un homme qui pouvait l'empêcher de haïr le genre humain tout entier, et il cherchait peut-être à le fondre dans la masse. Au contraire, Avare veut préserver une élite qui survivra une fois que les « arpents d'hommes» auront été « barrattés » (190) :

Je vous conseille de demeurer intacts. Qu'une séduction ignoble ne vous fasse pas oublier la liberté !
Voici ces temps de danger ! Obéissez-moi, je vous le conseille.
Restez serrés et à la fin vous subsisterez comme des hommes libres.
(192)

---

7. *Timon of Athens*, IV, 3, v. 28-44, p. 810.
8. *Ibid.*, IV, 3, v. 532-533, p. 815.

A la passion de la mort, à sa fureur native, Avare oppose, par un effort suprême de sa volonté, l'appel de la lumière et la voix de la justice (239), cette « justice avare » (241) qui lui vaut peut-être son nom. Comme malgré lui, il a contribué à l'établissement d'une nouvelle société qu'il se voit désormais contraint, par son serment même (135), de fuir. Alors qu'il se croyait le fossoyeur de l'humanité, il s'aperçoit qu'il a été un maillon dans son progrès (239) et, rédempteur involontaire, il part, curieusement, en mau-dissant l'humanité qu'il a sauvée (243).

Timon d'Athènes était-il, lui aussi, un messie malgré lui, un Christ qui souffrait pour mettre fin à la peine des autres et lais-sait racheté l'univers shakespearien ? G. Wilson-Knight n'a pas hésité à le prétendre[9]. Mais son interprétation ne tient guère. Le seul remède qui puisse délivrer les hommes de leurs souffrances et de leur malignité même est, selon le héros, de se pendre[10]. Loin d'épargner le seul juste, Flavius, il tente de le gagner à la haine[11] ; il se maudit lui-même[12]. Et sachant, contrairement à Apémantus, qu'il ne saurait redevenir bête brute, il se tue pour faire disparaître l'homme qu'il est. C'est Alcibiade qui accomplit l'œuvre de justice, en épargnant les brebis saines du troupeau : il allie l'olivier à son glaive et fait surgir la paix de la guerre[13], comme Avare établit ses fidèles, leurs femmes et leurs enfants « dans la solidité de la paix » (V, 243). L'un trahit le vœu de Timon ; l'autre, sa propre passion destructrice.

Sans doute, Timon, instigateur de l'attaque lancée contre Athènes, peut-il passer, comme Avare, pour la cause involontaire de l'ordre qui s'instaure à la fin. Mais il n'en est pas l'instrument. Aussi sont-ils voués l'un et l'autre à disparaître loin d'une humanité dont ils n'ont pu empêcher la survie et dont le progrès les exclut. Timon creusait sa propre tombe, choisissant pour y reposer, « un lieu où la blanche écume de la mer (pût) fouetter chaque jour [s]a pierre tumulaire »[14]. Avare décide de retourner là où de nouveau il puisse entendre la voix qui jadis l'appela, en rêve, en un lieu incertain, « avec la mer et son bruit ». — « [...] Bord d'étang ou fosse sous les hêtres d'où les Porteuses-de-semences avec leur serpillière nouée/ Se sont séparées vers divers points » (241, 244).

Plus complexe que Timon, Avare appartient à la même lignée. Dramatiquement, il assume à lui seul deux rôles de la pièce de Shakespeare, — le lanceur de malédictions et le meneur d'hommes —. Psychologiquement, il est tiraillé entre la passion du néant et le devoir de justice. Plus pudique que l'Athénien, — car il ne convient

---

9. G. WILSON KNIGHT, *The Wheel of Fire*, London, Methuen, 1949, p. 236 : « Christ-like, he suffers [...] and leaves the Shakespearian universe redeemed [...] ».
10. *Timon of Athens*, V, 1, v. 210-217, p. 818.
11. *Ibid.*, IV, 3, v. 536, p. 815.
12. *Ibid.*, V, 4, v. 70, p. 819.
13. *Ibid.*, V, 4, v. 82-83, *loc. cit.*
14. Trad. cit., II, 1231 ; éd. cit., IV, 3, 381-382, p. 814.
    Lie where the light foam of the sea may beat
    Thy grave-stone daily [...].

pas « à la gravité virile de se relâcher/Jusqu'à une expansion indé-
cente » (V, 244) —, il est moins marqué par le monde contre lequel il
se révolte, mais se « condamne, lui aussi, par sa révolte même. »

Le désordre de la nature

En faisant passer la justice avant sa passion, Avare rappelle aussi
Brutus, dans *Jules César*. Les deux hommes se proposent de secouer
une tyrannie [15], de « lever les mains contre le despotisme » (V, 189)
et de reconquérir la liberté. Ils se donnent le même modèle : cet
autre Brutus qui jadis frappa Tarquin le Superbe [16]. Besme ou César
se révèlent moins dangereux, pour eux, que la foule avec ses palinodies [17], « la foule coulante » sur laquelle on ne peut s'appuyer, ce
peuple gourmand et lâche », (V, 190), qui confond révolution et
pillage, espérant trouver l'oisiveté dans l'anarchie.

Jacques Petit a rapproché, à juste titre, les présages dont les
deux dramaturges, nourris l'un et l'autre de Virgile, entourent l'action décisive [18]. A l'Acte II de *Jules César*, Calpurnia rapporte à son
mari les spectacles horribles qu'ont signalés les gardes :

> Une lionne a mis bas dans la rue. Des tombeaux ont bâillé et
> vomi leurs cadavres. Des guerriers de feu se sont battus férocement
> sur les nuages, rangés par escadrons, et leur sang a goutté sur le
> Capitole ; le choc du combat a fait sonner l'air. Des chevaux ont
> flairé le vide. Des voix de mourants ont grogné, et des fantômes ont
> poussé des hurlements [19].

De la même façon, à l'acte II de *La Ville*, alors que passent au
loin les premières rumeurs de la lutte et que rougeoient des incen-
dies, Longuoreille demande à Léger :

> Est-ce que tu ne vois pas des signes ? L'année...
> Dirai-je l'année ? Elle n'est plus, et les saisons éparses se récla-
> ment l'une à l'autre le chemin.
> Des mugissements sont entendus sous les places publiques ; des
> hommes dans le ciel forgent au feu de la Lune.
> La nuit change ; et le ciel nouveau se pavoise de signes menaçants.
> (V, 229-230)

Dans le détail, toutefois, ces présages ressemblent davantage à
ceux qui accompagnent le meurtre de Duncan. L'examen des va-

15. *Julius Caesar*, I, 3, v. 99-100, p. 825.
16. *Ibid.*, I, 2, 158-160, p. 822 et II, 1, 53-58, p. 821, et *La Ville*, p. 188.
17. *Julius Caesar*, III, 2, pp. 833-836.
18. *Ed. cit.*, 229, n.
19. *Julius Caesar*, II, 2, 17-24, p. 829 ; trad. cit., II, 575.
   A lioness hath whelped in the streets ;
   And graves have yawn'd and yielded up their dead ;
   Fierce fiery warriors fought upon the clouds,
   In ranks and squadrons and right form of war,
   Which drizzled blood upon the Capitol ;
   The noise of battle hurtled in the air,
   Horses did neigh, and dying men did groan,
   And ghosts did shriek and squeal about the streets.

riantes permet de reconnaître dans le deuxième acte de *Macbeth* la véritable source de Claudel. Lenox rapportait que « la terre avait la fièvre et tremblait »[20] ; dans une première réaction du récit de Longuoreille, « la terre tremble comme si, comme Thyeste/Fatiguée de ses enfants, elle ne supportait plus notre iniquité » (*V*, 230). Les « mugissements » reprennent les « lamentations dans l'air », les étranges cris de mort », les « voix qui annonçaient, en terribles accents, d'affreux tumultes et des événements confus prêts à éclore en ces jours de malheur »[21]. Enfin le trouble des cieux, le désaccord soudain entre le temps fictif et le temps réel surprenaient déjà les témoins qui, au château du thane de Cawdor, vécurent en plein jour une nuit d'épouvante[22].

Comment s'étonner de cette anormale invasion des ténèbres, quand les fauteurs du désordre les convoquent ? Lady Macbeth espère ainsi empêcher que le ciel ne vienne arrêter le poignard prêt à tuer[23] ; Macbeth demande aux étoiles de cacher leurs lumières[24] ; et Longuoreille, se mêlant avec enthousiasme au « vacarme » et au « pet », conclut la même alliance :

> [...] Que le Lapon gras, que le magicien hideux,
> Tire le sabre qui fascine le soleil, qui fait fondre la lune comme
> de la crème !   (*V*, 228-229)

Mais ils ont tous pour vrai complice la force qui les entraîne, et le désordre de la nature vient signifier, à l'échelle cosmique, le désarroi universel, le chaos ramené par un crime monstrueux.

Les conspirateurs se sont crus des purificateurs, « des sacrificateurs », « non des bouchers »[25]. Brutus a voulu verser le sang de César pour qu'un peuple tout entier pût s'y purifier les mains[26]. Mais Cassius, qui a fait poignarder le premier homme de l'univers parce qu'il tolérait le vol, trempe dans la boue dorée ses doigts que démange l'avidité et couvre de son nom les plus infâmes corruptions[27]. Avare, naguère pressé d'éteindre « une rambleur inique » (*V*, 135), considère, après le grand combat, cette justice dérisoire : que chacun s'approprie tout le reste (*V*, 240)... Le meurtre juste entraîne les mêmes conséquences et s'expose au même châtiment que

---

20. *Macbeth*, II, 3, 66-67, p. 853 :
    [...] some say the earth
    Was feverous and did shake.   (trad. cit., I, 972).
21. *Ibid.*, *loc. cit.*, v. 60-65.
    The night has been unruly : where we lay,
    Our chimneys were blown down ; and, as they say,
    Lamentings heard i' the air ; strange screams of death,
    And prophesying with accents terrible
    Of dire combustion and confus'd events
    New hatch'd to the woeful time. [...]
22. *Ibid.*, II, 4, 4-10, p. 855.
23. *Ibid.*, I, 5, 51-55, p. 850.
24. *Ibid.*, I, 4, 50, p. 849.
25. *Julius Caesar*, II, 1, 166, p. 827 : « Let us be sacrificers, but not butchers, Caius ».
26. *Ibid.*, III, 1, 106-108, p. 832.
27. *Ibid.*, IV, 3, pp. 838-9.

le geste crapuleux de Macbeth. Brutus abandonne son épée à Straton[28] ; Avare ôte, avant de repartir (*V*, 244), son « glaive éclatant », agité par des « mains infructueuses » (*V*, 268)...

Il serait aussi erroné de faire d'Avare le champion d'une cause héroïque que de voir en Brutus, avec Swinburne, un idéal de noblesse[29]. Shakespeare et Claudel ont mis en scène l'étrange erreur qui aveugle ces soldats de la justice. Glorieux malentendu toutefois, dans *Jules César*, car sur Brutus rejaillit l'éclat de sa cause. Combat nécessaire, dans *La Ville*, puisqu'après l'abandon d'Avare, Ivors, « le Roi de la Patience » (*V*, 286), recevra l'épée, cette fois consacrée pour un autre combat...

Dans ses premières pièces, Maeterlinck reste aussi « dans l'ombre » de l'Elisabéthain. Bien que *La Princesse Maleine* vienne des frères Grimm, il a pu la qualifier de « shakespearienne », tant l'atmosphère du drame rappelle *Macbeth*[30]. Les forces de la nature s'y déchaînent, révoltées contre le mal. L'auteur lie le drame intérieur de ses personnages aux phénomènes atmosphériques, « signes du grand drame inconnu que les hommes soupçonnent à de certains moments »[31]. « Il y a », note J.-M. Carré, plus qu'« une mystérieuse sympathie, un accord général entre la nature et la vie », comme dans le théâtre de Shakespeare : « de constantes et subtiles correspondances, d'extraordinaires rapports entre les âmes et les astres », et « entre les êtres et les choses, un absolu parallélisme qui autorise la fréquence extrême des pressentiments »[32].

Or, quand il écrit la première *Ville*, Claudel admire Maeterlinck. La lettre que l'écrivain belge lui a envoyée le 21 décembre 1890 au sujet de *Tête d'Or* (*CC* I, 137-138) l'a vivement touché et lui a donné la pleine conscience de ses dons (*MI*, 75). *La Princesse Maleine* avait rendu son auteur brusquement célèbre grâce à un article d'Octave Mirbeau, paru dans *Le Figaro* du 24 août 1890, qui n'hésitait pas à le placer au-dessus de Shakespeare. Entre Claudel et son modèle, Maeterlinck a pu jouer le rôle d'intermédiaire ; non point de révélateur sans doute, mais plutôt, pour reprendre un terme cher au poète, de « catalyseur »[33]. Ainsi s'expliquerait le caractère particulier des traces shakespeariennes relevées dans *La Ville*.

---

28. *Ibid.*, V, 5, 47, p. 844.
29. A.C. SWINBURNE, *A Study of Shakespeare*, London, Heinemann, 1880, p. 159.
30. Voir l'article de Jean-Marie CARRÉ, « Maeterlinck et les influences étrangères » dans la *Revue de Littérature comparée*, juillet-septembre 1926, pp. 450, 453.
31. Sur ce point, voir J. ROBICHEZ, *Le Symbolisme au théâtre*, p. 82.
32. J.-M. CARRÉ, *art. cit.*, p. 455.
33. Après la parution de *Tête d'Or*, Valère GILLE, dans *La Jeune Belgique* de janvier 1891, accusait Claudel de plagiat : « Bien certainement, la lecture de *La Princesse Maleine* a rendu fiévreux M. Chudel ou Cludel ; il fait tour à tour délirer dans les champs, dans un palais, aux confins de l'Europe, les paysans, un Empereur, cinq soldats, une Princesse, etc. ».
Van Lerberghe incitait Mockel à répondre à cette calomnie : « O *Wallonie*, ne laissez pas passer cette bonne occasion d'être encore une fois la plus voyante ! et la plus généreuse ! — " Je parie qu'il n'avait pas lu *La Princesse Maleine* ", me disait Maeterlinck. C'est bien mon avis, je ne vois pas de rapports ; *s'ils se sont rencontrés, c'est* dans Eschyle et *dans Shakespeare.* " " C'est moins original que *La Princesse Maleine* ", me dit Séverine qui

Il est difficile de l'affirmer, comme il est impossible de dire si, dans *La Jeune fille Violaine*, le geste de Bibiane « por[tant] les mains à son nez et les flair[ant] avec une expression d'horreur » en s'écriant

> Encore ! Je reconnais l'odeur de ses cheveux !
> Je me suis lavée cependant !   (*Th* I, 541)

vient directement de *Macbeth*[34] ou de *La Princesse Maleine*[35]. La scène du somnambulisme est assez galvaudée et Claudel a suffisamment pratiqué le théâtre de Shakespeare pour qu'on puisse se passer de la seconde référence.

D'ailleurs, dans *Tête d'Or*, qui ne devait rien à Maeterlinck, il déroulait déjà le drame parallèle de l'homme et de la nature. Point d'« oracle » sans doute dans les « royaumes [...] noirs » de David : mais le « temps livide comme l'envie », le « ciel devenu nuageux », « du fond de l'Ouest le vent qui accourait, bouleversant les feuillages des routes et des jardins » n'annonçaient-ils pas « la ruine lugubre de [l'] Etat » (*Th* I, 54) ?

Surtout, Claudel se montre plus fidèle à Shakespeare, plus proche de lui que ne l'est Maeterlinck : les présages, dans *La Ville*, n'accompagnent pas seulement le drame ; ils font entendre la voix même de la nature violentée. Et il a beaucoup mieux réussi les scènes de foule que le poète belge a vainement essayé de brosser à la manière élisabéthaine, avec « ses domestiques et ses seigneurs, son mendiant, son vacher [...] à peine esquissés, [...] plus ou moins vulgaires », avec ces « groupes » qui « n'ont ni le trait individuel qui fixe une physionomie ni le brouhaha de vie collective qui se dégage d'une foule »[36].

Comme ses contemporains, Claudel se révèle sensible, dans *Tête d'Or* et dans *La Ville*, aux éléments les plus sombres du théâtre shakespearien : le mal, dont l'homme est à la fois la cause et la victime, se projette dans l'univers tout entier, ébranlé jusqu'en ses fondements. Mais par une énergie native, celle de sa jeunesse, celle de son génie, celle aussi de sa foi, il s'élève au-dessus de la révolte décadente et de l'hamlétisme.

Le langage éruptif des Elisabéthains a pu le soutenir dans sa conquête de la liberté : les métaphores de Shakespeare ou de Marlowe, les audaces d'un vers sans équivalent dans la poésie française, trouvent immédiatement en lui un adepte enthousiaste. Il fait à son tour éclater les limites du théâtre régulier, que la « révolution » romantique avait seulement distendue.

a un jugement très droit, " mais c'est peut-être plus beau " » (lettre du 5 février 1891 reproduite dans *Le Centenaire de Maurice Maeterlinck*, vol. cité, p. 139).

34. *Macbeth*, V, 1, l. 55-57, p. 866 : « Here's the smell of the blood still : all the perfumes of Arabia will not sweeten this little hand. Oh ! oh ! oh ! »

35. M. MAETERLINCK, *Théâtre*, tome I, Paris, Fasquelle, 1921, pp. 152, 183-184.

36. J.-M. CARRÉ, *art. cit.*, p. 465.

Les risques étaient grands. Cette libération pouvait le ramener à d'autres servitudes, celle de l'imitation, celle de la mode. Mais on ne prend jamais Claudel en flagrant délit de plagiat, et ses amis nous paraissent pâles, à côté de lui, dans leur retour à Shakespeare. Tel était l'autre danger : l'outrance. Il pousse l'horreur jusqu'au sadisme. Il submerge la scène, sous des troupes ardentes, des foules en désordre, les manifestations d'une nature flamboyante ou anarchique. Le langage, somptueux, devient moins direct. A l'auteur de ces chefs-d'œuvre manquait encore la maîtrise. Son apprentissage auprès de Shakespeare n'était pas terminé.

CHAPITRE III

LE TOURNANT

L'année 1893 constitue un tournant dans l'existence de Claudel et dans sa carrière dramatique. Curieusement, le départ du diplomate coïncide avec un retour de l'écrivain : il remanie ses œuvres précédentes ; il redevient conscient des exigences « classiques ». Le recueil de *L'Arbre*, paru au Mercure de France en 1901, comprendra les versions nouvelles de *Tête d'Or*, de *La Ville*, de *La Jeune fille Violaine* et deux drames nouveaux nés du contact avec les Etats-Unis ou la Chine : *L'Echange* et *Le Repos du septième jour*. Aussi l'étude d'influence appelle-t-elle un changement de perspective. Les sujets importent peu, puisqu'ils sont, soit repris des pièces antérieures, soit exotiques, donc étrangers à l'Angleterre élisabéthaine ; les thèmes shakespeariens se réduisent à des motifs et reparaissent discrètement. En revanche, les problèmes de technique littéraire et dramatique doivent retenir l'attention du critique comme ils ont retenu celle de l'écrivain.

Le terrain n'est pas aussi vierge qu'en 1889. Claudel a désormais acquis une expérience brève, mais intense, de la création dramatique. De plus, il a été accueilli dans un milieu de jeunes écrivains en pleine effervescence qui ont aimé *Tête d'Or* et *La Ville*, mais revendiquent aussi comme leurs les chefs-d'œuvre de la Renaissance anglaise. On peut penser qu'il partage leurs goûts et leurs conceptions.

I. UNE SITUATION NOUVELLE

Au cours de la nouvelle décade, le public français se familiarise davantage avec Shakespeare qui « n'a plus de sérieux détracteurs »[1]. Les autres dramaturges élisabéthains reprennent leurs droits auprès des lettrés qui, attirés par leur brutalité, par leur ésotérisme parfois, s'intéressent à eux, délaissant seulement Ben Jonson et les comédies[2]. La critique exige qu'on les présente dans toute leur vérité ; et pourtant les représentations semblent plus infidèles que jamais. Claudel se trouve confronté à cette situation nouvelle et à cette étrange contradiction.

Le « cercle d'Harcourt »

En 1892, cette « année heureuse » de sa vie, le jeune fonctionnaire du quai d'Orsay aimait à se distraire de sa « besogne de copiste » (*CC* IV, 65) en se mêlant à un petit cercle littéraire qui s'était développé en marge des mardis de Mallarmé. Le lundi, il retrouvait au café d'Harcourt, près de la Sorbonne, Marcel Schwob, Jules Renard, Maurice Pottecher, Léon Daudet, Camille Mauclair, parfois Henri Barbusse et le Hollandais Byvanck[3].

Il ne faut sans doute pas exagérer l'importance de ce groupe et son rôle dans l'évolution de Claudel. En 1951, le poète se rappelait seulement avoir assisté à « *un* petit déjeuner » organisé au café d'Harcourt (*MI*, 75). Sa correspondance prouve pourtant qu'il s'agissait bien de réunions régulières : à la fin d'une lettre à Schwob, il demande « Nous verrons-nous lundi au d'Harcourt ?[4] » une autre fois, il écrit à Pottecher[5] pour le prévenir qu'un séjour à la campagne lui interdira d'assister à ce qui dut bien être, en définitive, « un déjeuner hebdomadaire »[6].

Le départ, en mars 1893, interrompit une habitude de fraîche date. Au début de l'année 1892, il n'existait encore aucune intimité

1. Georges DUVAL, *L'Œuvre shakespearienne : son histoire*, p. 314.
2. A. BRULÉ, « Panorama du théâtre élisabéthain en France », dans *Le Théâtre élisabéthain, op. cit.*, p. 319.
3. Sur ce point, voir *CC* I, p. 158.
4. P. CHAMPION, *Marcel Schwob et son temps*, p. 262. Claudel a adressé cette lettre à Schwob après avoir reçu de lui *Le Roi au masque d'or*, paru au mois de novembre 1892. Elle est donc de la fin de l'année 1892.
5. Lettre inédite (désignée à tort comme « lettre de Claudel à Marcel Schwob), s.d., inédite, FD.
6. Lettre de Claudel à Léon Guichard, citée dans L. GUICHARD, *L'Œuvre et l'Ame de Jules Renard*, Paris, Nizet, 1936, p. 177, n. 3.

dans les relations de Claudel avec Pottecher et avec Mauclair. Ses correspondants se montrèrent ensuite fort infidèles[7]. Ce qu'il avait pris pour une grande amitié[8] s'effilocha. A son retour d'Amérique, le 24 février 1895, il tenta de renouer avec ses compagnons de naguère. Il participa, le 7 mars, à un déjeuner chez les Pottecher, puis organisa, le 19, un dîner dans l'atelier de Camille. Les deux fois, il retrouva Jules Renard ; les deux fois, il parla de Shakespeare[9]. Quant à Marcel Schwob, il ne put, malgré ses efforts, le revoir avant de repartir en juin pour la Chine. Il s'étonne bientôt d'une « interruption subite » dans leurs relations, que rien ne justifie, et qui lui a été « très sensible ». A dire vrai, tous ne l'ont-ils pas « classé » ? Le dénouement est inattendu : Claudel rompt brutalement, comme d'habitude, avec le fidèle Pottecher, parce qu'il ne partage pas ses convictions[10], au moment même où Schwob s'est rappelé à lui par l'envoi de *La Croisade des enfants*, et de sa traduction de *Hamlet*. Shakespeare apparaissait, en définitive, comme un lien plus solide que de molles amitiés !

Schwob est l'animateur et le « maître à lire » du groupe. Inlassablement, il plaide la cause des Elisabéthains majeurs et mineurs. Jules Renard, comme contraint, découvre ainsi *Le Marchand de Venise* qu'il juge « bien » et « pas bien »[11], et se console du « four » de *La Lanterne* en lisant du Shakespeare, finissant par remercier Schwob de lui avoir fait connaître le cycle de Falstaff[12]. Léon Daudet nous a laissé ce pittoresque témoignage :

> [...] il fallait l'entendre lire [...] telle pièce de Cyrille Tourneur, *La Tragédie de l'athée*, par exemple, ou de Ford : *C'est dommage que ce soit une prostituée*, ou de tel autre contemporain de Shakespeare. Il avait la voix sombre et veloutée, mystérieuse et pénétrante, accompagnée d'un regard aigu et vert comme le dernier rayon sur les flots[13].

De fait, le 6 novembre 1894, Schwob prononçait une conférence au théâtre de l'Œuvre sur *Annabella et Giovanni*, la pièce de Ford, pudiquement voilée par Maeterlinck d'un titre inoffensif[14], et il publiait dans *Le Journal* du 1er février 1895 « La Vie de Cyril Tourneur, poëte tragique, violemment mise en scène à la manière de Cyril Tourneur ».

---

7. Seul Pottecher entretint avec lui une correspondance, sinon régulière, du moins suivie. Mais Claudel se plaint de la désaffection de J. Renard dans ses lettres à Pottecher du 17 nov. 1893 et du 11 mars 1895 (*CC* I, 85, 92-93), s'étonne d'un mouvement d'humeur de Daudet dans sa lettre à Schwob du 12 juillet 1894 et reproche à Schwob lui-même son manque d'exactitude (*CC* I, 168-169).

8. « Quels amis j'ai laissés... », lettre à Schwob de la Pentecôte 1893 (P. CHAMPION, *op. cit.*, 266)

9. Lettres à Pottecher du 4 mars 1895 et du 26 février 1896 (*CC* I, 95, 102), et J. RENARD, *Journal*, éd. cit., pp. 269-270, 272-273.

10. Lettres à Pottecher du 1er août 1895 (98), du 26 février 1897 (106), du 26 février 1896 (99) et du 12 octobre 1900 (108-110).

11. Lettre de J. Renard à M. Schwob du 7 janvier 1892, citée dans P. CHAMPION, *op. cit.*, 249.

12. Lettre de J. Renard à M. Schwob du 24 juin 1893 (*ibid.*, 254).

13. Léon DAUDET, *L'Entre-deux-guerres*, p. 20.

14. Voir *infra*, p. 81.

Claudel a-t-il reçu ces textes ? c'est probable. En tout cas, la connaissance qu'il avait des dramaturges élisabéthains « secondaires » pourrait bien remonter à l'époque de ses relations avec Schwob, et il n'est pas étonnant de le voir, dans un pareil milieu, mettre toujours en avant le nom de Shakespeare, comme l'en accuse, toujours acide, Jules Renard, l'apôtre du talent, agacé par le génie qui lui rend également « pénible » la lecture des deux grands écrivains [15]. Léon Daudet, témoin du même fait, se montre plus bienveillant. Pour lui, une seule phrase de Claudel sur Shakespeare, proférée au cercle d'Harcourt, valait « un volume de haute critique ». Il cite celle-ci :

Ce qu'il y a de plus beau en lui, ce sont les voix [16].

Interprétation oraculaire d'un texte oraculaire... Nous devinons peu à peu qu'au point de vue du « découvreur » enthousiaste, représenté par Schwob, Claudel, dans ces entretiens à bâtons rompus, ajoutait, par des remarques rares et profondes, le point de vue du « penseur », du créateur aussi qui se sent de la race des inspirés. Renard l'avait bien compris, malgré qu'il en eût.

Le théâtre de Lugné-Poe

Au cours d'une « charmante réunion », assez peu littéraire, chez Maurice Pottecher, Claudel, peu avant son départ pour les Etats-Unis, rencontrait pour la première fois le metteur en scène Lugné-Poe [17]. Quelque temps plus tard, à Boston, il apprit par les journaux la naissance d'une « société appelée L'Œuvre, qui se consacrait à jouer celles des jeunes auteurs ». Lugné-Poe la dirigeait et Georgette Camée — la maîtresse, bientôt la femme de Pottecher — en était « la voix » (CC I, 91).

Cette troupe allait, précisément, tenter de renouveler l'interprétation shakespearienne et d'implanter le répertoire élisabéthain sur la scène française. Après le petit théâtre de marionnettes qui avait failli représenter des œuvres de Ford et de Marlowe [18] et avait donné en 1888 La Tempête [19], après le Théâtre d'Art de Paul Fort qui avait monté, le 5 février 1892, La Tragique histoire du Docteur Faust dans une adaptation en vers que Mauclair jugeait « incroyable » [20], le théâtre de l'Œuvre inscrivait à son programme

15. Sur ce point, voir J. RENARD, Journal, pp. 270, 273 ; P. CHAMPION, op. cit, pp. 249, 257-258 ; L. GUICHARD, op. cit., p. 314, et MI, 142. Il faut corriger sur ce point G. Gadoffre qui écrit que Renard « donn[ait] volontiers du jeune génie à son admirateur » (Claudel et L'Univers chinois, p. 175).

16. L. DAUDET, L'Entre-deux-guerres, p. 29.

17. LUGNÉ-POE, Dernière pirouette, Paris, Sagittaire, s.d., p. 41.

18. Voir Charles LE GOFFIC, « Le Petit Théâtre de Marionnettes » dans La Revue encyclopédique du 18 juin 1894, pp. 253-259 ; sur ce point, consulter J. ROBICHEZ, op. cit., 75.

19. Voir SAINT-VEL, « Le Théâtre symboliste : Shakespeare et les marionnettes » dans la Revue d'Art dramatique, 1er déc. 1888 ; ibid., 76.

20. La Revue blanche, février 1892 ; ibid., 133-135.

Annabella et Giovanni, le 6 novembre 1894, et *Mesure pour mesure*, le 10 décembre 1898. Sans doute, Claudel, alors éloigné de Paris, n'a-t-il pu assister ni à l'une ni à l'autre de ces interprétations. Mais il est resté suffisamment attentif à l'actualité littéraire et théâtrale pour en avoir entendu parler, d'autant plus qu'il s'est intéressé, dès le dèbut, à cette nouvelle société.

Le problème peut être posé dans les termes suivants. Après avoir publié *Tête d'Or* et *La Ville*, après avoir lu *La Jeune fille Violaine* devant ses amis, Claudel est agrégé, comme malgré lui, au groupe symboliste par des critiques soucieux de renouveler l'esthétique dramatique. Or ces mêmes « symbolistes » annexent aussi les Elisabéthains, que Lugné-Poe met en scène d'après leurs conceptions. Dans quelle mesure le Shakespeare de Claudel va-t-il être le Shakespeare des Symbolistes ?

Là encore Maeterlinck, l'adaptateur d'*Annabella et Giovanni*, mérite de retenir l'attention. Certains ont vu en lui un nouveau dramaturge élisabéthain [21]. Il eut du moins le mérite d'avoir une bonne culture et de vouloir la répandre. Il admire « cet énorme cycle shakespearien qui va de Marlowe à Otway [et] tourne comme une couronne de chefs-d'œuvre sauvages autour du front du poète d'*Hamlet* ». La Renaissance Anglaise lui apparaît comme « une des périodes les plus extraordinaires de la beauté tumultueuse et folle comme la mer » avec « une légion sordide et merveilleuse » d'artistes, « ivres de faim, de vin, de passions formidables, de vie et de beauté, comme s'ils avaient découvert en même temps la même source sacrée par où la poésie s'échappe un instant des entrailles du globe » [22].

Malheureusement, le sordide gêne ce délicat habitué à l'afféterie symboliste. Il a peur des mots : « whore » lui paraît intraduisible dans *The Honest Whore* de Dekker ou dans *'t is pity she's a whore*, de John Ford. Bien plus, il ne conçoit pas le jeu des intrigues enchevêtrées qui donnaient une singulière épaisseur de vie aux drames élisabéthains : selon lui, l'histoire d'Hippolita, qualifiée de « mélodrame », et les assiduités infidèles de Bargello, tout juste bonnes pour la « grosse comédie », enserrent le « diamant » comme une « gangue » et, pour retrouver dans sa pureté la tragédie d'Annabella et de Giovanni, il la débarrasse des « deux plantes parasitaires » qui n'ont, en elle, « aucune de leurs racines » [23].

La mise en scène de l'Œuvre exagère encore cet émondage. La frénésie devient « vitrail » [24]. Lugné-Poe et Berthe Bady jouent ces scènes enragées « les mains jointes, les yeux au ciel, avec « l'allure mystique, la démarche lente, la voix blanche et monotone » d'« un saint et [d'] une sainte descendus d'une fresque de Giotto » [25]. On

21. J.-M. CARRÉ, *art. cit.*, p. 449.
22. M. Maeterlinck, adaptation d'Annabella (*'t is pity she's a whore*) de John Ford, Paris, Ollendorf, 1895. Préface, pp. VI-VII.
23. *Ibid.*, pp. XVI-XVII.
24. Romain COOLUS, dans *La Revue blanche*, déc. 1894, cité par J. ROBICHEZ, *Le Symbolisme au théâtre*, p. 301.
25. F. SARCEY, dans *Le Temps*, 12 nov. 1894, cité *ibid.*, *loc. cit.*

« travestit »[26] Ford comme on travestira Shakespeare, quatre ans plus tard, quand, malgré son souci de reconstitution historique, Lugné-Poe adoptera, pour sa sixième saison, la traduction de *Measure for Measure* dans les alexandrins douteux de Louis Ménard. Le spectacle violent projette le « paysage choisi » d'une âme. Est-il même un spectacle ? Maeterlinck juge « dangereux » de voir représentés sur la scène les grands drames shakespeariens : ces « grands poèmes de l'humanité » ne supportent pas la présence de l'homme et ont la seule valeur de « symboles »[27]. Les « silences » importent plus que les paroles et « quelques-mots très simples » suffisent pour que les personnages s'expriment[28]. Personnages « ordinaires » d'ailleurs, en tant qu'individus, car le dramaturge ne se soucie ni des « événements extérieurs », ni des « motifs accidentels », ni des « caractères » : il descend « plus avant dans les ténèbres de la vie intérieure et générale » ; il va « jusqu'aux régions où toutes les âmes commencent à se ressembler entre elles parce qu'elles n'empruntent plus que peu de choses aux circonstances, et qu'à mesure que l'on descend ou que l'on monte (c'est tout un et il ne s'agit que de dépasser le niveau de la vie aveugle et ordinaire), on s'approche de la grande source profonde, inodore et commune de l'âme humaine »[29]. Sous les cris du roi Lear, de Macbeth ou de Hamlet, on entend « le chant mystérieux de l'infini, le silence menaçant des âmes ou des Dieux, l'éternité qui gronde à l'horizon, la destinée ou la fatalité qu'on aperçoit intérieurement sans que l'on puisse dire à quels signes on la reconnaît »[30].

J. Robichez juge « gratuites »[31] ces interprétations, quelque séduisantes qu'elles puissent paraître. Non seulement elles modifient le drame élisabéthain en l'associant à l'esthétique du drame symboliste, mais encore elles en faussent la signification : la Fatalité antique se trouve subtilement réintroduite au point d'estomper les passions humaines et les catastrophes « localisées » ; « les effets du malheur » ne sont représentés que pour signifier le « malheur lui-même » dont on veut connaître l'« essence » et les « lois »[32].

Claudel allait risquer des interprétations analogues. Nous disposons pour en juger d'un seul témoignage, mais d'un témoignage de poids.

26. *Ibid.*, pp. 463-465.
27. Article paru dans *La Jeune Belgique*, 1890, t. IX, p. 331.
28. Préface à *Annabella*, pp. XV-XVI.
29. *Ibid.*, pp. XII-XIII.
30. M. MAETERLINCK, « Le Tragique quotidien », dans *Le Trésor des humbles* (1896), rééd. Mercure de France, 1921-1924, p. 162.
31. J. ROBICHEZ, *op. cit.*, p. 300.
32. M. MAETERLINCK, article paru dans *Le Figaro* du 24 sept. 1894.

II. LA LETTRE SUR HAMLET

Au début de l'année 1900 paraissait à la librairie Charpentier et Fasquelle *La Tragique histoire d'Hamlet, prince de Danemark,* dans une traduction nouvelle réalisée en 1898 par Eugène Morand et Marcel Schwob et précédée d'une importante préface [1]. Claudel reçoit le volume et adresse à son ancien condisciple, le 17 mai 1900, une lettre qui est un document de premier ordre [2]. Elle fixe un art de traduire et une interprétation originale du drame.

L'art de traduire

Schwob et Morand ont eux-mêmes indiqué leurs buts : transposer le poème anglais en prose française, sans y ajouter de commentaires-parasites, rechercher l'archaïsme pour rappeler que « Shakespeare pensait et écrivait sous Henry IV et Louis XIII » (p. xx). La réalisation n'a pas toujours été à la hauteur de leurs intentions : s'ils usent d'une langue pleine de verve et de truculence dans les passages les plus familiers, ils n'évitent pas toujours les afféteries symbolistes et ils éludent encore la plupart des difficultés de transposition [3].

Claudel ne ménage pourtant pas ses compliments à Schwob, dont il juge la traduction « admirable » et le succès « complet ». Peu importe qu'« au premier abord elle choque » car, comme Baudelaire, Claudel préfère l'œuvre « faite » à l'œuvre « finie » et au chef-d'œuvre technique, la touche inédite, la beauté qui naît de la surprise.

Mais l'archaïsme a d'autres raisons d'être : la couleur de temps qui donne au lecteur l'illusion d'une « étrange vieille pièce française » ; la saveur particulière à la langue anglaise qui, comme Mallarmé le faisait remarquer, a conservé « beaucoup de vieux et bons vocables » disparus de l'idiome voisin [4]. Aussi « le *Hamlet* » semble-t-il « retentir avec l'éclat indigène », laissant « le discours reconquérir un accent et un timbre comme natifs ».

Le mot-à-mot servile ne saurait parvenir à ce résultat. Il faut sans cesse transposer. Hamlet, prenant dans ses mains le crâne de Yorick, qui est désormais incapable d'exercer sur lui-même sa raillerie, s'écrie : « quite chapfallen [5] ». « Quelle déconfiture ! » traduira Gide, assez platement [6]. Schwob s'efforce, lui, de conserver

1. Les références renverront à la réédition publiée par Bernard Grasset, Paris, 1932.
2. Reproduite dans P. Champion, *op. cit.,* pp. 268-270.
3. Sur ce point, voir Christian Pons, « Les Traductions de *Hamlet* par des écrivains français », *art. cit.,* p. 123.
4. Mallarmé, « Les Mots anglais », dans *Œuvres complètes,* éd. cit., p. 998.
5. *Hamlet,* V, 1, l. 211, p. 902 ; le mot désigne le cadavre dont les joues retombent, donc qui a l'air piteux.
6. Trad. cit., II, 690.

le tour interrogatif, l'expression imagée (même s'il use d'une autre image) et la couleur archaïque : « Quoi ? tout à fait clique-mâchoire ? [7] »

A plusieurs reprises, on saisira chez Claudel ce désir de transposition exacte : pour « my salad days », dans *Antoine et Cléopâtre*, il proposera par exemple « mes années de (petite fille à la) vinaigrette » [8] ou pour

> [...] we have kiss'd away
> *Kingdoms and provinces* [9]
> Nous avons vaporisé [10] en baisers royaumes et provinces
>
> > (*J* IX, 21, août 1944)

Mais son exigence, son ambition, vont plus loin : « quand on traduit un poème musical, il faut faire une grande attention à ne pas priver l'édifice musical de son support ». Se faisant encore une fois l'écho de Mallarmé, il insiste sur la difficulté qu'on trouve à passer « d'un idiome laconique et comme explosif » à « un langage ample et polysyllabique » [11]. Lui-même,désespérant de retrouver en français la charge consonantique de l'anglais, en est réduit à conserver et à multiplier « come » pour donner, dans *Macbeth*, l'impression des coups frappés à la porte, ces « coups de bélier » autour desquels le drame s'est « construit tout entier », « ces coups à plein cœur dans cette caisse résonnante qu'est l'imagination d'un poète » :

> Au lit ! au lit ! On frappe à la porte ! *Come, come, come, come, come, come*, donne-moi la main, Macbeth ! Ce qui est fait est fait ! Au lit ! au lit [12] !   (*JR*, 15)

Schwob a préféré utiliser les ressources du français et Claudel lui donne raison. Telle allitération, dans tel vers monosyllabique du fameux monologue de l'acte III

---

7. p. 196 ; d'après « claquedent » ; « cliquer » est le vieux mot pour « claquer ».

8. *J* V, 38 (1924) ; Claudel a cité ce mot à Louis Gillet, qui le rappelle (en le lui attribuant) dans *Stèle pour James Joyce*, Marseille, éd. du Sagittaire, 1941, p. 117. Cléopâtre s'emporte quand sa suivante Charmian lui rappelle les éloges dont elle couvrait jadis César et qu'elle veut maintenant réserver, comme s'ils n'avaient jamais été employés, pour Antoine : jadis, c'est-à-dire, dans ses « salad days », quand son jugement était encore vert (*Antony and Cleopatra*, I, 5, v. 73, p. 983). Gide traduit, assez bien cette fois : « en mes jours de primeur » (trad. cit., II, 1026).

9. *Antony and Cleopatra*, III, 8, 17-18, p. 996.

10. Autre encre : « volatilisé » ; Gide traduit, beaucoup plus platement : « nous avons consumé en baisers des royaumes » (*trad. cit.*, II, 1057).

11. Mallarmé montrait le caractère monosyllabique de l'anglais (« Les Mots anglais », éd. cit., p. 963 : « Qui veut parler sagement ne peut dire qu'une chose de l'Anglais, c'est que cet idiome, grâce à son monosyllabisme et à la neutralité de certaines formes aptes à marquer à la fois plusieurs fonctions grammaticales, présente presque à nu ses radicaux »), et insistait sur l'importance des consonnes : cf. *MI*, 240, « Il y a tout un livre de Mallarmé qui est appliqué aux mots anglais, où il essaie de définir les mots anglais précisément d'après la charge dont les consonnes sont représentatives, parce que, avec beaucoup de raison, il attache de l'importance encore plus aux consonnes qu'aux voyelles qui sont un élément purement musical, tandis que la consonne est un élément énergétique ».

12. *Macbeth*, V, 1, 1. 72-75, p. 866 : « To bed, to bed : there's knocking at the gate. Come, come, come, come, give me your hand. What's done cannot be undone. To bed, to bed, to bed ».

[...] and, by a sleep to say we end
The heart-ache [13],

est rendue par des échos vocaliques

Et par un dormir se *dire* que c'est la fin de l'angoisse du cœur [14].

A l'attaque de l'archet se substitue le long vibrato de la corde, au génie de l'anglais le génie du français : « il semble que le magnifique morceau d'anglais ait lui-même *worked out* son image dans le français, de lui-même et par son opération propre ».

On a souvent regretté que Claudel n'ait pas traduit Shakespeare, et singulièrement *Hamlet* [15]. Christian Pons, rapprochant de ce qu'aurait pu être cette transposition la remarquable version d'Yves Bonnefoy [16], pense que l'emploi systématique du « verset claudélien » permettrait « de pousser plus loin encore la tentative ». Ainsi

[...] to watch the minute of this night [17]

pourrait devenir :

Afin qu'il surveille avec nous les ténèbres, et ce lent écoulement des heures, tous les moments de la nuit l'un après l'autre [18].

A mon avis, Claudel aurait jugé trop claudélienne cette transposition qui ne « préserve » nullement « le mouvement de la phrase » et se serait moins soucié d'appliquer sa prosodie que de rechercher des équivalents visuels et sonores, et de conserver la valeur d'intonation et comme interjectionnelle » des « mots ».

L'interprétation du drame

Claudel ne se préoccupe guère des renseignements historiques fournis par Morand et par Schwob qui, avec beaucoup de science, recherchaient les origines de *Hamlet* depuis un fragment de texte irlandais datant de 919 jusqu'à une tragédie de Thomas Kyd jouée en 1589. Peu lui importe la comparaison entre le premier *Quarto* de 1603, le second *Quarto* de 1604 et le *Folio* de 1623. Et il n'est pas sûr qu'il suive les deux érudits quand, s'étonnant de retrouver l'histoire de Hamlet dans le folklore français, ils en concluent qu'elle

13. *Hamlet*, III, 1, 61-62, p. 886.
14. p. 96.
15. Yves BONNEFOY, « Shakespeare et le Poète français », dans *Preuves*, juin 1959, p. 46 ; Christian PONS, *art. cit.*, p. 129 : « il me semble que Claudel est dans notre langue l'écrivain le plus proche de Shakespeare. Et Claudel, qui a merveilleusement traduit Eschyle, aurait pu mieux encore traduire Shakespeare et surtout *Hamlet* ».
16. *La Tragédie d'Hamlet prince de Danemark*, dans *Œuvres complètes de Shakespeare*, publiées sous la direction de P. Leyris et H. Evans, Paris, Club français du livre, 7 vol., 1957, t. IV, pp. 963-1262.
17. *Hamlet*, I, 1, 27, p. 870 ; BONNEFOY traduit : « prendre avec nous le guet dans cette nuit » (p. 969).
18. Ch. PONS, *art. cit.*, p. 129 ; et voir son essai de transposition de deux scènes de *Hamlet* (III, 3 et 4) en « versets claudéliens » dans *Cahiers du Sud*, n° 283, pp. 440-466.

a été transportée d'Angleterre en France. Pour lui, la tragédie du Danois « marque la fin de la période proprement décorative » dans la production de Shakespeare. La formule est certainement discutable ; elle indique qu'il convient de rattacher encore *Hamlet*, par ce que la pièce a d'excessif, à la rhétorique d'apparat de *Roméo et Juliette*, cette « tragédie fleurie de la mort »[19] et peut-être même à la grandiloquence des horreurs sénéquéennes dans *Titus Andronicus*.

La complexité de la composition surprend Claudel et le déconcerte. Il attribue cette impression à sa « longue habitude de l'art grec », à sa longue familiarité avec les tragédies d'Eschyle qui se déroulent suivant une implacable progression jusqu'à l'accomplissement de la catastrophe. J.M. Robertson[20] a le premier tenté d'expliquer ce caractère composite de l'ouvrage : une « stratification ». Selon T.S. Eliot, une série d'écrivains y a travaillé, « chacun faisant ce qu'il pouvait de l'œuvre de ses prédécesseurs ». A une simple tragédie de la vengeance, celle de Thomas Kyd, s'est alors jointe une tragédie de la « folie », avec pour motif dominant « l'effet de la culpabilité d'une mère sur son fils », et Shakespeare s'est « révélé incapable de superposer avec succès ce motif aux matériaux difficiles à manier de la pièce primitive »[21]. L'explication, trop mécaniste, n'est guère satisfaisante. Mais le problème n'a pas cessé de tourmenter la critique shakespearienne.

Il est lié à un problème plus grave encore : la nécessité du drame. « Il est certain », remarque Claudel, « qu'il n'y a aucune raison objective et intrinsèque au thème pour que Hamlet ne tue pas immédiatement le roi félon, dès l'avertissement donné par le spectre paternel ». Paul de Saint-Victor se contentait de l'explication psychologique devenue traditionnelle depuis Coleridge. Il confrontait ce Hamlet hypersensible et perdu dans ses réflexions au personnage idéal qui, dans la même situation, aurait su éviter l'échec :

> L'énergie qu'exigerait sa tâche s'évapore dans [un] étincellement de paroles. Il y faudrait le fanatisme de l'amour filial, et il n'y apporte que le dilettantisme d'une hypocondrie raisonneuse[22].

Claudel, comme s'il se détachait du critique naguère tant admiré, refuse d'expliquer le drame par le caractère. Mais il va tenter, audacieusement, d'expliquer le caractère par le drame :

> [...] *il faut qu'il y ait un drame*, et [...] Hamlet sait dès l'abord que la catastrophe ne peut survenir avant que l'action funèbre et complexe dont le héraut posthume a signifié l'ouverture n'ait épuisé tout son développement ; et c'est là pour moi toute la clef de son « *caractère* ».

19. H. FLUCHÈRE, « La Science du drame et la Magie du verbe » dans *Shakespeare*, volume collectif de la coll. « Génies et Réalités », Hachette, 1962, p. 215.

20. Dans ses ouvrages *Montaigne and Shakespeare, and other essays on cognate questions*, London, Adam and Charles Black, 1909 ; *An Introduction to the Study of the Shakespeare Canon* et *The Shakespeare Canon*, London, Routledge, 1922-1932.

21. T.S. ELIOT, « Hamlet » (1919) dans *Selected Essays*, London, Faber and Faber, 1932. Trad. H. FLUCHÈRE (*Essais choisis*), Seuil, 1950, pp. 165-166.

22. *Les Deux masques*, tome III, p. 106.

Hamlet n'est donc que le témoin d'une action fatale. Une révélation d'outre-tombe la lui a annoncée ; il en attend l'accomplissement. Instrument de la catastrophe, il sait que le destin, au moment voulu, se saisira de lui et le fera agir. Les paroles du Spectre occupent la même place que l'oracle de Loxias dans *Les Choéphores* :

Τοιοῖσόε χρησμοῖς ἆρα χρὴ πεποιθέναι;
κεί μὴ πέποιθα, τοὔργον ἔστ' ἐργαστέον 23

Hamlet, comme Oreste, peut bien tergiverser : il sait, — ils savent —, que tout s'accomplira :

[...] *This thing's to do* 24.

Bien plus, il a conscience que la vengeance et sa propre mort sont indissociables :

> Ce n'est point sans le flétrissement de la vie qu'il a reçu communication de dessous terre. Dès le premier instant, il connaît obscurément que sa mort est la condition de celle du meurtrier et que son sort est lié au sien, non point par nécessité, mais par une sorte de convenance ténébreuse ; de là l'origine de ses terreurs et de sa tergiversation. Ministre de la mort, ce n'est que mort, déjà, lui-même, qu'il pourra en exécuter les œuvres.

L'explication est surprenante, et il faut avouer que rien dans le texte de Shakespeare ne l'autorise sinon un dénouement que le héros ne semblait pas avoir prévu. Peut-être Claudel se souvient-il trop d'Oreste, pris entre les Erinnyes de son père et les Erinnyes de sa mère, et s'écriant :

ἔπειτ' ἐγὼ νοσφίσας ὀλοίμαν 25

Il est vrai pourtant que la pensée de *la* mort, — mais non la pensée de *sa* mort — paralyse Hamlet. H. Fluchère place à juste titre à la source de ses hésitations « le caractère inexpiable des rapports entre la vie et la mort » et juge que « c'est bien l'irruption de l'au-delà dans les perplexités douloureuses de Hamlet qui provoque le traumatisme fatal ; [...] l'acte de vengeance que le Spectre impose à Hamlet n'est que le signe stérile de la tyrannie de la mort qui contamine une conscience meurtrie, déjà envahie par le doute et ayant perdu le goût de la vie » 26.
Claudel voit dans cette accointance avec la mort la raison même de la « folie » de Hamlet,

> qui n'est que l'ironie de quelqu'un déjà libéré de son destin, le sarcasme du protagoniste qui surveille d'un œil sagace ses comparses

---

23. *Les Choéphores*, v. 297-298, trad. P. Mazon : « A de tels oracles peut-on désobéir ? Non ; et, ne serait-ce point par obéissance, l'œuvre n'en doit pas moins être achevée » (éd. Les Belles-Lettres, 1925-1965, pp. 90-91). Claudel traduira plus tard :
Certes il faut croire de tels oracles.
Et même n'y croyant pas, je ferai encore mon œuvre.   (*Th* I, 924)
24. *Hamlet*, IV, 4, v. 44, p. 896.
25. *Les Choéphores*, 438, « Que je la tue — et que je meure » (Mazon, 95-96). Claudel traduira, en forçant beaucoup le sens : « Que je meure pourvu que je tue ! » (*Th* I, 927)
26. Introduction à *Hamlet* dans l'éd. de la Pléiade, tome II, p. XCVII.

engagés si consciencieusement dans une action dont la catastrophe, que lui seul envisage, les implique tous. *Il y a quelque chose de pourri dans le royaume de Danemark.* Shakespeare a fait l'intrigue de la mort, l'inquiétude des âmes qui ne sauraient s'acquitter de mourir à elles seules et qui doivent compléter leurs liens et faire de leurs destinées diverses un seul nœud pour qu'un seul coup les dissolve.

Hamlet, mort vivant, a le privilège de voir dans les autres vivants des morts en puissance. Il les considère et les traite comme tels. La mortalité est cette pourriture même qui ronge la vie :

A ce régime, le ver est empereur. Nous gavons tout bétail pour nous gaver, et nous sommes gavés pour les larves [27].

Mais une autre pourriture ronge les vivants : la corruption. Au début du drame, et bien avant la révélation du Spectre, la révolte de la nature — dont la violation par le roi défunt de la limite qui sépare les vivants et les morts ne sera qu'un des signes — fait deviner à tous qu'« il y a quelque chose de pourri dans le royaume de Danemark » : c'est Marcellus, simple officier du château, qui l'exprime [28] ; mais l'âme prophétique [29] de Hamlet a devancé la prophétie elle-même.

La « folie » de Hamlet n'est-elle pas alors, dans une certaine mesure, la caricature de la comédie qui se joue constamment dans un royaume corrompu ? Le prince, en s'étendant « entre les cuisses » d'Ophélie et en se conduisant comme son « baladin attitré » [30] au point de lui paraître « jovial », ne fait que parodier l'air « jovial » de sa mère [31] qui, après le meurtre de son mari, se roule dans les « draps incestueux » de son beau-frère [32].

A la tradition de la démence simulée, probablement utilisée dans la tragédie de Kyd [33], à celle, chère à Paul de Saint-Victor, d'une folie feinte s'achevant en folie réelle [34], Schwob avait substitué, dans sa préface, l'analyse donnée par Edgar Poe dans une page des *Marginalia :* la folie de Hamlet est partielle mais réelle, mais elle est exagérée par la simulation.

Shakespeare devait bien savoir qu'un des traits dominants de certaines espèces très intenses d'ivresse (quelle qu'en soit la cause)

---

27. *Hamlet*, IV, 3, 1. 22-24, p. 895 : « Your worm is your only emperor for diet : we fat all creatures else to fat us, and we fat ourselves for maggots », trad. cit., II, 673.

28. I, 4, 90, p. 876 : MARCELLUS. — Something is rotten in the state of Denmark.

29. I, 5, 40, p. 877 :   HAMLET. — O my prophetic soul !

30. III, 2, 133, p. 888 :   your only jig-maker.

31. III, 2, 133-136, p. 888 :   What should a man do but be merry ? for, look you, how cheerfully my mother looks, and my father died within's two hours.
La reprise du terme « jovial » pour traduire deux mots différents « merry » et « cheerfully » n'est d'ailleurs pas très heureuse dans la traduction de Gide.

32. I, 2, 157, p. 873 :
[...] O ! most wicked speed, to post
With such dexterity to incestuous sheets.
Toutes les Eglises considéraient alors comme incestueux le remariage d'une veuve avec le frère de son premier mari.

33. T.S. ELIOT, *op. cit.*, trad. cit., 166 : « la " folie " d'Hamlet était feinte, afin d'échapper aux soupçons, et ceci avec succès ».

34. *Les Deux masques*, t. III, p. 110.

est l'impulsion presque irrésistible de simuler un plus grand degré d'excitation qu'il n'en existe réellement. L'analogie mènera tout esprit réfléchi à soupçonner la même impulsion dans la folie, quand, sans aucun doute, elle est manifeste. Ceci, Shakespeare l'a *senti* — il ne l'a pas pensé. Il l'a senti grâce à son merveilleux pouvoir d'*identification* avec l'humanité en général — source ultime de son influence magique sur les hommes. Il a écrit *Hamlet*, comme s'il eût été Hamlet ; et ayant d'abord imaginé son héros surexcité jusqu'à une insanité partielle par les révélations du spectre, il [le poète] a senti qu'il était naturel qu'Hamlet fût poussé à exagérer cette insanité [35].

Ainsi, dans la scène du troisième acte avec Ophélie, Hamlet « dépasse le but » de sa colère « dans un accès de simulation — nerveuse celle-ci, et non plus feinte ». Il sait que la jeune fille l'épie, que Polonius et le Roi sont cachés derrière la tenture. Il y a donc « quatre degrés » dans sa colère : « 1° colère à la vue d'Ophélie qui joue un rôle ; 2° fureur d'être épié ; 3° simulation de la folie pour le roi ; 4° but dépassé par l'énervement de la simulation même, simulation à la fois jouée et impulsive » [36].

Mais cette attitude volontaire relève surtout, selon Schwob, du « caractère histrionique » de Hamlet, déjà sensible avant l'apparition du Spectre.

Carl Rohrbach avec une ironie outrée, a insisté sur la passion de « comédie » qui possède Hamlet. Dès le début, Hamlet parle avec ostentation des vêtements de deuil, et songe qu'on peut l'accuser de jouer un rôle. Il aime à parler. Il fait des discours à Rosencrantz et à Guildenstern, aux comédiens, à sa mère, à lui-même ; il « déballe son cœur avec des mots » ; il bavarde avec le fossoyeur, oppose aux hâbleries de Laërtes des hâbleries plus grandes, parade avec Osric, et meurt sur cette plainte : « Le reste est *silence* ». Il connaît les comédiens, s'intéresse à leurs aventures ; il est amateur raffiné de théâtre et dans la préparation même du spectacle tragique qu'il a imaginé, il distribue des conseils de diction. Or, pendant ce spectacle, Hamlet s'est donné un rôle ; il va observer son oncle : « Je le tâterai au vif. Si seulement il flanche, je sais ce qu'il me reste à faire ». Que compte-t-il faire ? Il n'y a point de doute : il tuera Claudius à son premier signe d'effroi. C'est un drame vrai que prépare le faux drame. Dès lors la nécessité de la pantomime apparaît : on ne joue pas une pièce sans l'avoir répétée. La pantomime, c'est la répétition que se donne Hamlet, acteur du drame où il tuera son oncle [37].

La scène du cimetière, au cinquième acte, n'est ni un artifice grossier de dramaturge, ni, comme le pensait Paul de Saint-Victor,

---

35. M. SCHWOB, *op. cit.*, p. XIV ; la citation de Poe est extraite d'une page remarquable des « addenda » aux *Marginalia* ; *The Works of Edgar Poe*, ed. J.H. Ingram, Edinburgh, Adam and Charles Black, 1883, t. III, pp. 469-470 :
   It must have been well known to Shakespeare that a leading feature in certain more intense classes of intoxication (from whatever cause) is an almost irresistible impulse to counterfeit a further degree of excitement than actually exists. Analogy would lead any thoughtful person to suspect the same impulse in madness — when beyond doubt, it is manifest. This Shakespeare *felt*, — not thought. He felt it through his marvellous power of *identification* with humanity at large — the ultimate source of his magical influence upon mankind. He wrote of *Hamlet* as if Hamlet he were ; and having, in the first instance, imagined his hero excited to partial insanity to the disclosures of the ghost — he (the poet) *felt* that it was natural he should be impelled to exaggerate the insanity.

36. M. SCHWOB, *op. cit.*, pp. XV-XVI.

37. *Ibid.*, p. XVII.

le point culminant de la « paralysie » qui des bras de Hamlet « a gagné son cœur » au point qu'il peut assister « presque comme un étranger [...] aux funérailles de la belle jeune fille qui s'est tuée pour lui »[38]. C'est une étude de la mort :

> Jusqu'ici Hamlet ne la connaît pas, au moins la mort méditée d'avance. Il a tué Polonius mais à l'improviste, dans un coup de surprise, à travers une courtine, sans voir la chose en face. Maintenant il se prépare à tuer de propos délibéré, à faire œuvre de mort ; donc il vient interroger l'ouvrier de la mort. Comme il voudrait avoir l'habitude de ce qu'il veut faire[39] !

Claudel approuve la remarque « si fine » de Poe et celles que Schwob ajoute « sur le caractère histrionique d'Hamlet » ou « sur sa visite au cimetière où il vient confronter le fossoyeur avec les sentiments de l'enfant qui interroge une grande personne, de l'amateur devant le professionnel, du malade devant le chirurgien ». Pourtant elles ne l'empêchent pas de poursuivre sa propre idée : c'est seulement « depuis l'apparition de l'habitant de l'autre monde » que Hamlet se contente, dans celui-ci, de « jouer un rôle ». La connaissance qu'il a de sa propre mort détermine son caractère histrionique.

En réalité, Hamlet semble n'avoir que très tard dans la pièce le pressentiment de sa mort. Au moment d'affronter Laërtes, il confie à Horatio que « tout est malade dans [son] cœur » et que « c'est une sorte de pressentiment qui troublerait un cœur de femme »[40]. Mais il refuse de croire à ce présage, qu'il défie même. Comme le meurtre du roi, sa propre mort à lui dépend d'une « providence » qui « surveille jusqu'à la mort du passereau »[41]. La mort le saisit par surprise. Quel mobile le pousse à frapper enfin le roi de l'épée envenimée qui l'a frappé ? La colère poussée à son comble contre le roi félon ? La mort de sa mère ? l'urgence ? Tout se passe comme si la mort de Claudius était subordonnée à la mort de Hamlet. Le vengeur est contraint de tuer au moment même où il va disparaître parce que l'acte de justice ne peut, ne doit s'accomplir que par lui. Ce n'est plus alors son bras, mais la nécessité qui frappe : et c'est elle qu'il avait en réalité attendue. Paul de Saint-Victor allait jusqu'à écrire :

> Hamlet étant décidément incapable d'accomplir sa tâche, la Fatalité s'en charge et l'exécute à sa place. Elle lui bande les yeux et le précipite dans de sanglants quiproquos. N'ayant pas été justicier, il sera bourreau [...]. C'est presque par hasard que le coupable se trouve pris dans l'hécatombe qu'il immole à tâtons sur le tombeau de son père[42].

---

38. *Les Deux masques*, tome III, 114.
39. M. SCHWOB, *op. cit.*, pp. XVIII-XIX.
40. V, 2, 223-228, p. 905.
41. *Ibid.*, 232-238 : « Not a whit, we defy augury ; there's a special providence in the fall of a sparrow. If it be now, 'tis not to come ; if it be not to come, it will be now ; if it be not now, yet it will come : the readiness is all. Since no man has aught of what he leaves, what is't to leave betimes. Let be ».
42. *Les Deux masques*, t. III, pp. 115-116.

Plus exactement, le prince danois repousse l'acte jusqu'au moment où il ne peut plus que l'accomplir et se rend compte alors, mais alors seulement, que ce moment coïncide avec sa propre mort. Dans cette page dense et riche, Claudel explique magistralement le drame, qu'il enserre fortement dans l'étau constitué par le nœud et par le dénouement, — l'apparition du spectre et le massacre final. Il convainc moins dans l'analyse du caractère. Il prête à Hamlet une lucidité trop grande. Ballotté entre la tentation du suicide [43] et le frisson qui parcourt ses vertèbres à la pensée qu'on pourra jouer avec aux osselets [44], essayant jusqu'au bout de ruser avec sa propre mort, le héros ne comprend pas le lien qui existe entre elle et sa vengeance. Seul Claudel lui prête cette connaissance obscure qui n'est bien, en définitive, qu'une « convenance ténébreuse » à l'intérieur même du drame. L'explication qu'il donne de la « folie » de Hamlet, de son « caractère histrionique », du lien des diverses destinées vient d'une projection du dénouement sur l'ensemble.

On peut se demander s'il n'est pas victime de cette « longue habitude de l'art grec » qu'il invoque au début de sa lettre : sans doute la tragédie d'Eschyle déroule-t-elle une vengeance dont le héros attribue la cause à la fatalité et dont il comprend parfaitement la réalité. Or Loxias n'a pas éclairé Hamlet : sa raison s'épuise en scrupules [45]. Il se dit bien poussé à la vengeance par le ciel et par l'enfer [46] : mais qu'est-ce que le ciel et l'enfer, sinon l'énigme même à laquelle il se heurte et à laquelle nul homme, selon lui, ne peut échapper [47] ? L'inconnu le pousse à l'inconnu. Oreste hésite lui aussi ; toutefois ceux qui l'entourent savent exploiter la mobilité de ses décisions, lui rappeler la réponse de l'oracle et surtout le révéler à lui-même dans un rôle qu'il a eu du mal à reconnaître. Le récit du songe de Clytemnestre est décisif : une fois qu'Oreste s'est vu, par avance, sous les traits du Vengeur, il s'incarne dans son personnage et accomplit sa tâche avec une rapidité saisissante. Hamlet reste seul ; il ne se voit que tel un *John o'dreams* [48] dérisoire qui, après tout, a seulement juré de « se souvenir »...

---

43. *Hamlet*, III, 1, 56 sqq., p. 886.
44. *Ibid.*, V, 1, l. 97-99, p. 901 : « Did these bones cost no more the breeding but to play at loggats with 'em ? mine ache to think on't ».
45. *Ibid.*, II, 2, 625, p. 885 : « About, my brain ! » (IV, 4, 40-44, p. 896).
46. II, 2, 621, p. 885 : « Prompted to my revenge by heaven and hell ! »
47. III, 1, 76-82, p. 886.
48. II, 2, 604, p. 885.

III. MOTIFS ET CLICHÉS ÉLISABÉTHAINS DANS « L'ARBRE »

Dans sa lettre sur *Hamlet*, Claudel trahit quelque peu le théâtre élisabéthain, comme le faisait Maeterlinck, parce qu'il l'interprète à la lumière du théâtre grec. Si l'on se reporte à sa propre production dramatique, entre 1893 et 1901, on pourra rechercher la source, et peut-être la preuve, de ce gauchissement. En comparant *L'Arbre* aux drames antérieurs, on assiste à une curieuse interversion, à un « échange » des influences. Les thèmes élisabéthains se réduisent à des motifs, et même à des clichés.

L'« échange » des influences

Dans les premières versions de *Tête d'Or* et *La Ville* se déployait un spectacle élisabéthain, divers, vivement contrasté, bruyant parfois jusqu'à la confusion, violent et cruel jusqu'au sadisme : mais il était facile d'y reconnaître des touches antiques, telles l'évocation de Salamine, au début du troisième acte de *Tête d'Or* (*Th* I, 120) ou la « Ménade barbouillée de sang de bœuf » de *La Ville* (*V*, 161). Au contraire *L'Arbre* regroupe des compositions plus serrées, distribuées par grandes masses entre des personnages moins nombreux. J. Petit juge, non sans raison, que « l'influence d'Eschyle » est « essentielle » dans *L'Echange* [1] ; elle explique encore comment, dans la seconde *Ville*, « Claudel évite [...] de mettre simultanément en scène trop de personnages » et préfère la succession de « scènes à deux interlocuteurs » [2]. Les simples allusions disparaissent, — Salamine par exemple. En revanche, l'ornement de naguère devient spectacle : ce n'est plus la Ménade du livre, mais Tête d'Or lui-même qui se barbouille le visage de sang après avoir tué le Roi (*Th* I, 243). *Le Repos du Septième Jour* reprend la νεκυία homérique [3] et s'ouvre sur la « solitude où est la sépulture de l'Antique Empereur » (*Th* I, 799), tel le drame des *Choéphores* au bord de la tombe d'Agamemnon.

Mais l'inverse est également vrai : les éléments de spectacle élisabéthain se réduisent désormais à des ornements qui sentent parfois l'école, comme les allusions antiques dans les premiers drames. Ainsi, la proposition de la Princesse mendiant sur les marchés et à la sortie des bals

> Qui veut changer des mains pleines de mûrons contre des mains pleines d'or ?
> Et se peser avec son cœur humain un éternel amour ?
>
> (*Th* I, 65)

1. Introduction à *La Ville*, édition critique citée, p. 42.
2. *Ibid.*, p. 64.
3. Voir J. Petit, « Homère », dans *R.L.M.* I, 135.

se trouve subtilement modifiée par une réminiscence confuse du *Marchand de Venise*, dans le *Tête d'Or* de 1894 :

> Qui veut changer des mains pleines de mûrons contre des mains
> pleines d'or, et se peser
> *Du poids de chair de son cœur* l'amour perdurable ?
>
> (205)

Quelques motifs élisabéthains

L'Echange, également achevé en 1894, est riche d'enseignements à cet égard. Cette pièce serrée, aussi peu shakespearienne que possible, recèle pourtant des clichés élisabéthains. Louis Laine se considère comme un « ruffian » (*Th* I, 708), tels Pandarus (*Troïlus et Cressida*), Flamineo (*Le Démon blanc*) et tant d'autres *bawds, pandars*, ou *baudes*. Il agit comme le Mattéo de Dekker qui envoyait sa femme poser ses appeaux pour lui attraper quelque argent [4]. Acceptant de vendre Marthe pour un paquet de dollars, il pourrait figurer sur la liste, établie par le cardinal Monticelso, des coquins qui prostituent leurs propres épouses [5]. Dans une variante inédite, il n'hésitait pas à traiter Marthe de « catin » [6], — la « whore » traditionnelle du théâtre élisabéthain : mais il la calomnie comme Othello calomniant Desdémone [7]. Iago semait le doute dans l'esprit du More en lui rappelant comment l'angélique créature avait trompé son propre père pour l'épouser, libérée de tout scrupule par un amour excessif [8]. Lechy a soufflé le même argument à l'oreille de Louis Laine pour le persuader du fait qu'il y avait un vice en Marthe : il n'a eu qu'à la prendre par la main, et elle l'a suivi (*Th* I, 687). Et la femme légitime elle-même traite sa rivale de « louve » (693), comme Brachiano qualifiait de *wolfe* Vittoria Corombona [9].

---

4. *The Honest Whore*, 2e partie, acte III, sc. 2, dans *The Dramatic Works of Thomas Dekker*, ed. Fredson Bowers, Cambridge University press, 5 vol., t. II, p. 175.

5. WEBSTER, *The White Devil*, acte IV, sc. 1 : « fellowes that are bawdes to their owne wives », éd. bilingue, R. Merle, Paris, Aubier, 1950, p. 174.

6. Variante de l'acte III (relevée sur le manuscrit appartenant aux archives Paul Claudel) : « tu as consenti, catin ! »

7. *Othello*, IV, 2, 70-79, p. 968 :
> Was this fair paper, this most goodly book,
> Made to write *whore* upon ? What committed !
> Committed ! O thou public commoner !
> I should make very forges of my cheeks,
> That would to cinders burn up modesty,
> Did I but speak thy deeds. What committed !
> Heaven stops the nose at it and the moon winks,
> The bawdy wind that kisses all it meets
> Is hush'd within the hollow mine of earth,
> And will not hear it. What committed !
> Impudent strumpet !

8. *Ibid.*, III, 206-208, p. 959.
> She deceived her father, marrying you ;
> And when she seem'd to shake and fear your looks,
> She lov'd them most.

9. *The White Devil*, éd. cit., p. 186.

Cheveux blonds, teint de lait : la beauté suprême [10] s'enrichit d'un symbolisme commun à Claudel et à Shakespeare. Bianca, dans *La Mégère apprivoisée*, s'oppose à Catharina, comme Violaine, « ce doux narcisse », à « l'agache », la « noirpiaude » (*Th* I, 582, 586-7). Mara, Lechy se rattachent au type élisabéthain de la « sun-burnt », noire d'âme, de cheveux, et de peau, comme Cléopâtre ou — plusieurs degrés plus bas — la Zanche de Webster [11]. Mais, par un retour aux sources ethniques, Claudel, lecteur du *Journal of the Gypsy-Lore Society* et des ouvrages de Charles G. Leland [12], rend plus authentique, dans *L'Echange*, la « gypsy » méprisée et passée trop souvent à l'état de cliché dramatique. Lechy est, comme Louis, une déracinée. Ayant reçu communication des sortilèges utilisés par les femmes de sa race, ayant rompu la barrière qui sépare les morts des vivants (*Th* I, 684), elle est, elle aussi, possédée par un démon, « démon de la tristesse » (703) et démon de la fureur, que Thomas Pollock parviendra peut-être un jour, comme Petruchio, à exorciser [13].

Cliché encore que le saule, emblème des amants malheureux [14], immortalisé par Desdémone dans sa célèbre chanson :

La pauvre âme assise soupirait près d'un sycomore [...]
Chantez tous le saule vert [...] [15].

Il repasse dans les déclamations de Lechy, qui ironise sur les malheurs de Marthe :

Le saule comme une veuve verte [16], alors que l'orage qui monte
fait la nuit. [...]   (*Th* I, 704)

Bien mieux, il est là, sur scène, symbole et témoin, déraciné par la tempête comme l'amour fragile du jeune couple par le premier orage de la passion (683) et mêlé, par association d'idées, à des images de mort (704).

---

10. Cf. *The Two Gentlemen of Verona*, II, 6, 25-26, p. 32 :
PROTEUS. — And Silvia — witness heaven that made her fair ! —
Shows Julia but a swarthy Ethiope.
11. *Antony and Cleopatra*, *passim* ; *The White Devil*, éd. cit., p. 216. — Le terme de « gypsy » est toujours extrêmement péjoratif.
12. *Journal of the Gypsy-Lore Society*, Edinburgh, 1888 sqq ; — Charles G. LELAND, *The Gypsies*, London, Trübner, s.d., ou Boston, Houghton and Mifflin, 1881 ; *Gipsy Sorcery and Fortune Telling*, London, T. Fisher Unwin, 1891. — Claudel a lu ces ouvrages en 1893 à la bibliothèque de New York.
13. *Th* I, 723 :
THOMAS POLLOCK NAGEOIRE. — Qu'est-ce qu'il faut faire maintenant ?
MARTHE. — Prenez soin de cette femme qui est là.
THOMAS POLLOCK NAGEOIRE. — Je le ferai.
H. FLUCHÈRE (éd. de La Pléiade, I, p. cxxiii) prête à *The Taming of the Shrew* une signification symbolique : Catharina est possédée par de mauvais démons qui lui cachent à elle-même sa véritable nature, et il faudra que Petruchio lui présente une parodie agressive et hyperbolique de son propre comportement pour que ce démon soit exorcisé.
14. *The White Devil*, p. 182, « Nor for my yeares returne mee the sad willow » et la note de R. MERLE.
15. *Othello*, IV, 3, 41-42, trad. cit., II, 855 :
The poor soul sat sighing by a sycamore tree,
Sing all a green willow. [...]
16. « Widow » la veuve ; « willow » : le saule.

La scène du fossoyeur de *Hamlet* tendait à devenir une scène-type dans les premiers drames de Claudel. Cébès et Simon Agnel reparaissent au début de la seconde version de *Tête d'Or* en « confossoyeurs » : on note peu de changements, sinon que Simon épargne au vieux paysan la sinistre nouvelle.

Le second acte de *La Ville* présente l'exemple d'une transformation beaucoup plus remarquable. Le vieux politicien Lambert de Besme, rejeté par Lâla et repoussant l'offre d'un retour au pouvoir, bêche la terre dans ce cimetière sur une colline qui domine la Ville. Naguère « convive de la vie », le voici devenu « ouvrier de la mort » (*V*, 331). Mais Lâla vient le rechercher, et elle engage un étrange quiproquo, analogue à la conversation qu'avait Hamlet avec l'un des fossoyeurs. Là, une cascade de mots d'esprit soulignait la ressemblance entre la mort et la vie, irritant une conscience meurtrie par l'obsession funèbre comme « la pointe des pieds paysans vient frotter les talons seigneuriaux au point d'y provoquer des ampoules » [17] :

> HAMLET. — [...] A qui est cette tombe, mon ami ?
> PREMIER PAYSAN. — A moi, Monsieur. (*Chantant*)
> Un bon trou creusé dans la terre
> C'est là qu'on est bien pour dormir.
> HAMLET. — Tu dis qu'elle est à toi, parce que tu es dedans.
> PREMIER PAYSAN. — En vous disant qu'elle est à moi, c'est vous que je mets dedans, Monsieur, encore que vous restiez dehors.
> HAMLET. — Et toi qui es dedans, tu te donnes les dehors d'en être l'occupant. Mais tu t'en occupes, sans l'occuper. La tombe, c'est pour les morts, non pour les vifs.
> PREMIER PAYSAN. — Le plus vif, c'est ce que nous disons là [18].

Ici, l'ambiguïté maligne d'un possessif se révèle également lourd de sens :

> LALA. — Et que fais-tu toi-même dans ta fosse, fossoyeur ?
> LAMBERT. — Je suis comme l'ouvrière qui fait la robe de noces
> Et qui travaille, perdue tout entière dans ses lés, et comme
> l'hirondelle qui fait son nid avec de la terre.   (*V*, 330)

Besme ne joue pas, mais il sent, autant que Hamlet, combien la frontière est fragile entre les deux états. C'est pourquoi il a cru devoir anticiper hardiment sur son destin et, reconnaissant la vérité, s'« égale[r] aux morts » (340).

---

17. Trad. cit., p. 689 ; *Hamlet*, V, 1, 151-2, p. 902 : « the toe of the peasant comes so near the heel of the courtier, he galls his kibe ».
18. *Ibid., loc. cit.*, 1. 126-139 ; trad. cit., p. 689 :
  HAMLET. — [...] Whose grave's this, sir ?
  FIRST CLOWN. — Mine, sir,
  O ! a pit of clay for to be made
  For such a guest is meet.
  HAMLET. — I think it be thine, indeed, for thou liest in't.
  FIRST CLOWN. — You lie out on't, sir, and therefore it is not yours ; for my part, I do not lie in't, and yet it is mine.
  HAMLET. — Thou dost lie in't, to be in't and say it is thine : 'tis for the dead, not for the quick ; therefore thou liest.
  FIRST CLOW. — 'Tis a quick lie, sir ; 'twill away again, from me to you.

A partir de là, il peut conquérir une liberté qui va se confondre avec sa propre disparition, et « particip[er] à l'absolu du terme » qu'il n'a cessé d'« envisager » (292). Mais Lâla, près de lui, tient « compagnie » au « mourant », comme la Princesse dans *Tête d'Or* (*Th* I, 156) : elle est sa « consolation » (*V*, 300), comme il le lui avait demandé, et précisément parce qu'elle s'est refusée à lui jusqu'ici. S'enfoncerait-il avec la même sérénité dans la fosse qu'il s'est lui-même creusée si, en s'attachant au corps de la femme, il avait oublié le petit nombre de jours qui lui restaient à vivre [19] ? Ce « déliement » (344) appelait l'épreuve d'un passage anticipé dans les ténèbres, que *Le Repos du septième jour* élargit en reprenant le mythe de la descente aux Enfers. « Angoisse-la-Mort », exacerbée, est de nouveau surmontée.

---

19. Voir E. BEAUMONT, *Le sens de l'amour dans le théâtre de Claudel*, p. 110.

IV. VERS UN RENOUVELLEMENT DES PROCÉDÉS DRAMATIQUES

Malgré cet « échange », il serait trop facile de conclure, comme Jean-Claude Berton, qu'au moment où Claudel découvre Eschyle, « le règne de Shakespeare s'achève »[1]. La découverte a été parallèle. Parallèle sera l'approfondissement. Mais le temps de l'improvisation pythienne est passé. Claudel a donné naissance à une œuvre, et cette œuvre l'étonne. Devenu en quelque sorte dramaturge malgré lui, il s'interroge sur la genèse de ses drames, il s'inquiète de leurs imperfections. Le métier, la recherche, vont, de plus en plus, afficher leurs droits.

La correspondance qu'il échange avec Schwob ou Pottecher, après son départ pour les Etats-Unis, est extrêmement révélatrice à cet égard. Sans cesse, il manifeste du mécontentement, ou du moins de l'insatisfaction devant ce qu'il a écrit. Mallarmé ne lui a-t-il pas appris à revoir l'œuvre achevée avec ce « regard ennemi » qui est « celui de l'auteur disjoint »[2] ? « Rien de nouveau à te dire de moi, sinon que je me semble de plus en plus petit, petit, pauvre, pauvre », écrit-il à Schowb le 12 juillet 1894. « Si tu savais combien je me parais ridicule à moi-même ! » (*CC* I, 168) Et à Pottecher, le 3 juin 1896 :

> [...] de ma vie je n'ai pu écrire une phrase qui m'ait satisfait, proférer complètement cette sentence accompagnée de l'ordre et du légitime appareil des images et des rapports accessoires qu'est une phrase. Une maladresse native, une nature à la fois impatiente et lourde, l'horreur des transitions et de tous les artifices indispensables au discours, et en général, l'absence d'une certaine subordination amoureuse de l'artiste à son instrument qu'il faut savoir au moins feindre, me font considérer que je ne serai jamais un écrivain et qu'il me faudra, malgré le sentiment de la beauté que je crois avoir, continuer à parler *comme les hirondelles, dans un langage inconnu et barbare.*   (*CC* I, 104)

Dès le 22 juillet 1893, il parle de reprendre *Tête d'Or*, de « refaire le premier acte de *La Ville* », de « refondre de fond en comble » *La Jeune fille Violaine*, qui lui semble « trop fade » sous sa forme primitive (*CC* I, 75). Il achève ces secondes versions suivant le même ordre chronologique que les premières : *Tête d'Or II* en juillet 1894[3], *La Ville II* en 1898[4], *La Jeune fille Violaine II* en 1899[5]. Il ne s'est

---

1. J.-C. BERTON, *op. cit.*, p. 33.
2. Lettre à J.-L. Barrault, Vendredi Saint 1954, citée dans J. MADAULE, *Le Drame de Paul Claudel*, p. 404.
3. Lettres à Schwob du 27 avril 1894, à Pottecher du 19 juillet 1894.
4. Fin du 1er acte : 1er mai 1895 (et non 1898 comme l'écrit J. Petit, *éd. crit. citée*, p. 49) ; second : avril-août 1897 ; fin du troisième : 14 décembre 1897 ; révision générale : 1898.
5. Première allusion sur son agenda le 3 décembre 1898 ; J. Petit, s'étonnant du trou qu'il constate dans l'emploi du temps de Claudel entre juillet 1894 (fin de *L'Echange* et de *Tête d'Or II*) et décembre 1894 (reprise de *La Ville*) et se fondant sur sa lettre du 19 juillet 1894 (« Je pense seulement à refondre *Violaine* et peut-être *La Ville*, mais plus tard »), pense

pas contenté d'« écrire dans les marges » (*CC* I, 87) : « il ne reste presque rien de la première rédaction » de *Tête d'Or*, « quoique l'ordre des scènes soit respecté » [6] ; il a révisé les trois actes de *La Ville* ; il a profondément remanié *La Jeune fille Violaine*. Entre temps, *L'Echange* (1893-1894) et *Le Repos du septième jour* (1896-1897) ont dû bénéficier de cet exercice de style continuel.

Il a éprouvé le besoin de recommencer ses premiers drames parce qu'« en art il n'y a pas de définitif » (*CC* I, 94), mais aussi parce qu'il a voulu les soumettre, comme ses œuvres nouvelles, à des contraintes. Dans *L'Echange*, il se contente de quatre personnages et entend respecter les trois unités (*CC* I, 81). Dans *Le Repos du septième jour*, il adopte une forme didactique, catéchétique même. Il semble donc s'éloigner de la liberté souvent débridée du théâtre élisabéthain et de son exigence de vie, à peine gênée, parfois, par de plates « moralités » (les « couplets » de Webster, par exemple). Pourtant, dans le détail, on reconnaît encore la marque de Shakespeare et de ses contemporains, et surtout la forme nouvelle que prend leur influence.

Les pantomimes

Dans la seconde version de *Tête d'Or*, Claudel semble soucieux, comme l'a noté F. Paoletti, « de donner à l'œuvre une forme plus proprement dramatique » (*RLM* II, 26). Il a développé la part de l'action et multiplié les indications scéniques comme s'il songeait désormais à faire jouer son œuvre : idée « fugace », sans doute, « vague » (*CC* I, 93) peut-être, mais qui se cristallise déjà en mots suggestifs.

La première version évoquait l'agitation de l'empereur David en faisant appel à la seule imagination d'un lecteur : « *Entre, comme égaré, l'Empereur David, pieds nus et les vêtements en désordre, qui court çà et là à travers la salle dans une violente agitation* » (*Th* I, 49). En 1894, Claudel conserve la même indication, — à cette différence près que l'empereur est devenu roi et ne s'appelle plus David —, mais il s'adresse à un spectateur puisqu'il ajoute en tête : « *Pantomime* » (*Th* I, 188). De même, un peu plus loin, il ordonne une « pantomime » de la Princesse qui « fait comme si elle se réveillait, avec des gestes extrêmement lents et les yeux toujours fermés » (201).

Il s'inspire ici du « dumb show » qui rapproche la tragédie élisabéthaine du « masque », et permet, non seulement de divertir les yeux, de combler le goût du public pour le spectacle et pour le merveilleux, mais encore d'éviter les narrations fastidieuses, d'accélérer et d'éclairer l'action : « c'est un songe prémonitoire ainsi

qu'il a travaillé pendant ces quatre mois à *La Jeune fille Violaine*. Mais en juillet 1894, *Agamemnon* n'était pas terminé. Revenu à Paris, Claudel lit à ses amis sa traduction d'Eschyle, sa nouvelle version de *Tête d'Or*, mais ne leur souffle mot d'une nouvelle *Violaine* (voir J. RENARD, *Journal*, p. 269).

6. Lettre à Schwob du 27 avril 1894, cit. dans P. CHAMPION, *op. cit.*, p. 265.

matérialisé sans paroles ; c'est une vision à distance reconstituant un meurtre dans ses moindres détails ; c'est encore, à travers les forêts du rêve, et dans une lumière surnaturelle, les jeux glissés de fantômes, graves et courroucés, avides de vengeance et de sang » [7].

Au cours de cette longue interrogation sur le bonheur humain qu'est *Périclès*, Gower vient de temps en temps expliquer les événements qui se sont déroulés dans l'intervalle des actes ou dans des lieux éloignés de la scène. Mais, le souffle court, il s'arrête, comme s'il se découvrait incapable de les dire, et les personnages se chargent de les mimer sur scène. Le message d'Hélicanus [8], l'annonce de la mort d'Antiochus et de sa fille [9], la découverte par le Prince du tombeau de Marina [10], se trouvent ainsi exposés d'une manière rapide et frappante : l'auteur peut élaguer certains éléments de l'action, trop pauvres pour soutenir un texte, faire l'économie d'un nouveau déplacement dans l'espace, choisir les éléments du conte les plus émouvants ou les plus éclairants.

L'« évocation » retrouve alors toute sa force : tout se passe comme si, suivant une progression qui est celle-là même de l'imagination humaine, la trame verbale du récit faisait surgir les personnages dont il parle... Aussi n'est-il pas étonnant que le rôle du présentateur revienne, dans *Le Démon blanc,* non plus au vieux poète de la *Confessio amantis* ressuscité de ses cadres, mais à un magicien redoutable. Le duc de Brachiano a pour maîtresse Vittoria Corombona : les deux complices, par une entente tacite, se sont accordés pour faire disparaître, grâce à son aide, la gênante duchesse, Isabella, et Camillo, le mari trompé. Acte II, scène 2 : il est minuit, l'heure des sorciers et des sortilèges ; le magicien pose sur la tête de Brachiano un bonnet enchanté qui va lui permettre (qui va surtout permettre au spectateur...) de voir se dérouler, comme s'il était effectivement présent, les deux assassinats [11]. Les deux pantomimes sont ici deux petits drames parallèles en miniature : les préparatifs (les lèvres du portrait enduites de poison, l'introduction du cheval de bois), le meurtre (Isabelle baise le portrait, Flaminio étrangle Camillo), les réactions des gens qui surviennent (douleur de Giovanni et de Lodovico, lamentations de Marcello, étonnement du Cardinal et du duc de Médicis), le départ du cortège qui emporte le cadavre se succèdent dans un silence où

---

7. H. FLUCHÈRE, *Shakespeare dramaturge élisabéthain,* pp. 146-147. M.C. BRADBROOK écrit aussi à ce sujet (*Themes and Conventions in Elizabethan* Tragedy, Cambridge University press, 1960, p. 36) :

> The use of dumb shows and inductions further discomposed the narrative, by making some of the action telescoped and symbolic, and preventing consistancy in the level of realism or convention on which it was presented. Action in a dumb show must be exaggerated to become intelligible, as anyone who plays in a dumb charade realises. When it was possible to contract an opening scene (such as the opening soliloquy of Faust) so that it represented a lengthy mental process in the mind of Faust himself, there was no reason why large passages of the narrative should not be dropped, why motivation should not be scamped, or ignored.

8. *Pericles,* début de l'acte II, l. 17-22, p. 1053.

9. *Ibid.,* début de l'acte III, l. 15-22, p. 1058.

10. *Ibid.,* acte IV, sc. 4, l. 23-28, p. 1065.

11. *The White Devil,* éd. cit., pp. 130-135.

pèse plus lourdement encore l'horreur des maléfices. Plus développé que dans *Périclès*, le « dumb show » nous fait ici passer les murailles, franchir allègrement les distances, et nous donne l'illusion de la simultanéité. Car l'acte n'est pas passé ; il se déroule à l'instant même. Shakespeare ramassait en quelques gestes une importante portion de temps ; Webster épaissit un instant, cette heure fatale de minuit, en groupant en un faisceau ses effets funestes en divers points de l'espace. Claudel utilise plus timidement cette étonnante possibilité du spectacle. Il n'exclut pas le procédé « classique » du récit puisqu'il conserve le récit du Messager, dans la seconde partie et celui de Cassius, dans la troisième. On serait presque tenté de dire qu'il introduit le mot « pantomime » plus que la chose. Il la réduit à un jeu qui accompagne la scène, venant souligner un texte trop lyrique et dégageant le symbolisme de tel personnage à un moment précis. Le roi court, agité : l'empirisme impuissant s'affaire de tous côtés pour panser les plaies de l'insatisfaction générale. La Princesse s'étire et, avec elle, c'est l'Espérance qui s'éveille et qui ouvre les yeux. La parade nuptiale, dans la deuxième version de *La Ville* (*V*, 323-326), reprend le procédé, plus que jamais symbolique.

Si Claudel se sent incité par la dramaturgie élisabéthaine à mêler au torrent verbal des intermèdes muets, il les conçoit d'après l'expérience du théâtre chinois, qu'il a faite dès son séjour à New York [12]. Vitupérant, dans une lettre adressée à Maurice Pottecher le 25 août 1893, le Conservatoire, « les vieilles biques » et « les sinistres baudets » de la Comédie-Française, il leur oppose un mystérieux « endroit » où l'on pourrait « en apprendre beaucoup plus que dans tous les repaires bourgeois » :

> La seule présence des acteurs dans leurs magnifiques costumes devant le fond peint en vert de la scène, et l'alcôve orchestrale où l'on voit un étrange musicien maigre comme un arc passé à la flamme promener avec une dextérité d'insecte un archet mince comme une paille, est une pièce suffisante. Je ne me lasse pas d'admirer la grâce des acteurs et leur exacte mimique et la souplesse avec laquelle ils suivent avec le corps même le mouvement de l'action, comme s'ils prêtaient toujours l'oreille à la cantilène du violon. Et quels costumes ! Il y avait entre autres l'autre jour une espèce de blouse d'un vert qui serait gris à force de ne pas être jaune que je renonce à te décrire autrement que par cette exacte périphrase. (*CC* I, 78)

Comment ne pas songer, en lisant cette lettre, à la nouvelle Princesse de *Tête d'Or* qui entre, « revêtue d'une robe rouge et d'une chape d'or », « coiffée d'une sorte de mitre », avec « une longue et épaisse natte noire » qui « lui descend par-dessus l'épaule sur la

---

12. **Lettre** à M. Schwob du 22 avril 1893 : « [...] il y a a Moll Street, le quartier chinois, avec ses pancartes rouges, ses sous-sols louches qui sont des joints à opium, son théâtre où j'ai bien l'intention d'aller faire des expéditions, et le temple du Dieu Joss ». A la fin de la lettre qu'il lui envoie, (à la fin de l'année 1895), Christian de Larapidie fait allusion à une soirée passée en compagnie de Claudel à ce théâtre, où ils se sont délectés du son de la « ghêtha » (Archives Paul Claudel, lettre inédite). Sur ce point, voir E. ROBERTO, « Le Théâtre chinois de New York en 1893 », dans *Formes et Figures*, C. Can V, 109-133.

poitrine » ? « Elle s'avance, les yeux fermés, dans une sorte de mesure et avec une extrême lenteur et s'arrête entre la lumière et l'ombre » (*Th* I, 200). Et Lâla, par son nom qui redit en écho la note fondamentale se dissipant dans l'espace, n'est-elle pas cette « cantilène du violon » à laquelle les protagonistes masculins de la seconde *Ville* « prête[nt] toujours l'oreille » ?

Sensible à un procédé de la technique élisabéthaine, Claudel l'introduit dans son propre théâtre, mais il recrée la pantomime d'après son expérience, récente et directe, du théâtre chinois [13]. Il aboutit alors à un effet différent : au lieu de suggérer l'épaisseur et l'infinie multiplicité de la vie, il transforme le personnage en symbole et la charge de gestes hiératiques.

La déclamation

Dans le *Tête d'Or* de 1890, la déclamation était comme native chez des personnages excessifs tant dans l'abattement que dans l'exaltation. La première *Ville* se plaçait, comme le théâtre élisabéthain à ses débuts, sous le signe de la rhétorique sénéquéenne, fortement secouée par la violence de la révolte et des aspirations : l'auteur faisait « l'essai d'un style qui [devait] avorte[r] » [14], multipliant et grossissant les effets traditionnels pour créer une incohérence barbare et éruptive.

Refuser de persévérer dans cette voie impliquait l'introduction d'une certaine mesure dans la démesure, sans rompre avec la rhétorique. Ces deux exigences sont sensibles dans la correspondance échangée par Claudel au cours de ses premières années d'« exil ». Il reconnaît la« grande éducation rhétorique », dont il croit trouver le modèle chez Dante, « à la sagesse des épithètes pleines de sens et à de certaines élégances » [15]. Il s'applique à la connaissance des « figures » [16] et à leur emploi opportun dans une manière plus « serrée ». L'atténuation du lyrisme dans la seconde version de *Tête d'Or* donne l'impression d'un « appauvrissement volontaire du texte » [17]. L'examen des variantes de *La Ville* montre que l'écrivain s'est imposé un choix sévère et efforcé de grouper les images retenues en des ensembles cohérents et harmonieux [18]. Mais pareille évolution ne mène pas instantanément du désordre à l'harmonie, de l'emphase de *La Tragédie espagnole* à la suavité du *Conte d'hiver*. Les drames de *L'Arbre* occupent une position intermédiaire dans l'œuvre de Claudel, et le meilleur exemple en est certainement *La*

13. E. ROBERTO note, *art. cit.*, 131, n. : « Le théâtre chinois ne manque pas d'affinités avec le théâtre élisabéthain. Pourrait être chinois ce qui nous paraît marqué de l'influence anglaise, et un souvenir de Shakespeare, ce qui nous semble chinois. Le partage est difficile ».
14. Note de 1927 sur l'exemplaire manuscrit de la première *Ville* conservé par Claudel ; J. PETIT, éd. crit. cit., p. 129.
15. Lettre à M. Pottecher du 25 juillet 1893, *CC* I, 77.
16. *Ibid.*, 83-84, lettre du 17 novembre 1893.
17. F. PAOLETTI, *art. cit.*, *RLM* II, 34.
18. J. PETIT, éd. crit. cit., pp. 107-115.

Jeune fille Violaine de 1899 si on la situe entre l'essai pittoresque, mais désordonné, de 1892 et le chef-d'œuvre achevé, *L'Annonce faite à Marie* de 1911.

Il est inévitable qu'au cours de ce cheminement il arrive un moment où le dramaturge ironise sur le style qu'il vient d'abandonner. Le style noble de naguère dégénère en une déclamation extravagante et burlesque, le *rant*. Le début de *La Mélancolie de l'amant* en propose un exemple frappant. Pélias s'enchante d'images redondantes et roule un tonnerre d'allitérations :

> To bestride
> The frothy foames of *Neptunes* surging waves,
> When blustering *Boreas* tosseth up the deepe
> And thumps a thunder-bounce ? [...]

Et Ménaphon lui demande, en se moquant de lui :

> [...] prethee *Pelias*,
> Where didst thou learne this language [19] ?

Le *doggerel*, en particulier, pervertit et boursoufle admirablement le vers. Dans les *Deux gentilshommes de Vérone*, l'outrance de l'euphuïsme, qui marque le rôle du valet bouffon de Valentin, Speed (« Diligence »), a des fins satiriques. L'abus des comparaisons, les *conceits*, le ton brusquement déclamatoire et le passage inattendu à la forme versifiée, dans la première scène de l'Acte II, sont au service d'un commentaire narquois qui se développe en marge de l'action. Silvia a demandé à Valentin de lui écrire des vers pour quelqu'un qu'elle aime, mais, feignant de les trouver insuffisamment pathétiques, elle l'oblige à les reprendre, les donnant ainsi à leur véritable destinataire. Speed commente le statagème d'abord en *aparté* :

> O jest unseen, inscrutable, invisible,
> As a nose on a man's face, or a weathercock on a steeple !
> My master sues thee her, and she hath taught her suitor,
> He being her pupil, to become her tutor.
> O excellent device ! was there ever heard a better,
> That my master, being scribe, to himself should write the letter [20] ?

puis devant son maître lui-même, avec l'emphase d'un devin déchiffrant un oracle plein d'énigmes :

19. J. Ford, *The Lover's Melancholy*, acte I, sc. 1, v. 18-21, 29-30, dans *John Fordes Dramatische Werke*, éd. W. Bang, t. I, Louvain, A. Uystpruyst, 1908, pp. 1-2.
   PÉLIAS. — Enfourcher
       Les bouillonnantes écumes des vagues houleuses de Neptune
       Quand Borée, soufflant en rafales, soulève les flots émus jusqu'en leur
                                                                    [profondeur
       Qui répercutent les coups de son tonnerre...
   MÉNAPHON. — Dis-moi, Pélias,
       Où as-tu appris ce langage ?
20. *Two Gentlemen of Verona*, II, 1, 145-150, p. 28, trad. cit., I, 1037 : « O rouerie imperceptible, inscrutable, invisible, comme un nez au milieu d'un visage d'homme ou comme une girouette au haut d'un clocher ! Mon maître soupire pour elle ; et elle enseigne au soupirant, en se faisant son écolier, à devenir son maître. O l'excellent tour ! Ouït-on jamais parler d'un meilleur ? Mon maître, pris pour secrétaire, s'écrivant à lui-même ? »

For often have you writ to her, and she, in modesty,
Or else for want of idle time, could not again reply ;
Or fearing else some messenger that might her mind discover,
Herself hath taught her love himself to write unto her lover [21].

Dans les dialogues de *L'Echange*, des tirades déclamatoires font brusquement irruption. Lechy Elbernon en use naturellement en raison de son ancien métier d'actrice. Il est hors de doute qu'elles constituent, comme celles de Speed, mais avec beaucoup plus d'envergure, un commentaire ironique des situations. Elles ont été généralement mal comprises, faute d'une exégèse suffisante des sources, et parce qu'on n'a pas remarqué leur étonnante progression.

Lechy exerce d'abord sa raillerie sur l'épouse qu'elle a dépossédée, mais dont elle ne cesse d'être jalouse. En déclamant « L'Enfant-aux-sourcils-de-pierre », à la fin du second acte (*Th* I, 698-699), elle n'exprime pas, comme l'a cru Jacques Madaule [22], sa crainte d'être abandonnée par son amant, mais elle projette la situation de Marthe en un mythe grossissant, inspiré du folklore indien [23]. Il en va de même, à l'acte II, quand elle profère la noble comparaison du saule déraciné avec une « veuve verte » (*Th* I, 704). Mais bientôt elle est contrainte de mimer les situations dans lesquelles elle se trouve elle-même engagée, et elle les éclaire de son commentaire implacable, — l'insatisfaction dans la jouissance (*Th* I, 705), l'incendie intérieur allumé par le péché (*Th* I, 718-719). Leur singularité se trouve niée et elles se dissolvent dans l'effroyable néant de la vie humaine.

La forme prosodique ne distingue pas le « doggerel » claudélien du dialogue habituel, alors que Shakespeare, dans la scène citée plus haut, passait de la prose au vers. Ce contraste, utilisé dans *L'Endormie*, paraîtrait maintenant trop grossier à un Claudel devenu plus soucieux de nuances que de violence. Le vers qu'il utilise dans *L'Echange*, se prête, par sa forme infiniment souple, tant à l'imitation de la prose qu'à l'enflure lyrique. La multiplication des rythmes ternaires, l'iruption de l'exclamation et du cri, l'insistance des formules démonstratives, l'excès des comparaisons, la crudité des images, caractéristiques du « haut style » de *Tête d'Or* ou de *La Ville* sont désormais voués, sans rien perdre de leur splendeur, à un rôle radicalement différent. Anachronique comme le style du *Cambyse* de Thomas Preston quand Shakespeare le parodiait dans *Henry IV*, *Hamlet* ou *Le Songe d'une nuit d'été*, le premier style claudélien se révèle propre à ce qui lui semblait le plus étranger : l'ironie. Du moins ne parvient-il pas à se ridiculiser lui-même...

21. *Ibid., loc. cit.*, v. 173-176 ; trad., I, 1038.
(*Déclamant*) Car vous lui aviez souvent écrit, et elle n'avait pas répondu,
Par modestie, ou par manque de loisir,
Ou par crainte qu'un messager ne découvrît son secret :
C'est pourquoi elle a fait écrire à son amoureux par son amant lui-même.
22. *Le Drame de Paul Claudel*, p. 120.
23. « Oh the girl who married Mount Katahdin, and how all the Indian brought about their own ruin », dans Charles G. LELAND, *The Algonquin Legends of New England, or Myths and Folk Lore of the Micmac, Passamaquoddy, and Penobscot Tribes*, London, Searle and Rivington, 1884.

Comment le pourrait-il, d'ailleurs ? La fonction ironique de Lechy est inséparable de sa fonction prophétique. La déclamation du conte de « L'Enfant-aux-sourcils-de-pierre » annonce la maternité future de Marthe. La déclamation du saule laisse pressentir son veuvage prochain. La déclamation du « lit de la joie humaine » découvre l'insatisfaction de Louis, qui le poussera à s'enfuir. Plus inquiétante enfin, la déclamation de l'incendie semble annoncer une damnation universelle et prend des couleurs d'apocalypse. Sir Philip Sidney avait remarqué que les oracles de Delphes et les prophéties de la Sibylle étaient articulés en vers, et invitait donc le poète à s'élever au rang de *vates*[24]. Le style déclamatoire de Lechy, la Gypsy magicienne, la nouvelle Cassandre, se trouve ainsi de nouveau justifié, — sans que cette raison infirme l'autre —, puisque l'ironie de Lechy s'explique par son don même de vaticinatrice.

Le rire

Lechy est accompagné par le solennel Thomas Pollock Nageoire et son chapeau haut-de-forme. Le burlesque claudélien, saisi à sa source dans *L'Endormie*, accompagnera tout au long de l'œuvre dramatique les plus rudes conflits et les plus sublimes envolées lyriques. « Le rire, expression de la joie. Sentiment de la liberté. Ironie supérieure. Le rire des Olympiens. — Shakespeare. Autre chose » : cette note sibylline du *Journal* (*J* I, 57) nous invite à mettre le dramaturge élisabéthain au premier rang des magiciens du rire qui touchent de leur baguette le génie en liberté de Claudel[25]. Très joliment, il attribuera plus tard ses éclats de rire poétiques à Puck qui lui caresse la figure et lui « chatouille le nez, comme dit Shakespeare, avec une queue de cochon »[26].

Pierre Ganne distingue plusieurs périodes dans l'évolution de l'humour claudélien[27]. La première couvre, selon lui, les débuts du dramaturge jusqu'en 1905 environ. Ce nivellement me paraît excessif. *L'Endormie* reste à part et on ne trouve dans aucune des pièces de *L'Arbre* la veine de bouffonnerie féerique et lyrique qui la caractérisait. De plus, le rire est absent, ou à peu près, des premières versions de *Tête d'Or*, de *La Ville* ou de *La Jeune fille Violaine*.

Cette dernière pièce montre comment d'un thème traditionnel de la comédie shakespearienne, Claudel tire une tragédie. Le point de départ de l'intrigue, le conflit des deux sœurs dont l'une est

24. Sir Philip SIDNEY, *An Apologie for Poetrie* [Un Plaidoyer pour la poésie] (1595), éd. bilingue Maurice Lebel, Québec, Les Presses de l'Université Laval, 1965, pp. 32-33.

25. P. MOREAU, Introduction au *CC* II, *Le Rire de Paul Claudel*, pp. 11-12.

26. Lettre à Jean-Louis Barrault du 4 juillet 1946 ; même chose dans la lettre au même du 18 octobre 1949 (inédits ; arch. J.-L. Barrault). L'attribution de la citation est inexacte : elle provient du « scherzo » de la Reine Mab, dans *Roméo et Juliette*, I, 4, 80-82, p. 769 :
    And sometimes comes she with a tithe-pig's tail,
    Tickling a parson's nose as a'lies asleep,
    Then dreams he of another benefice.

27. P. GANNE, « De l'humour et de la foi », *CC* II, 249.

soumise à la volonté tyrannique de l'autre, n'est autre que celui de
La Mégère apprivoisée ou des *Sœurs* de Shirley [28]. Bianca reprochait
à la jalouse Catharina, de la traiter en prisonnière et en esclave,
acceptait de plaider pour elle devant Hortensio et ne recevait en
récompense que des coups [29]. Mais ni le jeu des travestis, ni les
épisodes grotesques de l'équipée matrimoniale dirigée par Petruchio,
ni l'apaisement final ne viennent ici corriger la violence de la lutte.
Violaine assume jusqu'à la mort son rôle de victime. Bibiane reste
irréductible, « dure et jalouse », et si la pièce s'achève dans l'ordre [30],
il ne semble pas que le démon de la femme soumise soit pour autant
exorcisé. L'heure de la « réhabilitation de Mara » n'est pas encore
venue [31].

Stanislas Fumet a parlé, à propos de la scène du détrônement
dans le premier *Tête d'Or*, du « dégagement de l'esprit qui chatouille ». Pour lui, le cri poussé par le chef d'armée quand il tue
l'empereur David

> Va-t-en avec les choses passées !
> Glouton
> Jusqu'à se créer une nouvelle bouche !   (*Th* I, 100)

contient une « image shakespearienne et comiquement figurative »
(*CC* II, 217). A dire vrai, la violence est ici tellement exacerbée qu'elle
tue le comique, et la pièce reste constamment dans le ton tragique.

Au contraire, la version de 1894 fait place à l'humour véritable,
mais à un humour qui n'exprime que la mauvaise humeur. Après
la désolante mort de Cébès, le jour se lève. Amène-t-il les génies
de la fantaisie et du rire ? Une assemblée de grotesques fait irruption dans la salle du palais : un Pédagogue sentencieux, un Suprême-
Préfet « sérieux comme un âne couillard » (*Th* I, 231), un Opposant,
personnification de l'Envie (237), et le plus actif de tous, le Tribun
du Peuple, pérorant et riant aux éclats.

> Eh bien, oui, c'est moi, me voilà ! — Bonjour, mon vieux ! — Hé ?
> — Bonjour ! — Emballés, empaquetés ! c'est comme ça que nous
> travaillons ! Oh ! Oh ! oh ! — Belle dame ? — Bonjour ! — Oui,
> monsieur ! — Ne me mange pas, il y en a pour tout le monde !
> Ouf ! — Bonjour ! — Faites-moi de la place, je ne suis pas petit !
> (229)

Comment ne le reconnaîtrait-on pas ? C'est le beau parleur, l'ora-
teur de place publique ; aimable, familier même, il fait des sourires

---

28. Cf. *The Sisters*, I, 2, dans *The Dramatic Works and Poems of James Shirley*, ed.
W. Gifford, London, John Murray, 1833, 6 vol., t. V, p. 365.
GIOVANNI. — But my lady [Paulina], for so we must call her, may be of
    Kin to Lucifer for pride [...].
STEPHANIO. — Here is her sister, Angellina, a virgin
    Of another constitution ; their two natures
    As different are, as the two poles [...].
29. *The Taming of the Shrew*, acte II, sc. 1, pp. 251-255.
30. Dans son commentaire de *The Taming of the Shrew*, G.I. DUTHIE (*Shakespeare*,
Hutchinson's University Library, 1951, pp. 57-62) confère à la pièce la portée morale d'une
apologie de l'ordre : la femme est soumise au mari comme le sujet au prince et le prince à
Dieu. *La Jeune fille Violaine* se clôt bien d'une manière analogue : soumission de la femme à
son mari, soumission de l'homme à la terre et à Dieu.
31. Sur ce point, voir J. BROILLIARD, « La Réhabilitation de Mara », *RLM* II, pp. 73-93.

à la foule parce qu'il a besoin de son approbation pour croire à ses propres contes, et de ses applaudissements pour croire en son personnage. Un fantoche qui n'est qu'un fantôme. La Démocratie sous les couleurs de la Démagogie. La mouche du coche. Un « cochon » aussi (229) dont les frasques sont publiques (230), une « culotte » (231) plus qu'une tête. Une langue surtout, comme son nom même — ou son surnom — l'indique : « Jacquot ! » (230, 237). Il hésite toutefois à paraître au balcon, car il tremble de peur (231) dès qu'il aperçoit Tête d'Or, comme le matamore Cloten dans *Cymbeline*. Il est tout juste bon à ramasser l'épée que laisse tomber le Maître et à s'effacer dans un ultime bégaiement (246). Magistrat ridicule comme le juge Shallow, il est embarbouillé dans ses imparfaits du subjonctif (236) ; il est le premier des pédants claudéliens ; le premier, aussi, de ses « subtils » sophistes et de ses contradicteurs victorieux :

> Vous avez tout fait
> Tout seul ! Messieurs, je vous prends à témoins !
> Tout seul ! La science déclare, Monsieur,
> Que personne ne fait rien seul [...]   (236)

La scène en dit long sur les sentiments politiques de Claudel à l'époque [32]. En tout cas, la caricature procède de la révolte vengeresse et le comique n'est ici qu'une façon de fouler aux pieds l'ordure humaine. Il lui manque le détachement des bouffons du théâtre shakespearien qui, d'ordinaire, gardent, devant les événements politiques, une ironie narquoise : soldats de *Henry IV*, Bardolph, Pistol et Nym ; officiers de *Henry V*, Jacques l'Ecossais, Macmorris l'Irlandais et Fluellen le Gallois. Seul Tête d'Or, avec son énigmatique sourire de jeune fille, est encore capable d'ironiser sur son sort.

Claudel a réappris à rire. Mais ce rire agressif est aux antipodes de la joie. C'est le rire amer de la satire, celui des comédies de Ben Jonson « accommodé pour la correction des mœurs » [33] ou le ricanement sarcastique qu'on surprend parfois dans les pièces de la « période noire » de Shakespeare. Lechy Elbernon, la « femme-qui-rit » de *L'Echange*, est vouée à ses démons. Le Démon lui-même « rit », dans *Le Repos du septième jour* (*Th* I, 822). On songe au mot de la Bible rappelé par Paul de Saint-Victor à propos de la mort ignominieuse de Falstaff : « Vae ridentibus » [34].

Mais voici que bientôt, dans la seconde version de *La Ville* retentit un autre rire, celui de Lâla, la « fée Lâla, fille de la graine de fougère » (*V*, 297). Moqueur, sans doute (*V*, 310, 334-335), il a pourtant la vertu essentielle d'être communicatif, à tel point qu'il change, sans qu'on s'en aperçoive, « une tristesse soudaine [...] en secrète hilarité » (*V*, 297), car « rien n'est si triste que la joie ne soit plus certaine » (*V*, 336). La vocation de Lâla est de « porte[r] la joie »

32. Voir J. Petit, « Claudel anarchiste », *La Table ronde*, mars 1964, pp. 63-73.

33. Ben Jonson, *Every Man out of his Humour*, III, 6 : « a thing throughout pleasant, and ridiculous, and accommodated to the correction of manners », dans *Ben Jonson*, ed. C.H. Herford & Percy Simpson, Oxford, at the Clarendon press, 1927, 11 vol. t. III, p. 515.

34. Paul de Saint-Victor, *Les Deux masques*, t. III, 160.

(*V*, 313), de transformer « le plus sévère » en un « petit enfant qui se recueille avant de sourire » (*V*, 336).

Un sourire n'existe que pour s'effacer, un rire pour s'éteindre. De même Lâla « est le symbole qui présente l'image, puis la retire »[35]. C'est en cela qu'elle est « la promesse qui ne peut être tenue » (*V*, 385). Elle ne peut être tenue : qu'importe, pourvu qu'elle ait été la promesse qui resurgit et ne cesse d'aller de l'un à l'autre. Avatar de la Thalie de la première version, elle procède bien de Thalie, la Muse comique que saluera bientôt la première des *Cinq grandes Odes* (*OP*, 225), de la « Muse qui est la Grâce » et dont « le rire [...] se mue en l'hilarité de l'Ame bienheureuse »[36].

Mais cette joie qui est le pressentiment d'« autre chose », Claudel ne l'a-t-il pas respirée, comme l'indique la note du *Journal* citée plus haut, dans le théâtre de Shakespeare, « où il y a également un concert ravissant de toutes les formes de la joie et de la gaieté » (*MI*, 321) ? Ce n'est plus le rire sarcastique de Thersite ou le rire énorme de Falstaff, mais la gaieté contagieuse des comédies romanesques où Shakespeare semble réaliser l'idéal de Lyly, la « comedy of delight », et ouvrir la porte aux réconciliations, à la pureté et à cette « lumière » qui « seule [...] peut faire rire » (*V*, 381).

L'individualisme de Claudel, son éloignement de Paris ne lui laissent pas l'indépendance absolue qu'on serait d'abord tenté d'imaginer. Inclus dans un groupe d'amis qui se décompose malgré lui, toujours attentif à l'actualité littéraire et théâtrale, il reste marqué par l'esthétique symboliste. Comme Maeterlinck, il introduit dans Shakespeare la fatalité antique. Il transforme le « dumb show » en pantomime hiératique et le rire lui-même en symbole. Les représentations d'*Annabella et Giovanni* et de *Mesure pour mesure* au théâtre de l'Œuvre, ne lui sont donc pas étrangères, d'autant plus que Lugné-Poe représente pour lui l'espoir du jeune théâtre.

Mais une force intérieure aussi le pousse dans une évolution irrésistible. Plus libre dans le choix de ses sujets, plus imprégné par le tragique grec, il ne garde plus que quelques motifs élisabéthains, réduits à l'état de clichés. Le barbare se rend aux exigences de la règle et de la technique : les « grands vieux dramaturges anglo-saxons » ne l'incitent guère à la contrainte ; mais il leur emprunte des procédés qu'il sait renouveler.

Dans *L'Arbre*, Claudel n'abandonne donc pas Shakespeare. L'influence, plus secrète, plus discrète, continue à s'exercer en profondeur.

35. Ernest BEAUMONT, *Le Sens de l'amour dans le théâtre de Claudel*, p. 110.
36. Gérald ANTOINE, « L'art du comique chez Claudel », *CC* II, 150.

CHAPITRE IV

LES APPELS

Au début du xxᵉ siècle, la controverse autour de Shakespeare n'est pas close. « Célèbre et peu connu »[1], il reste pour beaucoup, à la Belle-Epoque, « notre Shakespeare », « mis à la portée d'un peuple de moralistes et de psychologues »[2]. On voit en lui avant tout le peintre de caractères[3]. Louis de Gramont prodigue, dans sa traduction de *Roméo et Juliette*, les alexandrins de collège :

C'est lui ! C'est lui ! Va-t-en d'ici ! Hâte-toi ! Vite !
C'est l'alouette, oui, c'est bien sa voix maudite
Qui détonne et s'épuise en déplaisants efforts[4].

La Comédie-Française joue encore *Macbeth*, en 1914, dans la version en vers de Jean Richepin[5]. Mounet-Sully a repris en 1904 le rôle de Hamlet et on lui sait gré d'être « probablement le premier acteur en France qui ait fait Hamlet sain d'esprit »[6] !

Pourtant des tendances nouvelles se font jour. Les universitaires dénoncent la carapace classique où l'on a enfermé Shakespeare[7] et

---

1. Jean-Joseph RENAUD, « Le Théâtre de Shakespeare en France », *La Grande Revue*, 15 octobre 1904, p. 5.
   2. René DOUMIC, « Shakespeare et la critique française », *La Revue des Deux-Mondes*, 15 octobre 1904, pp. 923-934.
   3. Voir Michel GRIVELET, « La Critique dramatique française devant Shakespeare », *Etudes anglaises* XIII, 2, avril-juin 1960, pp. 265-266.
   4. Louis de GRAMONT, *Roméo et Juliette de William Shakespeare*, Paris, Librairie Théâtrale, 1912, p. 116, ceci pour traduire *Romeo and Juliet*, acte III, sc. 5, v. 26-28 :
JULIET. — It is, it is ; hie hence, be gone, away !
   It is the lark that sings so out of tune,
   Straining harsh discords and unpleasing sharps.
Louis de Gramont avait consciencieusement tenté de rendre la prose, les vers blancs et les vers rimés du texte. Georges Duval (qui a en 1908 fait paraître une traduction complète de l'œuvre de Shakespeare) attaque cette tentative en ces termes : « Lorsque mon oreille est habituée à la rime, lorsque le mot *tourment* dont j'attendais le *ment* vient de s'accorder avec celui de *moment*, il m'est désagréable que la nourrice rompe la cadence des vers rimés. Son " madame " comme le " Quoi, nourrice ? " de Juliette, me font l'effet d'une corde qui se casse dans un orchestre. » (*L'Œuvre shakespearienne : son histoire, op. cit.*, p. 317).
   5. J. RICHEPIN, *Macbeth*, Paris, Charpentier, 1914 ; traduction louée par R. DOUMIC dans *La Revue des Deux Mondes* du 15 mai 1914, condamnée au contraire par Jacques BAINVILLE dans *Une Saison chez Thespis* ; voir M. GRIVELET, *art. cit.*, pp. 268-269.
   6. Selon l'expression d'Henry BIDOU dans le *Journal des Débats* du 21 août 1916 ; cité par M. GRIVELET, *art. cit.*, p. 266.
   7. Ainsi JUSSERAND dans son *Shakespeare en France sous l'ancien régime*, Paris, Armand Colin, 1898.

s'essaient à des traductions plus scrupuleuses [8]. Antoine adopte des textes sans coupures, respectant les multiples changements de scène de l'original [9]. Les quelque cent représentations du *Roi Lear*, qu'il a données à partir du 5 décembre 1904, sont restées mémorables : soucieux d'y mettre « le plus de vérité, de sincérité et de vie possible », il a imaginé un dispositif scénique transformable, à l'aide de draperies, et il le reprend pour les autres pièces qu'il monte à l'Odéon : *Jules César* en décembre 1906, *Coriolan* en avril 1910, *Roméo et Juliette* en décembre 1910, *Troïlus et Cressida* en mars 1912 [10]. Il ouvre ainsi la voie à Gémier qui, en octobre 1913, monte *Hamlet* en collaboration avec Lugné-Poe [11] et à Copeau qui obtient un succès éclatant avec *La Nuit des Rois* en 1914 [12]. Ils ne se contentent plus de supprimer la rampe et d'unir le plateau et la salle : la conception même de l'architecture scénique s'inspire du théâtre élisabéthain. Cette transformation profonde de l'art dramatique renouvelle l'idée qu'on se faisait de Shakespeare.

Elle s'accompagne aussi d'un élargissement du répertoire. Les comédies prennent leur place à côté des tragédies, grâce à Copeau et surtout à Camille de Sainte-Croix, avec sa jeune troupe du Théâtre Shakespeare qui joue *Le Marchand de Venise* [13] et *Peines d'amour perdues* [14] en 1911, dans un style d'une grande sobriété. On néglige de moins en moins les autres dramaturges élisabéthains. Copeau a inauguré le Théâtre du Vieux-Colombier, le 23 octobre 1913, avec *Une Femme tuée par la douceur*, de Thomas Heywood, dans une adaptation dont il est lui-même l'auteur [15]. Il obtient peu de succès, mais Léon Daudet prophétise : « Il y a là quelque chose qui grandira » [16].

Au cours de la même saison théâtrale, Copeau montait *L'Echange* dans un décor unique et simplifié [17]. Surmontant le dégoût que lui

---

8. Tels Alexandre Béjalme dans *Macbeth* (1897), *Jules César* (1899), *Othello* (1902), ou Emile LEGOUIS dans ses *Pages choisies de Shakespeare*, Armand Colin, 1899.

9. Pour *Le Roi Lear*, il a demandé une traduction nouvelle à Pierre Loti et Emile Vedel.

10. Voir Matée ROUSSOU, *André Antoine*, Paris, L'Arche, 1954.

11. Voir Paul BLANCHART, *Firmin Gémier*, Paris, L'Arche, 1954.

12. Sur cette représentation, voir France ANDERS, *Jacques Copeau et le Cartel des Quatre*, Paris, Nizet, 1959, p. 35.

13. Paul LÉAUTAUD [Maurice Boissard] en fait l'éloge dans *Le Mercure de France* du 16 juin 1911.

14. La pièce, avec ses *concetti*, exaspère René Doumic qui en fait le compte rendu pour *La Revue des Deux-Mondes* le 1er avril 1911, p. 708.

15. Sur cette adaptation, voir *infra*, p. 159.

16. Sur cette représentation et l'accueil qui lui fut réservé, voir F. ANDERS, *op. cit.*, p. 33, et Helena Robin SLAUGHTER, « Jacques Copeau metteur en scène de Shakespeare et des Elisabéthains », *Etudes anglaises*, XIII, 2, pp. 181-184. Copeau avait déjà fait l'éloge de cette pièce, dans un article paru le 15 septembre 1902 dans *La Revue d'art dramatique*, « La première tragédie domestique », et dédié à Marcel Schwob.
N.B. — Je signale seulement les représentations de *Macbeth* à Bussang en 1902 (Claudel, ayant rompu depuis 1900 ses relations avec Maurice Pottecher, ne s'intéresse probablement pas à son « Théâtre du peuple ») et à l'abbaye de Saint-Wandrille en août 1909 (l'admiration de Claudel pour Maeterlinck a alors beaucoup décru, cf. *J* II, 73 : « le style de Maeterlinck est tellement *coulant* qu'avant que l'on ait eu le temps de saisir le sens d'une phrase on en est déjà porté à celle qui suit », déc. 1911).

17. La première eut lieu le 15 janvier 1914 ; l'œuvre eut peu de succès et quitta l'affiche après seize représentations. F. ANDERS, *op. cit.*, p. 34.

a jadis inspiré le *Hamlet* de la Comédie-Française, Claudel s'intéresse en effet à l'art de la mise en scène au moment même où la
critique découvre l'efficacité de son théâtre (*CC* VI, 93-94).
Il confie *L'Annonce* et *l'Otage* à Lugné-Poe [18] ; il songe à faire jouer *Protée* par
Copeau [19].

Rien ne nous prouve pourtant qu'il ait assisté, au cours de
ces années, à l'une ou l'autre des représentations de Shakespeare
ou de Heywood. Sans doute revient-il de temps en temps à Paris,
mais les salles de théâtre ne l'attirent guère jusqu'au moment où
il se passionne pour les réalisations d'Hellerau [20]. Les décors sty-
lisés au maximum, la scène multiple composée d'éléments mobiles,
auraient permis de servir les œuvres élisabéthaines. Max Reinhardt,
qu'il y a rencontré (*CC* III, 291), a pu lui parler des spectacles
shakespeariens auxquels il a assisté en France, en particulier des
représentations du *Roi Lear* données par Antoine qui l'ont fortement impressionné [21]. Bref, les expériences théâtrales de Claudel
vont dans le sens même du renouveau que connaît alors en France
la mise en scène des Elisabéthains.

Il est hors de doute qu'au cours de ces années errantes qui le
promènent de la Chine au Brésil en passant par la Bohême, l'Allemagne, la France et l'Italie, il relit Shakespeare. Il en usera, on
le sait, « plusieurs exemplaires » (*MI*, 40). Mais les allusions qu'il
y fait sont si rares qu'il n'est guère possible de donner des préci-
sions utiles.

Son séjour en Bohême lui donne l'occasion de justifier, avec
trop de bonne volonté, la géographie du *Conte d'hiver*. Il a appris
que « du temps d'Ottokar II », le pays « s'étendit jusqu'à l'Adria-
tique et à l'Italie » (*J* I, 175) : l'embarquement de l'acte IV devient
moins invraisemblable, s'il faut qu'il soit vraisemblable.

Un peu plus tard, une forêt, aux alentours de Heidelberg [22],
« toute remplie par la foule des dimanches » lui rappelle « le sujet
du *Songe d'une nuit d'été* sur une énorme échelle » : « les longues
haies rectilignes avec les groupes étagés en perspective. Cyclistes,
couples, pensionnats. Marche indéfiniment dans le feuillage » (*J* II,
105). On ne doit donc pas s'étonner de retrouver le climat du *Songe*
dans *Protée* et dans *L'Ours et la Lune*. La pièce a, depuis 1886,
conquis la célébrité et vaincu les réticences : je n'en veux pour

---

18. Lugné lui avait d'abord proposé de monter *Partage de Midi* en 1910 : un moment
tenté, Claudel refuse après avoir consulté Mgr Baudrillart (*CC* V, 78). Mais il lui confie
L'Annonce faite à Marie (refusée par Antoine), jouée à partir de décembre 1912 et *L'Otage*
(qu'il a refusé à Antoine) en 1914.

19. *CG*, 215-216 ; *CC* VI, 75-77.

20. Sur Claudel à Hellerau, voir Margret ANDERSEN, *Claudel et l'Allemagne*, C. Can III,
1965, pp. 59-76 et Paul CLAUDEL, « Le Théâtre d'Hellerau » dans *La Nouvelle Revue Française*,
1er septembre 1913.

21. Voir André-Paul ANTOINE, « Les mises en scène shakespeariennes d'Antoine », *Etudes
anglaises*, XIII, 2, p. 160.

22. Il a visité cette ville le 11 août 1912.

preuve que la capricieuse « Danse de Puck » écrite par Debussy en 1910 [23]. Comme dans *L'Endormie*, le lutin proliférera, sous la plume de Claudel, en « minstrels »...

En abordant le drame historique, l'écrivain revient aussi à l'une des premières tentations de sa jeunesse. Il ne lui suffit plus de retracer la geste d'un héros, Tamerlan ou Tête d'Or, Avare ou Timon : c'est une époque entière de l'histoire nationale qu'il veut évoquer dans la tétralogie inachevée des Coûfontaine, conçue sur le modèle des tétralogies shakespeariennes.

Auparavant, dans *Partage de Midi*, il renouait avec une longue tradition superbement illustrée par son prédécesseur dans *Roméo et Juliette*. Le rapprochement, plus inattendu, surprend moins si l'on remarque l'intérêt nouveau que manifestent les Français, à la même époque, pour cette tragédie, même s'ils en réprouvent parfois les *concetti* [24]. Mais, là encore, fidélité à Shakespeare signifie d'abord, pour Claudel, fidélité à soi-même, puisqu'il reprend *Une Mort prématurée*.

Tragédie de la passion, drame historique, fantaisie burlesque : ces appels divers sont aussi des échos dans la ténébreuse et profonde unité d'une œuvre.

23. Claude DEBUSSY, *Préludes*, livre I, n° XI, Paris, éditions musicales Durand, 1910, pp. 43-48. Claudel et Debussy ont, à cette époque, des relations amicales.

24. Antoine monte *Roméo et Juliette* à l'Odéon en décembre 1910. Il en a commandé la traduction, intégrale, à Louis de Gramont (voir *supra*, p. 108). La critique en a passionnément discuté. Adolphe Brisson, constatant dans le public une « intermittente lassitude » l'explique par la « verbosité de l'ouvrage » : « certaines parties du dialogue sont insupportables au spectateur français, cet abus de *concetti*, ce déluge de métaphores et d'épithètes fleuries l'exaspèrent » (cit. G. DUVAL, *op. cit.*, p. 315).

I. L'AMOUR-PASSION

« ROMÉO ET JULIETTE »   « PARTAGE DE MIDI »

Claudel a écrit *Partage de Midi* avec son sang et avec ses larmes. Sa vie s'est déversée si soudainement dans ce drame qu'il peut sembler inopportun et dérisoire de procéder à une étude des sources livresques. Le problème est pourtant plus complexe. L'auteur n'a-t-il pas repris lui-même l'une de ses œuvres anciennes, *Une Mort prématurée*, pour en garder la quintessence avant d'en détruire le manuscrit[1] ? Or cet essai de jeunesse se plaçait, on s'en souvient, sous le signe de Shakespeare. De plus, un Occidental parle un langage de la passion et vit sur un mythe de la passion dont il n'est pas l'inventeur, mais qui, depuis sa naissance, colle à sa peau. *Roméo et Juliette* en est plus que l'illustration : un archétype que nul ne saurait ignorer.

Les excès stylistiques

A plusieurs reprises, Claudel a dit qu'il avait peu de goût pour cette pièce. A son avis, elle s'étale comme une tache dans l'œuvre de Shakespeare ; elle marque l'un de ses « effondrements ». Dans « Richard Wagner, rêverie d'un poète français », il écrit, en 1927[2] :

> Peut-on imaginer quelque chose de plus bâclé et de plus bousillé que *Roméo et Juliette*, écrit dans un plus abominable jargon ? Si Shakespeare n'avait fait que des choses de ce genre, et il en a fait pas mal, comme on comprendrait le jugement de Voltaire[3] !
>
> *(Fig., 200)*

En 1951, il insiste encore :

> « un langage d'un mauvais goût effroyable, qui ressemble beaucoup à du galimatias ou à du charabia.   *(MI, 43)*

Ce jugement sévère ne manque pas de perspicacité. A notre grand étonnement, les lecteurs français du XVIIᵉ et du XVIIIᵉ siècle accablaient le « barbare » de reproches à l'exception d'un seul, le plus attendu : les « classiques » condamnaient volontiers la préciosité du langage chez leurs adversaires, mais ils ne la remar-

---

1. Claudel a confié à Frédéric Lefèvre : « J'avais écrit en 1888 un autre drame, *Une Mort prématurée*, que j'ai détruit, mais dont les fragments importants ont passé, presque sans changement, dans *Partage de Midi* » (entretien paru dans *Les Nouvelles littéraires*, le 18 avril 1925), et cf. *MI*, 37 ; sur ce point, voir J. Petit, notices pour le *Th* I, pp. 1238 et 1333.

2. Ce texte n'a paru pour la première fois que le 15 juillet 1934, dans *La Revue de Paris*.

3. Claudel pense sans doute à la célèbre lettre à d'Argental (1776) où éclate la colère de Voltaire, jaloux du succès remporté par la traduction de Letourneur : « [...] c'est moi qui autrefois parlai le premier de ce Shakespeare, c'est moi qui le premier montrai aux Français quelques perles que j'avais trouvées dans son énorme fumier. Je ne m'attendais pas que je servirais un jour à fouler aux pieds les couronnes de Racine et de Corneille pour en orner le front d'un histrion barbare ».

quaient pas dans l'œuvre de Shakespeare qu'ils ne lisaient généralement pas dans la langue originale [4]. Certes, Claudel n'est pas le premier à faire preuve de plus de clairvoyance. *Paul de Saint-Victor*, que la pièce n'inspirait guère, relevait les « *concetti* » et les « hyperboles » empruntés à Pétrarque pour exprimer, dans la tragédie des Amants de Vérone, « l'amour italien » [5]. Il est plus exact de dire que Shakespeare restait marqué par le langage de cour, par cette rhétorique poétique dont Puttenham et Sidney, entre autres, avaient fait l'apologie [6]. *Roméo et Juliette* est le plus beau fleuron de ce que Claudel appelait sa « période proprement décorative » [7]. On y retrouve la « rhétorique d'apparat », les « arabesques précieuses des images » répandues dans *Vénus et Adonis*, ou dans *Le Viol de Lucrèce* [8], et des sonnets proches parfois du cycle de la dame et de l'amant qui inspire à notre poète le même « profond ennui » (*Pr*, 51).

Il n'y voit sans doute qu'un jeu gratuit, l'abandon d'un instant à la convention régnante, des survivances surannées de l'euphuïsme. Mais un homme de théâtre né, comme Shakespeare, est avant tout sensible à la fonction dramatique du langage. Les excès stylistiques correspondent à la libération de la passion, à l'état d'exaltation où vivent les jeunes gens et qui rejaillit sur leur entourage, en particulier sur la Nourrice. Isolé, l'appel de Rodrigue

Paraissez, Navarrais, Maures et Castillans

ne sonne que comme un cri pompeux de théâtre ; placé à la fin de la lutte qui a poussé Chimène dans ses derniers retranchements, il explose en un souffle d'enthousiasme ardent, en un sublime aveu d'amour. Les effusions verbales parfois échevelées de Roméo et de Juliette ont la même valeur.

En 1905, Claudel portait-il déjà sur la pièce le jugement sévère, mais tardif, que j'ai cité plus haut ? J'en doute. Car le premier texte du *Partage de Midi* nous réserve la surprise d'un lyrisme exacerbé qui trouve son expression naturelle dans un déploiement anarchique de paroles. On serait tenté de dire : même cause, mêmes effets. Quand Claudel annonce à Gabriel Frizeau, le 6 septembre 1905, qu'il va, dans son nouveau drame, « reprendre et amplifier [...] la manière de *L'Echange* » (*CJF*, 57), il ne pense pas seulement au terrible jeu à quatre et au resserrement dramatique qu'il suppose, mais surtout à la grande rhétorique qu'il découvrait en 1893-1894 et vantait à Maurice Pottecher. « J'ai tiré de mon vers », précise-t-il, « tous les effets de musique, d'expression personnelle et de prosodie qu'il comportait pour le présent » (*CJF*, 57). Comme dans *Roméo et Juliette*, on sent, dans *Partage de Midi*, la tension d'un artiste qui n'en est plus à ses débuts mais n'a pas encore

---

4. Henri FLUCHÈRE, « Shakespeare en France », dans *Le Théâtre élisabéthain*, p. 8.
5. P. de SAINT-VICTOR, *Les Deux masques*, tome III, p. 136.
6. Voir M.C. BRADBROOK, *Shakespeare and Elizabethan Poetry*, London, Chatto & Windus, 1951.
7. Lettre à Schwob du 17 mars 1900, P. CHAMPION, *op. cit.*, p. 270.
8. H. FLUCHÈRE, éd. de la Pléiade, t. II, p. LXXIX.

atteint sa maturité, et emploie toutes les ressources de son instrument pour traiter un sujet qu'il sait exceptionnel. Claudel s'aperçoit que ce haut langage est « un merveilleux et nouveau instrument psychologique, permettant des analyses et des associations d'idées agréables » (*CJF*, 57). « Décollés de la terre » (*Th I*, 987), emportés sur l'Océan, Ysé, Mesa et Amalric sont également portés par les courants de la parole. Sur le bateau, leur volubilité ne s'explique que par cette « commotion » (*Th* I, 996). Tous pourraient dire : « On m'a tenu en prison, et maintenant je suis libre et l'air de la mer me monte au nez » (992). L'air de la mer, l'air de l'amour, l'air de la mort : dans tout ce vent, « comme une claque » (992) qui les fait tantôt bafouiller (996), tantôt rire aux éclats, on reconnaît encore

> [...] le dégagement de l'esprit
> Qui chatouille et qui enivre et qui fait rire.   (*OP*, 237)

Le premier regard jeté sur Juliette, quand elle apparaît brusquement au bal des Capulet, déclenche une tirade de Roméo où les métaphores se bousculent, élargissant la salle de bal aux dimensions de l'univers nocturne :

> Oh ! elle enseigne aux torches à briller splendidement !
> On dirait qu'elle pend à la joue de la nuit
> Comme un riche joyau à l'oreille d'un Ethiopien
> Beauté trop riche pour qu'on en use et trop chère pour la terre !
> Comme une colombe de neige en troupe avec des corneilles
> Ainsi paraît cette dame au milieu de ses compagnes [9].

De même la seule présence d'Ysé rend Mesa « tout bouillonnant » (397) et fait retrouver à Amalric sa fureur ancienne. On dit des mots sans savoir pourquoi (1003). Comme des paons qui font la roue, on improvise des « morceaux de bravoure », la description des « touilleurs de feu » par Mesa, celle du bateau par Ysé, celle du Levant par Amalric (1007-1009), — aussi gratuits en apparence que ceux de *Roméo et Juliette,* aussi nécessaires pourtant dans le conflit qui se dissimule derrière la joute oratoire.

Le duo d'amour porte à son comble cette exaltation verbale. Ici Shakespeare « colore des feux de l'Orient la langue des *Sonnets* », notait Paul de Saint-Victor [10]. Roméo semble en effet emprunter au feu du ciel italien ses comparaisons solaires qui magnifient la bien-aimée apparaissant à sa fenêtre, mais appellent aussi le moment où la passion pourra flamber librement :

> Mais silence ! quelle lumière éclate à la fenêtre ?
> C'est l'orient et Juliette est le soleil !

9. *Romeo and Juliet*, I, 5, 48-53, p. 770 ; trad. cit, II, 466-467 :
O ! she doth teach the torches to burn bright.
It seems she hangs upon the cheek of night
Like a rich jewel in an Ethiop's ear ;
Beauty too rich for use, for earth too dear !
So shows a snowy dove trooping with crows,
As yonder lady o'er her fellows shows.
10. P. de SAINT-VICTOR, *Les Deux masques*, t. III, p. 136. Les *Sonnets* sont probablement, toutefois, postérieurs à *Roméo et Juliette.*

Lève-toi, clair soleil, et tue l'envieuse lune
Déjà malade et pâle de chagrin
De voir que sa servante est bien plus belle qu'elle [...]
[...] l'éclat de sa joue ferait honte aux étoiles
Comme le jour à une lampe, tandis que ses yeux au ciel
Répandraient à travers la région aérienne un si grand éclat
Que les oiseaux chanteraient, croyant la nuit terminée[11].

Et ce feu qui terrassait la mer et frappait les passagers du paquebot comme la « foudre » (*Th* I, 984), ce « soleil » qui, une fois passé le canal de Suez, est enfin vraiment « du soleil » (1010), le voici, aux yeux de Mesa, qui flamboie dans la beauté d'Ysé :

Tu es radieuse et splendide ! tu es belle comme le jeune Apollon !
Tu es droite comme une colonne ! tu es claire comme le soleil levant !
Et où as-tu arraché sinon aux filières mêmes du soleil d'un tour de ton cou ce grand lambeau jaune
De tes cheveux qui ont la matière d'un talent d'or ?
Tu es fraîche comme une rose sous la rosée ! et tu es comme l'arbre cassie et comme une fleur sentante ! et tu es comme un faisan, et comme l'aurore, et comme la mer verte au matin pareille à un grand acacia en fleurs et comme un paon dans le paradis.

(1025)

Dans la prolifération euphuïstique des comparaisons brasille la métaphore pétrarquiste par excellence.

Il a pu paraître gênant que cette rhétorique ait déjà été exploitée dans *L'Arbre* ou que Roméo, avant de rencontrer Juliette, joue, quand il décrit son amour éphémère pour Rosaline, sur le même registre métaphorique :

L'amour est une fumée formée des vapeurs de soupirs :
Purifié, c'est un feu dans les yeux des amants
Agité, une mer nourrie des larmes des amants[12].

Le mode d'expression ne change pas ; seule l'intensité varie. Le poète s'accorde à « un nouveau diapason » (*CJF*, 57). Les trois vers pour Rosaline gardent l'allure convenue de définitions empruntées à la scolastique de l'amour et les symétries trop voyantes ont quelque chose de compassé. Ainsi le chevalier de Swinburne improvisait sur l'amour au cours des tournois de poésie avant de

11. *Romeo and Juliet*, II, 2, v. 2-6, 19-22, pp. 772-773 ; trad. cit., II, 473-474 :
But soft ! what light through yonder window breaks ?
It is the east, and Juliet is the sun !
Arise, fair sun, and kill the envious moon,
Who is already sick and pale with grief
That thou her maid art far more fair than she ; [...]
The brightness of her cheek would shame those stars
As daylight doth a lamp ; her eyes in heaven
Would through the airy region stream so bright
That birds would sing and think it were not night.
12. *Ibid.*, I, 1, 196-198, p. 766 ; trad. cit., II, 451 :
Love is a smoke rais'd with the fume of sighs ;
Being purg'd, a fire sparkling in lovers' eyes ;
Being vex'd, a sea nourish'd with lovers' tears.

monter au Horsel et de se sentir saisi par le feu de Vénus, par la fièvre qui criait famine dans ses veines [13].

Les mêmes mots, et pourtant, ce ne sont plus les mêmes, car ce n'est plus Mnémosyne qui les souffle, mais Erato qui les insuffle et « chacun d'eux a passé par le feu » (*MI*, 198).

Le mythe occidental de l'amour

Roméo et Mesa ont eu la même connaissance intuitive de la passion qui pouvait s'allumer en eux. Avant de se rendre au bal des Capulet, le jeune Montaigu appréhende un destin mauvais, encore caché dans les étoiles et une « mort prématurée » qui mettra fin à sa « vie misérable » [14]. Mesa sait aussi qu'Ysé ne sera pas pour lui le bonheur (1024), même si elle le représente à ses yeux. Elle-même le prévient : « Ah ! ce n'est point le bonheur que je t'apporte, mais ta mort, et la mienne avec elle » (1026). Elle lui est « interdite ». Entre eux s'interposent, non la haine de deux familles, mais son état d'épouse et de mère.

Un amour-passion ruiné par le destin, un amour mortel : *Roméo et Juliette, Partage de Midi*, illustrent, à des moments différents, le « mythe de Tristan » dans lequel Denis de Rougemont a vu le « *type* de la passion telle que la vivent les Occidentaux » [15]. Si la tragédie de Vérone constitue « la plus belle résurrection du mythe avant le *Tristan* de Wagner » [16], *Partage de Midi* est, de toutes les œuvres postérieures à 1865, celle qui jette la flamme la plus brûlante. Ysé, par son nom même, rappelle la blanche Yseult [17]. « Nul depuis Shakespeare, écrit J. Duron, n'a su poétiser plus capiteusement que Claudel la puissante combustion passionnelle qui naît de l'attrait des sexes. Nul n'a tendu plus fortement, plus dramatiquement, les ressorts de ce mythe de l'amour que les grands romantiques ont parfois exemplifié dans leur vie, mais qu'aucun d'eux, si ce n'est Wagner, n'a su représenter dans la lumière de cette grande flamme dévorante dont l'humanité moderne rêve de brûler. [18] »

13. « Laus Veneris » str. 7 : Inside the Horsel here the air is hot ...
　　　　　　　　str. 42 : There is a feverish famine in my veins
　　　str. 101-102 : [...] Feeling her face with all her eager hair
　　　　　　　　Cleave to me, clinging as a fire that clings
　　　　　　　　To the body and to the raiment, burning them [...]
mais la même métaphore du feu passait dans le chant du chevalier à la Wartburg, quand il ignorait tout de l'amour, str. 73 :
　　　　Lips that cling hard till the kissed face has grown
　　　　Of one same fire and colour with their own. [...]
A.C. SWINBURNE, *Poems and Ballads*, 1ˢᵗ series, dans *The Complete Works of A.C. Swinburne*, New York, Russell, 1968, pp. 146-161.
14. *Romeo and Juliet*, I, 4, 107-112, p. 770 ; trad. cit., II, 464.
15. **Denis** de ROUGEMONT, *L'Amour et l'Occident*, Paris, Plon, 1939, rééd. Union générale d'Editions, 1962, p. 6.
16. *Ibid.*, p. 161.
17. Claudel propose une autre étymologie : « Ysé, en grec, c'est égalité, *isos*, *isé*, c'est égal » (*MI*, 220).
18. Jacques DURON, « Le Mythe de Tristan », dans *Hommage à Paul Claudel*, N.R.F., 1ᵉʳ septembre 1955, p. 546.

Le rapprochement est facile et on ne peut l'admettre sans faire d'importantes réserves.

Le destin prend, dans la pièce de Shakespeare, la forme du simple hasard. « Oh, je suis le fou de la fortune »[19], constate lui-même Roméo. Jusqu'au bout, il semble qu'à chaque instant tout pourrait s'arranger : si Tybalt n'avait pas tué Mercutio, s'il ne revenait pas pour braver Roméo, si le père de Juliette ne décidait pas à ce moment-là de hâter son mariage, empêchant le frère Laurent de trouver le moment favorable pour annoncer l'union secrète qu'il a consacrée, apaiser la famille et obtenir pour ses protégés le pardon du Prince, si Roméo n'était pas prévenu par son messager Balthasar de la (fausse) mort de Juliette, si le messager du frère Laurent n'était pas retenu prisonnier sur la route de Mantoue, si le frère Laurent arrivait à temps, etc. Tout n'est qu'une question de minutes, tout est conduit par un déterminisme à peu près purement extérieur. Roméo en trouve l'explication et nous le symbole dans les astres qui brillent au-dessus de sa tête[20].

Roméo défie les étoiles en apprenant la mort de Juliette[21], et se rue sur son tombeau comme s'il saisissait la mort à la gorge. Au contraire, *Partage de Midi* s'achève, comme *Le Soulier de satin* plus tard, sur un « consentement à l'étoile » (*Cant*, 195). Dans le « Cantique de Mesa », les étoiles, vigilantes, s'avancent à la rencontre d'une âme enfin délivrée sur les routes du ciel, formant « l'immense clergé de la Nuit avec ses Evêques et ses Patriarches » (*Th* I, 1049). Le destin ne se confond pas ici avec le hasard. Il possède les amants avant qu'ils ne s'aiment. L'obstacle qui leur barre la route du bonheur est en eux-mêmes. La « coquetterie » d'Ysé manifeste un besoin de don absolu : or Mesa, depuis sa crise religieuse, ne peut plus « se donner à elle tout entier ». Le véritable « moment tragique », le « trop tard » de *Partage de Midi* ne se situe pas au dénouement, comme dans *Roméo et Juliette ;* il est antérieur au drame qu'il détermine :

> Ysé. — Mesa, je suis Ysé, c'est moi.
> Mesa. — Il est trop tard.
> Tout est fini. Pourquoi venez-vous me rechercher ?
>
> (999)

Mesa naguère a voulu consacrer son âme à Dieu. Ysé ne peut le conquérir et elle le quitte parce qu'elle a senti qu'il lui « dérobai[t] part de l[ui]-même » (1059).

Aussi, contrairement à Roméo et Juliette dont l'accord était immédiat, total et éternel, Mesa et Ysé engagent-ils, dès leur rencontre, un conflit qui va les opposer âme à âme et corps à corps. L'explosion finale elle-même, en libérant leur âme, ne fera qu'accuser la

---

19. Trad. cit., p. 501 ; *Romeo and Juliet*, III, 1, 142, p. 779 :
   O, I am the Fortune's fool.
20. Voir l'analyse de H. Fluchère, éd. de la Pléiade, tome II, p. LXXVI, qui renvoie au livre de E.E. Stoll, *Shakespeare's Young Lovers*, Oxford University press, 1937. Selon M. Fluchère, « Roméo et Juliette est une tragédie du hasard, auquel les critiques bien intentionnés ont donné des titres de noblesse en l'appelant *destin* » (p. LXXV).
21.   It is even so ? then I defy you stars !   (V, 1, 24, p. 790)

« différence conjugale » des « deux grands animaux spirituels » (1059), différence cette fois reconnue, acceptée, magnifiée.

Roméo se suicide dans un acte de désespoir. Il le justifie par une révolte contre son destin [22] et par une étrange jalousie : il craint que la mort ne devienne l'amant de Juliette dans la ténèbre [23]. La joie finale, « l'éclair avant la mort », lui paraissent aussi trompeurs que la vie même [24]. Mesa et Ysé, eux, se donnent amoureusement à la « forte flamme fulminante » qui les assure d'une résurrection spirituelle [25], la « transfiguration de Midi » (Th I, 1062). Au lieu de se laisser engloutir, comme un pilote désespéré qui jette enfin sur les récifs brisants sa barque épuisée malade de la mer [26], voici Ysé

> [...] riante, roulante, déracinée, le dos sur la subsistance même de la lumière comme sur l'aile par dessous de la vague.
>
> (1061)

Ils échappent au « néant stérile » (Cant, 195), parce que le destin qui les a entraînés n'est autre que la Providence Divine. Le dessin dramatique reproduit la « conduite de Dieu », conduite « terrible et admirable » (CJF, 60). Les amants qui se sont crus placés par delà le bien et le mal, découvrent que

> [...] le mal même
> Comporte son bien qu'il ne faut pas laisser perdre
>
> (1057)

Leurs « âmes en travail » ont été menées vers « un ordre nouveau ». Le drame s'est articulé à partir des structures de la liturgie pascale [27], et Claudel, puissamment original par rapport à ses devanciers, a représenté non seulement « les passions », mais la « passion », au sens évangélique, de « malheureuse[s] âme[s] » (CJF, 62). Mesa et Ysé ont vécu une expérience cruciale, en plein Midi, à l'heure où le Christ a été crucifié (Poète, 34, 120), « l'heure de l'évidence » aussi selon le Cantique des Cantiques (ibid., 133).

A aucun moment, dans Roméo et Juliette, l'analyse n'atteignait à cette profondeur. Frère Laurent, en mariant secrètement les deux jeunes gens, ne pensait qu'à réconcilier les familles ennemies : et peut-être fallait-il que cette union fût consommée jusque dans la mort pour que, dans une aurore assombrie, s'accomplît ce dessein [28]. La douloureuse histoire n'aboutissait qu'au rétablissement d'un

---

22. *Romeo and Juliet*, V, 3, 111-112, p. 792.
23. *Ibid.*, *loc. cit.*, v. 102-105.
24. *Ibid.*, *loc. cit.*, v. 88-91 :
    How oft when men are at the point of death
    Have they been merry ! which their keepers call
    A lightning before death ; O ! How may I
    Call this a lightning ?
25. Sur ce point, voir G. VIPREY, « Images de la mort », *RLM* III, pp. 27-37.
26. *Romeo and Juliet*, V, 3, p. 792 :
    a dateless bargain to engrossing death   (v. 115)
    Thou desperate pilot, now at once run on
    The dashing rocks thy sea-sick weary bark !   (v. 117-118)
27. André VACHON, *Le Temps et l'Espace dans l'œuvre de Paul Claudel*, p. 255.
28. A glooming peace this morning with it brings.   (V, 3, 305, p. 794)

ordre terrestre dont la rupture permet au contraire, dans *Partage de Midi,* de retrouver l'ordre divin.

Finalement, les deux tragédies s'écartent du mythe tristanesque où elles sont enracinées : Shakespeare, en excluant le thème de l'adultère, évite le passage dans le feu du péché ; Claudel repousse le philtre enivrant pour laisser à ses personnages toute leur lucidité ; l'un conserve la pureté de la jeunesse, l'autre découvre la purification par le feu ; l'un substitue au destin le jeu des hasards, l'autre lui donne le sens d'un dessein providentiel.

Point d'aboutissement, *Partage de Midi* est aussi le point de départ d'une évolution qui va éloigner progressivement Claudel de *Roméo et Juliette.* Dans *Le Soulier de satin* Béatrice triomphe plus nettement encore de Tristan[29]. Les deux versions de 1948 étouffent le grand flamboiement d'images de 1905 à un moment où l'auteur condamne les « passages purement [...] décoratifs, ornementés » qui, dans la première rédaction, lui rappellent *Le Triomphe de la mort* de D'Annunzio ou *Roméo et Juliette* (*MI*, 194). Ce style nouveau lui inspirait, dès la genèse du drame, une certaine crainte. « Il m'a fallu énormément de temps [...] pour discipliner les végétations incongrues de l'imagination », écrivait-il à Frizeau le 6 septembre 1905 (*CJF*, 57). Amalric et Mesa lui-même pouvaient par moment jeter, sur un langage exubérant, un regard ironique : c'est pourquoi l'on voyait reparaître de brèves déclamations en « doggered style » (993, 1012, 1014) qui nous mettaient en garde contre l'enflure lyrique. La veine burlesque n'était pas tarie.

---

29. J. Duron, *art. cit.,* p. 551.

II. LE BURLESQUE

Un divertissement d'érudit : la première version de « Protée »

La première version de *Protée*, achevée en septembre 1913 (*CC* III, 39), s'affirme comme le triomphe du « doggered style ». On y voit parodié, non seulement le haut style claudélien, mais, ô sacrilège, jusqu'au « oui » de Pauline[1], illuminée par les vérités de la foi :

> MÉNÉLAS, *déclamant*. — Je le sais, je le vois, et j'en suis convaincu.
> (*Th* II, 317)

Le rire jaillit à l'un des moments sombres dans la vie de Claudel, rire « salubre » pour le poète « après la double déchirure de la mort de son père qu'il n'a pu conduire à la foi, et de l'internement de sa sœur Camille, que son amour pour Rodin a menée à la démence[2]. Il tente aussi de conjurer la douleur laissée par la rupture de 1905 : la coquetterie d'Hélène, attirée par un morceau de celluloïd, grossit le comportement d'Ysé. Il en résulte un mélange, difficile à analyser, d'amertume et de joie volontaire, de grimace et de farce. Claudel en donnera une juste définition dans sa lettre à J.-L. Barrault du 9 janvier 1951 : « La forme exaspérée du lyrisme, et l'expression héroïque de la joie de vivre »[3].

L'écrivain est la première victime de sa propre parodie. *Protée* s'inscrit en contrepoint de *L'Echange,* dont le souvenir est ravivé en 1913 par les projets de Copeau[4], et du *Pain dur*, déjà en gestation[5]. Ce n'est pas un hasard si les trois pièces ont la même structure[6].

Point de meilleure source, donc, que Claudel lui-même. Mais Rabelais (fort admiré de notre auteur) a depuis fort longtemps montré comment bouffonner à partir d'éléments livresques. Le grain d'érudition, ou de pédantisme, est ainsi le bienvenu dans *Protée*. L'appel à l'antiquité s'imposait, bien sûr. Marie Delcourt a montré que l'idée initiale venait d'Euripide[7] : *Hélène* s'inscrivait déjà dans une longue tradition et contenait des morceaux parodiques qui la rapprochaient du drame satyrique[8] ; J. Petit a rappelé l'influence homérique

---

1. *Polyeucte*, v. 1727 :
   Je vois, je sais, je crois, je suis désabusée
   (dans Corneille, *Œuvres complètes*, éd. A. Stegmann, Paris, Seuil, coll. « L'intégrale », 1963, p. 313).
   2. Paul-André LESORT, *Paul Claudel par lui-même*, p. 92.
   3. Lettre inédite, APC.
   4. Les pourparlers sont engagés depuis le début de l'année ; ils aboutiront aux représentations de 1914 (*CC* VI, 66-67).
   5. La rédaction proprement dite ne commence qu'en octobre.
   6. Comme l'ont bien démontré J.-P. KEMPF et J. PETIT, *Etudes sur la « Trilogie » de Claudel*, II. *Le Pain dur*, pp. 15-18.
   7. Marie DELCOURT, « Claudel et Euripide », dans la *Revue d'Histoire littéraire de la France*, octobre-décembre 1961.
   8. Voir l'introduction de H. GRÉGOIRE au tome V du *Théâtre d'Euripide*, Paris, Les Belles-Lettres, 1950, pp. 24-46 (en part. p. 38).

et le passage de *L'Odyssée* où Ménélas, conseillé par Idothée, arrache
à Protée, venu compter son troupeau de phoques, le secret de la colère de Poséidon [9]. Il faudrait faire place aussi à l'épisode d'Aristée,
au chant IV des *Géorgiques* [10], et au récit d'Hérodote [11].

Pour recréer à sa manière le drame satyrique, aujourd'hui perdu,
qui accompagnait *L'Orestie*, Claudel s'est contenté de rêver sur les
deux syllabes de ce nom : Protée (*Th* II, 1428). En fallait-il davantage
pour ramener à sa mémoire, obscurément peut-être, le Protée des
Deux gentilshommes de Vérone ?

Certes, on voit mal tout d'abord comment comparer au jeu capricieux de cette pièce le rire un peu lourd de la fantaisie mythologique
de 1913. Mais la comédie « romanesque », volontiers exubérante chez
les maîtres du genre, George Peele et Robert Greene [12], et le drame
satyrique claudélien requièrent du spectateur la même « suspension
de l'incrédulité » et l'invitent également à entrer de plain-pied dans
un divertissement absurde auquel on lui demande seulement de participer dans la bonne humeur générale.

Dans *Les Deux gentilshommes de Vérone*, un jeune homme sédui-
sant, toujours en chasse d'amour, n'hésite pas à trahir son ami Valentin et à tromper la tendre Julia pour courtiser, à la faveur d'un
double jeu perpétuel, Silvia, la fille du duc de Milan aimée de Valentin. Aux yeux de tous, il est « le doux Protée » [13] ; il fait mille sourires ;
il invoque sans cesse la loi sacrée de l'amitié. Mais il s'emploie
ainsi à mieux écarter de son chemin ses rivaux en amour. Quand
l'imposteur est enfin confondu, Julia tire la morale de l'histoire :

> Aux yeux de la pudeur, la flétrissure est moindre pour la femme
> à changer de costume que pour l'homme à changer d'âme [14].

Les deux motifs, coquetterie et hypocrisie, reparaissent conjoints
dans *Protée* : l'inconstante Hélène qui ne songe qu'à sa toilette et
aux trois pièces de pongé (avec les merveilleux boutons à pression !)
de Brindosier (*Th* II, 351), n'est-elle pas le reflet féminin et humain
du « Vieillard absurde de dessous la vague », aussi changeant, lui
aussi, de corps que d'âme ? Conformément à la tradition homérique
ou virgilienne, le dieu se métamorphose, quand on cherche à le saisir,
— en lion, en feu, en dragon, en arbre fruitier et en octopode, toujours dans le même ordre. Mais, de plus, il ne recule devant aucune
ruse déloyale pour posséder l'objet de ses désirs, la fameuse Hélène-
de-Troie. En vrai « roi de tous les menteurs » (*Th* II, 331), il peut
abuser, à son gré, de la crédulité de son interlocuteur, en ôtant seule-

---

9. J. Petit, « Homère », dans *RLM* I, p. 135 ; *Odyssée*, chant IV, vers 351-575.
10. *Géorgiques*, chant IV, vers 387-414 et 437-442.
11. *Histoires*, II, § 112-120.
12. J.M. Robertson, dans son *Shakespeare Canon* (London, Routledge, 4 vol. 1922-1932)
attribue *The Two Gentlemen of Verona* à Greene, sans nous convaincre.
13. « Sweet Proteus » (I, 1, 56, p. 23).
14. *The Two Gentlemen of Verona*, V, 4, 108-109, p. 44 ; trad. cit., I, 1077 :
It is the lesser blot, modesty finds,
Women to change their shapes, than men their minds.

ment ses lunettes d'automobiliste. Ni le Protée d'Hérodote ni celui dont parle l'*Hélène* d'Euripide (où n'apparaît sur scène que son fils Théoclymène) n'étaient fourbes, changeants, inconstants : on le présentait comme un roi d'Egypte, le plus vertueux des mortels, qui recueillait la véritable Hélène dans son palais pour la préserver de la tentative de Pâris (Hérodote) ou parce que les dieux la lui avaient confiée (Euripide) ; bien plus, qui sut la garder pure à son époux [15].

On peut suggérer encore un rapprochement entre le dialogue bouffon de Protée et de Speed qui bêle après son maître [16] et les troupeaux bêlants du maître de Naxos, non seulement ses chers phoques, qui sont ses « petits moutons » (*Th* II, 323), mais encore les Satyres dont il a fait ses esclaves et qui ne savent répondre que « Méééé ! Méééé ! » quand Brindosier essaie de secouer leur torpeur (312).

Ces éléments sont trop minces, bien sûr, pour qu'on puisse parler de véritable influence des *Deux gentilshommes de Vérone* sur *Protée*. Et pourtant, il semble bien qu'on puisse aller au-delà de la coïncidence pure. Le poète n'avait sans doute pas besoin de Shakespeare pour créer un Protée plus fourbe et plus gaillard. Mais, dans ce divertissement d'érudit, les éléments les plus hétérogènes se mélangent joyeusement.

Après cette conjecture plaisante, voici une source certaine, signalée par J. Petit (*CC* II, 159) : *La Tempête*.

L'île de Naxos, ce « grand gâteau de mariage anglais en sucre blanc », « assemblage [...] prétentieux de rocailles pittoresques péniblement terminé au sommet par une espèce de boucle ou de volute » (*Th* II, 311), émerge du linoléum figurant la mer comme jadis l'île déserte [17] où abordaient Napolitains et Milanais naufragés, avec le dur rocher où était confiné Caliban [18]. Ces petits royaumes permettent à la tyrannie de s'exercer : Prospéro, après avoir dépossédé le fils de Sycorax, a fait du monstre son esclave ; Protée, usant lui aussi de flatteries, a parqué et avili les Satyres dans « l'étroite prison de cette œuvre d'art qu'[il] appelle son île » (312).

La nymphe Brindosier est la réplique, infiniment moins aérienne, d'Ariel qui prend aussi, au début de la pièce, la forme d'une nymphe des mers [19]. Ces charmantes créatures n'échappent pas à l'autorité du maître ; Ariel réclame sa liberté [20], et Brindosier a hâte de mettre fin au « régime absurde » et à « l'esclavage du vieillard » (312). Prospéro a promis à Ariel, son gentil serviteur, de lui rendre un jour

---

15. Ἕως μὲν οὖν φῶς ἡλίου τόδ' ἔβλεπεν
Πρωτεύς, ἄσυλος ἢ γάμων
(*Hélène*), v. 60-61)
Or donc, aussi longtemps que Protée vit le jour, il me fit respecter »
(trad. H. Grégoire, éd. cit.,p. 52).
16. *The Two Gentlemen of Verona*, I, 1, l. 70 sqq., pp. 23-24.
17. L'une des Lipari, selon G. Lambin, « Explorations », — *Les Langues modernes*, 52e année, n° 3, pp. 37-43, et Id., *Voyages de Shakespeare en France et en Italie*, Genève, Droz, 1962, p. 10.
18. *The Tempest*, I, 2, 361, p. 5.
19. *Ibid.*, I, 2, 301, *loc. cit.*
20. *Ibid.*, I, 2, 245, p. 4.

la liberté, comme Protée à Brindosier, si elle était « gentille » (325), et cette promesse qui n'a pas été tenue les irrite [21]. Mais Ariel, pour conquérir sa liberté, ne se compromet point avec l'esprit de la terre... Prospéro et Protée ont en commun le pouvoir de déchaîner la tempête. Le duc exilé, depuis longtemps initié aux plus secrètes sciences et muni encore de son précieux livre, a revêtu son manteau magique et convoqué Ariel qui a réglé la tempête selon ses prescriptions [22] afin d'éprouver ses ennemis. De même on redoute en Protée « le vieux naufrageur » qui s'élance sur la mer en folie et que voient le dernier à la crête de la vague les pauvres diables qui vont au fond (326) : ce collectionneur d'épaves a mis à mal le vaisseau de Ménélas pour adjoindre à l'ornementation de ses rocailles la belle Hélène...

On ne doit pourtant pas pousser la comparaison trop loin. En dépit du jugement sévère que la critique shakespearienne a pu porter parfois sur Prospéro, duc oublieux de ses devoirs [23], maître autoritaire [24], éducateur incapable d'amener Caliban au bien [25], on ne saurait sérieusement contester l'humanité du personnage qui domine admirablement ses rancunes et dont un jeu subtil d'*a parte* dévoile la tendresse paternelle. Protée tend, au contraire, vers Caliban : Claudel n'en a-t-il pas fait « un homme-poisson », « poisson jusqu'à la ceinture » (318), se souvenant du fils de Sycorax qui, selon Trinculo, « n'est qu'à moitié monstre et poisson par l'autre moitié » [26] ? Shakespeare, en créant son « veau lunaire » (« moon-calf »), Claudel, avec son « vieux phoque », s'inspirent assurément du même « bestiaire spirituel », où tant d'êtres vivants sont installés dans le rôle de *Villains*, comme on dit en anglais, fournissant d'emblée « à toutes nos passions, à tous nos vices [...], ces ennemis dont parlent si souvent les Psaumes, insidieux ou découverts, une personnification, un masque, appropriés » [27]. Comme le Créateur qui a modelé ces monstres en s'amusant, Shakespeare, puis Claudel, inventent *ad illudendum* (*Pr* 995 n.) ces monstres de théâtre. La Genèse et la genèse de l'œuvre dramatique mêlent de la même façon l'humour et la gravité.

Le traitement du thème bachique dans les deux ouvrages indique toutefois une tonalité différente. Stéphano, le sommelier ivrogne d'Alonso, a réussi à sauver du naufrage un tonneau de vin des Îles que les marins avaient balancé par dessus bord [28] ; il l'a mis à l'abri dans un rocher du rivage, et, ayant confectionné une bouteille avec de l'écorce d'arbre, il se console de l'adversité avec la divine liqueur

---

21. *Ibid.*, I, 2, 243, *loc. cit.*, et *Th* II, 327.

22. *Ibid.*, I, 2, 194, p. 3.

23. Selon D.A. TRAVERSI, *The Age of Shakespeare*, London, Penguin Books, 1955, pp. 274-275.

24. Selon V. CLIFFORD LEECH, *Shakespeare's Tragedies and Other Studies in Seventeenth Century Drama*, London, Chatto and Windus, 1950, pp. 137-158.

25. Selon H. FLUCHÈRE, éd. de la Pléiade, II, pp. CCXXV-CCXXVI.

26. III, 2, 34, p. 13 : « being but half a fish and half a monster ».

27. « Quelques planches du bestiaire spirituel », texte paru pour la première fois dans *Le Figaro littéraire* du 9 octobre 1948, *Pr*, 994.

28. *The Tempest*, II, 2, 130-132, p. 11.

qu'il partage en frère avec le bouffon Trinculo et dont il apporte à Caliban la révélation : la bouteille devient la Bible [29] du trio d'ivrognes qui, trouvant du courage dans l'ivresse, entreprend une expédition contre Prospéro. Caliban révèle à ses compagnons le moyen d'en venir à bout : il faut d'abord faire main basse sur ses livres de magie, puis le décerveler, lui marteler le crâne ou l'éventrer à l'aide d'un pieu [30]. Heureusement, Ariel veille, les égare dans un marais dont la vase engloutit les bouteilles, lance à leur poursuite une meute de limiers et les amène tout contrits devant Prospéro [31]. Ils apparaissent alors brusquement comme la réplique exacte des autres conspirateurs, Alonso et Antonio, qui ont jadis tramé l'exil du duc légitime, Antonio et Sébastien qui, n'eût été Ariel, auraient volontiers assassiné tout à l'heure le roi de Naples. Et si tous recouvrent finalement leur liberté, c'est dans cette réconciliation générale et probablement sans illusion sur laquelle s'achève la pièce.

Dans *Protée*, Brindosier mène la cohorte bachique. Elle a l'espoir de déterrer pour les Satyres, compagnons du dieu du vin, aujourd'hui capturé par le seigneur... de l'eau, « ce pot » qu'elle a « enfoui jadis entre les pieds du dieu Chronos, empli d'un pur nectar qui est aussi brun que la giroflée » (*Th* II, 313). Abusant à la fois Protée et Ménélas, elle emmène le troupeau vers la liberté, sur une mer qui se confond avec un rêve d'ivresse, la « mer vineuse » des Grecs, au sens propre, la « mer aux entrailles de raisin » (*OP*, 236), déjà célébrée dans la deuxième Ode.

> Le Satyre-Major. — Rentrez les rames !
> Où allons-nous, les enfants ?
> Un satyre. — En France !
> Un autre. — A Bordeaux !
> Le Satyre-Major. — En Bourgogne ! Une fois que nous nous serons débarrassés de cet imbécile.
> Entendez le vent qui ronfle dans la toile ! C'est Bacchus lui-même qui nous reprend et nous fait signe !
> Chœur des Satyres. — En Bourgogne ! En Bourgogne ! Vive le vin Bourguignon !
> Le Satyre-Major. — Allons planter le vin de Beaune !
> Ménélas. — Barre à bâbord, deux points !
> Le Satyre-Major. — Barre à bâbord, deux points !
> Un satyre. — Je ne m'arrête pas avant Chalon [32] !
> Un autre. — J'ai soif à mettre la mer à sec !
> Le Satyre-Major. — Quel est le vin le meilleur, les enfants ?
> Le Chœur. — C'est celui de la Côte qui est entre Beaune et Dijon !
> (*Th* II, 355)

La pièce s'achève sur le triomphe de la joie débridée.

Il serait facile alors d'opposer le puritanisme de Prospéro [33] — ou de Shakespeare — et l'exultation claudélienne, acceptation « ca-

---

29. Stephano. — Here, kiss the Book (*gives Trinculo drink*).
(*Ibid.*, *loc. cit.*, II, 2, 139)
30. *Ibid.*, III, 2, 98-108, p. 14.
31. *Ibid.*, IV, 1, 194-257, p. 18.
32. Le texte de la Pléiade est « Châlons ». La correction m'a été suggérée par M. le Recteur Guyard. Claudel a pu confondre, pour l'orthographe du moins, « Châlons-sur-Marne » et « Chalon-sur-Saône ».
33. V. Clifford Leech, *op. cit.*, *loc. cit.*

tholique» de tous les aspects de la Création. Ce serait probablement trahir la pensée de Claudel qui retrouve en Shakespeare le rire des Olympiens. La «drôlerie» n'implique pas l'oubli des drames les plus sombres, au contraire. La «sympathie humoristique» n'est qu'un «éclairage latéral» qui nous indique la présence d'«une intention amicale dans tous ces terribles jeux d'épée ou de conflits qui se produisent» (*MI*, 319). *Protée* ne retient que cet éclairage ; mais il ne faut pas le comprendre à contresens en l'isolant. Correctif, dans la tétralogie, des tragédies qui l'ont précédé, il est aussi l'échappatoire des conflits intérieurs. Le tragique doit être surmonté. Le message de la farce n'est donc pas si éloigné de l'épilogue de *La Tempête*.

Faut-il alors s'étonner que Claudel fasse apparaître, comme Shakespeare, Iris, la messagère de la réconciliation ? Intermède traditionnel sans doute, destiné, comme dans *La Tragédie de la fiancée* de Beaumont et Fletcher, à accompagner une fête nuptiale, la scène suscitée par Prospéro [34] jette pourtant sur *La Tempête* un éclat décisif : il ne s'agit pas seulement de préserver, en domptant les ardeurs de Vénus, le bonheur de Ferdinand et de Miranda, mais de célébrer une action de grâces et un hymne de confiance en la nature. Prospéro sait bien que ses sortilèges, quelque puissance qu'ils lui confèrent, le retiendraient dans la solitude : il les rompt pour rentrer dans l'humanité où la joie s'achète au prix de la peine. Et quand Iris, «toute garnie de plaques d'or et de clochettes», surgit au ciel de Naxos dans un coup de tonnerre (*Th* II, 353-354) et enlève l'île qui monte vers le ciel, elle «ouvre» à nouveau «le vaste monde» (312) et oblige Protée lui-même à s'abîmer dans la liberté de la mer.

Une prison s'élève ; des masques se soulèvent. Claudel joue dans *Protée*, comme naguère dans *L'Endormie*, avec le jeu des illusions auquel se plaisait Obéron [35]. Ménélas prend Brindosier, la fille de la Chèvre, pour la véritable Hélène, et les Satyres cornus pour de «belles nymphes aux bras blancs» (352). Il n'est pas jusqu'au Satyre-Major qui ne l'attire maintenant avec cette «longue boucle blonde» qui «fait bien le long de la délicieuse amande d'un jeune visage» et ce «teint éclatant, aussi pur qu'une fleur de bégonia» (335). Il n'en faut pas moins pour le prendre à son propre piège et juger la valeur de ses promesses (353). La mystification tourne, là encore, à la démystification.

Car la première version de *Protée*, ce «poème d'été» [36], est bien aussi le «songe d'une nuit d'été». Il suffit, pour s'en convaincre, de se reporter au prélude de l'acte II, où le Satyre-Major, accom-

34. *The Tempest*, IV, 1, 124-164, p. 17.
35. Cf. *supra*, pp. 24-27.
36. En 1914, *Protée* a été publié avec *La Cantate à trois voix* sous le titre *Deux poèmes d'été*.

pagné par l'orchestre qui joue une bacchanale nocturne *pianissimo*, célèbre lui aussi « cette heure qui est entre le printemps et l'été ».

La nuit est aux dieux.
N'est-ce pas ? Elle est trop belle ! c'est trop beau, ce milieu de l'année !
C'est pour cela que Bacchus est venu,
Afin de délivrer les campagnes et les déserts et les énormes replis de la terre tout remplis de forêts,
De cette marche en triomphe et de ce pas irrésistible au milieu des cris de désespoir, imposant le délice et la terreur !
Malheur à celui qui sur les feuilles mouillées à minuit
Verra le reflet du dieu blanc, pareil à un soleil de lait !
Malheur au cerf qui parmi ses biches inquiètes exhaussant sa tête arborescente,
Regarde l'étrange armée cependant qu'elle passe le gué montagnard en tumulte parmi les pierres roulantes,
Et le dieu déjà n'est plus là et le précède, et l'on ne voit qu'un gros homme ivre sur son âne !   (*Th* II, 334)

L'île de Protée s'emplit alors de musique, pour un instant, comme celle de Prospéro : paradoxalement, le meilleur interprète de ce miracle est Caliban dans *La Tempête* [37] et ici cet « être biscornu », cet « homme avec un cul de bouc » (314). Car, comme au cours de cette autre nuit tout emplie par la clarté de la nuit qu'évoquait la quatrième Ode, la capricieuse Grâce poétique a élu ce « lourd compère » (*OP*, 272).

Que de chemin parcouru depuis *L'Endormie* ! A la méfiance de l'anti-Claudel vis-à-vis du Claudel-poète succèdent maintenant l'acceptation amusée, mais enthousiaste, du génie créateur à la fois gras et suave, profond et bouffon, et la joie d'une parenté depuis longtemps vaguement pressentie avec Shakespeare.

Une farce triste : « L'Ours et la Lune »

Dans *L'Ours et la Lune* (1917) Claudel, inspiré par sa « très vieille compagne » [38], retrouve le monde enchanté du lyrisme et de la féerie. Mais la dérision volontaire de *L'Endormie*, la fantaisie débridée de *Protée*, font place à un rêve plus ému.

La charmante idée initiale, l'union du soldat en captivité « à ce rayon [de lune] qui regarde [s]es enfants » (*Th* II, 599) vient probablement de *La Tempête*. Antonio, évoquant l'éloignement de Claribel, la princesse mariée à Tunis, jugeait qu'elle ne saurait

---

37. CALIBAN. — Be not afeard : the isle is full of noises,
Sounds and sweet airs, that give delight, and hurt not.
Sometimes a thousand twangling instruments
Will hum about mine ears ; and sometimes voices,
That, if I then had wak'd after long sleep,
Will make me sleep again : and then, in dreaming,
The clouds methought would open and show riches
Ready to drop upon me ; that, when I wak'd
I cried to dream again.   (III, 2, 147-155, p. 14)

38. J. MADAULE, *Le Drame de Paul Claudel*, p. 392.

avoir de nouvelles de Naples « à moins de prendre pour courrier le soleil, l'homme de la lune serait trop lent » [39]. Lent ? il ne l'est pas ici, mais permet de franchir allègrement les distances : le prisonnier passe du camp qui le retient dans le nord de l'Allemagne au Jura où s'élève le château d'Hostiaz ; le poète, du Brésil où, loin des siens, il s'ennuie beaucoup, au château d'Hostel, en Bugey, la propriété familiale des Sainte-Marie Perrin [40]. Cette nuit, l'exilé ne fait plus qu'« un seul regard » avec ceux qui lui sont chers (599). Ainsi le veut la Lune, cette « Reine des Songes » compatissante (597). Elle veille sur les amours humaines (596), comme celle qui devait éclairer les noces solennelles d'Hippolyte et de Thésée [41], et protéger la fuite de Lysandre et d'Hermia [42].

Seule, elle a la clef de cette « parade nocturne » (599). Dès qu'a retenti le tambour du pays des rêves, elle suscite le jeu des marionnettes. Quêtant son influence bénéfique, la troupe des comédiens athéniens venait répéter au clair de lune [43]. En toute simplicité, elle prend plaisir à se mêler à eux, sous la forme d'une lanterne tenue par un homme dans la « farce très tragique » de Pyrame et Thisbé [44] et sous l'aspect d'une vieille dame « assez pareille aux images de la reine Victoria » dans la « farce lyrique » de Claudel (602).

« L'homme-dans-la-lune », qui se contentait de la porter [45], est devenu le premier en date des régisseurs claudéliens :

LE CHŒUR. — Je suis le Chœur. C'est moi qui suis chargé d'escorter cette pièce intéressante et de veiller à ce qu'elle aille jusqu'au bout, et de donner un petit coup de main de temps en temps,
Comme un pauvre homme qui suit à pied son bien que des déménageurs suspects traînent pour lui dans une charrette à bras.
L'OURS. — C'est vous, l'Homme-dans-la-Lune ?
LE CHŒUR. — C'est moi. L'homme dans la lune comme on dit de quelqu'un qu'il est dans la quincaillerie ou dans les suifs. Triste association !
L'OURS. — Et quel est ce yatagan ?
LE CHŒUR. — Cela s'appelle l'Isolateur. Dans la pièce qu'on joue, quand un acteur a besoin de ne pas entendre ce qui ne le regarde pas, vite il faut le faire sortir, et des fois, dame, ça ne va pas tout

39. Trad. cit., II, 1495 ; *The Tempest*, II, 1, 255-257, p. 9 :
[...] she that from Naples
Can have no note, unless the sun were post —
The man i' th' moon's too slow [...].
40. Sur ce château et le « pays de joie » qui l'entoure, voir L. CHAIGNE, *Vie de Paul Claudel et Genèse de son œuvre*, pp. 108-109. Artemare, au nord-ouest du château d'Hostel [dont le nom est évidemment transposé dans Hostiaz], est le lieu de la scène 3 de *L'Ours et la Lune*.
41. *A Midsummer-Night's Dream*, I, 1, 9-11, p. 171.
42. *Ibid.*, *loc. cit.*, 208-213, p. 173.
43. I, 2, 105-106, p. 175.
44. V, 1, 137-138, p. 188.
PROLOGUE. — This man, with lanthorn, dog, and bush of thorn.
Presenteth Moonshine [...].
45. V, 1, 250-254, pp. 189-190 :
MOONSHINE. — This lanthorn doth the horned moon present ;
Myself the man i' the moon do seem to be.
THESEUS. — This is the greatest error of all the rest. The man should be put into the lanthorn : how is it else the man i' the moon ?

seul. Moi, j'interviens avec mon instrument magique et je le réduis aussitôt à une espèce de néant conventionnel. C'est bien commode.

(606)

Il suffit qu'il manie cet isolateur pour que la lune s'éteigne ou se rallume et pour qu'il puisse la louer ou se moquer d'elle. Elle prête à rire en effet. Comme s'il assimilait dans *Le Songe* Titania et Phœbé, Claudel engage la bonne dame la Lune dans une mésaventure analogue aux amours asines de la reine des fées. Elle s'est éprise d'un homme, un petit aviateur qui a perdu ses deux pieds dans un accident de guerre. L'action a dérouté la critique quand la Compagnie Serge Ligier joua la pièce en 1950. Même Gabriel Marcel, pourtant favorable dans l'ensemble, jugeait que « transporté au plan du discours, tout cela dégénère en une assez pesante ineptie »[46]. Il faut retrouver la source shakespearienne pour que cette « ineptie » prenne un sens.

Comme dans *Le Songe d'une nuit d'été*, la farce part de la condition tragique des « vrais amants » toujours « traversés en vertu d'un édit de la destinée »[47]. La volonté d'Egée, la rigueur de la loi athénienne maintenue par Thésée, l'obstination de Démétrius viennent contrarier une répartition trop facile. Héléna aime Démétrius, mais Démétrius aime Hermia, mais Hermia aime Lysandre, mais le père d'Egée s'oppose à leur union... On reconnaît la situation-type de la tragédie racinienne, d'*Andromaque* en particulier, qui a toujours beaucoup touché Claudel en raison du drame de ses années méridiennes[48].

Elle marque aussi cette pièce apparemment innocente : la Lune aime l'Aviateur, mais l'Aviateur aime Rhodô, laquelle est fidèle aux mânes de Jean, qui épousa une autre jeune fille et qui a été tué à la guerre[49]. Les réactions passionnelles sont elles-mêmes nettement suggérées : l'Aviateur éprouve de la colère à l'égard de Rhodô et la considère comme une « enragée » (620) ; néanmoins il suffit qu'elle lui donne un bouquet quand, à la sortie de l'usine, il le rencontre dans sa petite voiture d'infirme pour qu'il devienne « tout rouge » (626) ; elle-même a envoyé une lettre anonyme quand Jean s'est fiancé à la sœur de l'Aviateur (620, 626), mais se dévoue maintenant à élever ses enfants.

Ces navrantes erreurs du cœur humain, Obéron entreprenait de les corriger avec l'aide de Puck. Le zèle maladroit du lutin ne parvient tout d'abord qu'à un renversement bouffon, mais plus douloureux encore, de la situation initiale : Héléna est deux fois

46. Article paru dans *Les Nouvelles littéraires* du 7 juillet 1950 ; repris dans *Regards sur le théâtre de Claudel*, p. 150.
47. *A Midsummer-Night's Dream*, I, 1, 132-151, p. 172.
48. Dans une lettre adressée à Claudel le 20 août 1954 J.-L. Barrault rappelle au poète les « merveilleux propos » qu'il lui a naguère tenus sur Racine, « sur ses personnages féminins amoureux d'hommes qui ne les aiment pas, etc. » (inédit, arch. Paul Claudel) ; et cf. *Conversation sur Jean Racine*.
49. Il est donc absolument impossible, comme l'envisage un instant G. MARCEL, que « l'aviateur amputé » soit « le fils du prisonnier » (*op. cit.*, p. 150). Le texte de Claudel est tout à fait clair sur ce point : l'aviateur est le beau-frère de Jean.

courtisée, comme naguère Hermia qui se trouve maintenant abandonnée et dont la jalousie éclate en cris violents (III, 2). Il faut que les jeunes gens tombent tous les quatre endormis et qu'un nouveau sortilège entre en jeu pour que les couples s'unissent enfin harmonieusement. Ce bonheur implique la dérision de la tragédie : les aventures précédentes paraissent à Démétrius « minimes et imperceptibles comme les montagnes lointaines qui se confondent avec les nuages » [50] ; la représentation burlesque de Pyrame et Thisbé conjure le spectre de la mort ; et le roman de Bottom fera l'objet d'une ballade... composée par Pierre Lecoing. L'imagination, commune aux amoureux, aux fous et aux poètes [51] n'est qu'une mystification, comme la Lune elle-même, et tout rentre dans l'ordre de la simplicité reconquise et de la joie.

L'Ours et la Lune conduit à la sérénité, mais elle se fonde sur la reconnaissance du bonheur impossible. L'Aviateur devrait accepter, comme « condition sine qua non » à son « hymen » avec la Lune « une éternelle absence » : ne jamais l'entendre, ne jamais la voir (618). Le Chœur mire l'âme de Rhodô dans un rayon de lune (comme les ménagères le font pour les œufs) et y découvre « l'Amour pur, la fidélité chevaleresque et sans demande d'aucun retour, à la vie à la mort, au-delà de la vie et de la mort » (624), cet amour éternellement juré à Jean et qu'elle ne saurait donner à un autre, ni à l'Ours séducteur, ni à l'Aviateur pitoyable. Le bonheur se trouve alors démystifié, qu'on le fonde sur l'argent (l'Ours se trouve soulagé une fois qu'on lui a arraché son diamant), sur l'amour terrestre ou sur une quelconque des sources dont on le fait communément découler. Et si la Lune a elle-même éveillé des imaginations, elles se dissolvent dans la lumière du Soleil Levant.

Nécessaire privation et nécessaire absence : le Chœur joue dans toute sa grandeur et dans toute sa signification son rôle d'isolateur. Rhodô séparée de Jean, l'Aviateur séparé de sa fiancée, l'Ours séparé de son diamant, le prisonnier séparé de la France, la France séparée de ses enfants, tout cela constitue autant d'étoiles au ciel. Car comment accepter, après des rêves d'absolu, de retomber dans des bonheurs reprisés, raccommodés :

> Est-ce que c'est encore à nous, ce que nous avons donné, pour que nous ayons envie de le reprendre ? Est-ce que nous allons nous refaire un petit bonheur d'infirmes ? nous réhabituer à vivre pesamment pour nous-mêmes, comme des civils ?   (627)

Nous n'aurons pas de satisfaction jusqu'à ce que « cette parcelle de lumière éternelle en nous qui ne nous laisse pas de repos [...] se soit débarrassée de ce corps aveugle », jusqu'à ce que nous sentions ce goût du Ciel que le prisonnier découvrira à son réveil...

La lettre de Claudel à Frizeau (CJF, 292) du 10 mai 1917 confirme cette interprétation. Au milieu de la nature brésilienne dont la bouf-

---

50. A Midsummer-Night's Dream, IV, 1, 193-194, p. 186 :
   These things seem small and undistinguishable,
   Like far-off mountains turned into clouds.
51. Ibid., V, 1, 4-17, p. 187.

fonnerie débridée imite l'exubérance, et de tractations diplomatico-financières pittoresques, dont les spéculations de l'Ours présentent le reflet caricatural [52], le poète a retrouvé « l'ennui salutaire » et l'assurance que « la seule chose nécessaire dans la vie est de n'être pas heureux ». Dans la farce pour marionnettes, « absolument fantaisiste et excentrique », qu'il compose, « il y a pas mal de poésie et même de tristesse ». Au moment où la guerre qui fait rage là-bas multiplie les séparations cruelles, il reste seul, loin des siens, loin d'un amour perdu mais toujours vivace. Il refuse obtinément les bonheurs de remplacement, les « bonheurs d'infirmes ».

Sans doute la Lune a-t-elle permis au monde nocturne et au poète de s'abandonner « aux inspirations de la poésie et de la farce », de « rêver ». Mais en réalité, les fantasmagories de sa « lanterne magique » veulent « montrer la Vie » (600-601). Au lieu de s'amuser à égarer les mortels pour leur révéler à la fin que toutes ces difficultés n'étaient qu'un songe, sa lumière radiographie la situation personnelle du poète, la situation historique, et l'âme humaine, pour montrer, partout, la même coupure. Le yatagan de l'Isolateur en apparaît alors comme l'instrument symbolique.

Claudel a donc volontairement repris certains détails de la représentation de Pyrame et Thisbé — la lanterne, l'homme dans la Lune — et il est parti d'une réalisation artisanale, d'une « farce pour marionnettes » pour délivrer son message. Mais la bouffonnnerie, dans *Le Songe d'une nuit d'été*, conjurait le tragique à la faveur d'une double dérision et d'une réconciliation finale obtenue par l'absurde ; dans *L'Ours et la Lune*, elle sert, paradoxalement, à l'exprimer ; et s'il se trouve finalement conjuré (et encore, l'est-il tout à fait ?), c'est en vertu d'une affirmation du sacrifice nécessaire. La farce ne risque guère d'amuser les enfants, comme le remarque l'Ours, bâillant (609)...

---

52. Celles du Brazil Railway où la France a englouti des milliards ; de même l'Ours a dilapidé l'argent du prisonnier « sur un vieux bout de chemin de fer Decauville exploité par un âne borgne qui traversait un champ de cannes à sucre dans le Guatemala » (610).

III. L'HISTOIRE

Dans les œuvres « satyriques », Shakespeare aidait Claudel à retrouver un Eschyle perdu. Or le traducteur des *Choéphores* a composé, parallèlement, *Le Pain dur* (*CC* III, 43-44) ; *Le Père humilié* est, par sa date de rédaction, inséparable des *Euménides* (*CC* III, 46-48). La trilogie d'Oreste s'achève en même temps que la « trilogie » des Coûfontaine. Le double parrainage des débuts littéraires reparaît au moment de cette « nouvelle naissance » du théâtre claudélien. Car, en s'essayant au genre du drame historique, le poète reprenait la tradition des *histories* qui avait, vingt ans plus tôt, marqué l'intemporel *Tête d'Or*.

Le sens de l'Histoire

Un passage des *Mémoires improvisés* fonde la comparaison. Les drames des Coûfontaine, « mélangés à l'Histoire », ont, déclare Claudel, « un sens historique » (*MI*, 279) dans la mesure où ils éclairent, en le suivant, le sens de l'Histoire ; et il ajoute :

> [...] [en Europe], dans les pays chrétiens [...], il y a ce qu'on appelle un sens, à la fois dans le sens d'une phrase ou d'une expression et dans le sens d'un fleuve. La civilisation chrétienne vient de quelque part et va ailleurs. C'est là l'origine de son côté dramatique ; l'Histoire a un sens, et le rôle du dramaturge — Shakespeare, par exemple — est de déterminer ce sens et de montrer d'où elle vient et où elle va.   (*MI*, 298)

Henri Gouhier, dans un article sur la « trilogie », a esquissé le rapprochement auquel Claudel invitait ses commentateurs (*RLM*, IV, 31-42). Dans les pages qui suivent, j'essaierai de le préciser.

Le terme de « trilogie » est quelque peu trompeur. En effet, la série des Coûfontaine devait se présenter comme une « tétralogie ». Non que Claudel se proposât d'unir, à la manière antique, les trois tragédies d'une même famille et un drame satyrique : il pensait plutôt regrouper, comme l'avait fait Shakespeare à deux reprises, quatre drames historiques. On aurait, à la fin, vu le crépuscule des hommes tomber sur « une Pensée très âgée, disons âgée de soixante-dix ans, qui aurait eu un rôle [...] de Pythie, [...], qui aurait réuni en elle l'explication de toutes ces agitations passées, en même temps qu'une ouverture sur l'avenir »[1]. Mais le cycle est resté inachevé. Claudel en a toujours éprouvé quelque chagrin, regrettant que « l'appétit du monsieur intérieur » chargé de la réalisation artistique n'ait pas été excité par l'idée de cette « pièce de consommation » qui aurait constitué la « conclusion » donnée à « ces conflits

---

1. Claudel a réfléchi à ce projet d'un quatrième drame en août 1928 à Brangues (*J* VI, 65) et surtout au cours d'une nuit d'insomnie à la Guadeloupe en octobre 1928 (*J* VI, 72).

étendus dont les trois premières pièces sont l'expression et le théâtre » (*MI*, 285-286).

Pensée atteignait sa soixante-dixième année aux alentours de 1920 : la série des drames historiques conduisait au temps présent. Ainsi le drame historique claudélien est-il doublement inséré dans l'histoire : son sujet le rattache à un passé qu'il fait revivre, mais il est traité en fonction d'un présent qu'il est chargé d'éclairer et dont il reste inséparable. Son contenu historique est fonction de son historicité. Shakespeare mettait en scène la déposition de Richard II par Bolingbroke parce qu'il était, comme tous ses contemporains, préoccupé par les ambitions des ennemis de la reine Elizabeth [2] : et l'histoire sembla lui donner raison, puisque les partisans du Comte d'Essex tentèrent d'utiliser une représentation de la pièce [3] au Théâtre du Globe pour créer une émeute le 7 février 1601. De même Claudel choisit, dans les quelque cent trente années qui viennent de s'écouler, la « figure » des événements qu'il vit.

En février 1908, le mois même où il jette dans son *Journal* le premier plan de *L'Otage* et une liste provisoire des personnages (*J*, II, 3-5), il écrit à Gide :

> Comparez la situation d'un catholique, dans ces heureux jours que nous vivons, à qui tous les journaux, tous les livres, toutes les revues qu'il reçoit de France n'apportent par paquets et par tombereaux rien que des injures, des moqueries, des attaques de toute espèce et de toutes mains contre les seules choses qu'il vénère au monde, des nouvelles de ruines, de persécutions et d'apostasies. Qui attaque l'Eglise, pour moi, c'est comme s'il frappait mon père et ma mère. [...]   (*CG*, 82)

En effet, la politique du gouvernement se fait alors nettement anticléricale. Claudel refuse en 1909 l'offre d'une représentation de *La Jeune fille Violaine* parce que ses opinions religieuses indisposent déjà suffisamment le Ministère où il ne peut compter que sur l'appui de Philippe Berthelot (*CG*, 99). La même raison l'oblige à signer *L'Otage* de ses seules initiales dans les livraisons de *La Nouvelle Revue Française* en 1910 (*CG*, 153). La discussion sur les Ecoles à la Chambre, en janvier 1910, lui fait l'effet d'« un débordement d'ineptie » dont le Ciel se venge en faisant déborder à son tour la Seine et en inondant les caves du *Journal Officiel* (*CJF*, 171). Faut-il s'étonner qu'il ait, en de telles circonstances, écrit une œuvre dont le « caractère réactionnaire et antirépublicain » est « affreusement clair » (*CG*, 121, 153), qu'il lui ait confié ses sentiments intimes comme « le barbier du Roi Midas qui, après avoir répété pendant vingt ans à l'oreille de la terre que son maître a des oreilles d'âne, s'aperç[ut] que les roseaux commenç[aient] à pous-

---

2. Sur ce point, voir Lily B. CAMPBELL, *Shakespeare's « Histories »* — *Mirrors of Elizabethan Policy*, San Marino (California), Huntington Library Publications, 1947, pp. 192-212.

3. Ce fait est d'ailleurs très controversé : il n'est pas sûr que ce *Richard II* soit celui de Shakespeare. On trouvera une discussion de la thèse de Miss Campbell dans l'introduction d'H. Fluchère aux Drames historiques, éd. de la Pléiade, tome I, pp. CXLVII-VIII.

ser » (*CG*, 121) ? La violence faite au Pape par Napoléon est en correspondance avec la violence faite à l'Eglise par la IIIe République. *Le Pain dur* révèle le même phénomène, mais se déroule dans une tonalité différente. « Les thèmes historiques » de cette pièce « ne sont [...] étrangers ni à l'époque ni aux pays où vit alors Claudel, ni à ses propres réactions en face de problèmes qui ne sont pas ceux du XIXe siècle » [4]. Il s'est exprimé sur ce sujet d'une manière si explicite qu'il ne faut plus douter de la fécondation nécessaire par la guerre d'un sujet qui ne serait peut-être sans elle resté qu'un projet. Le 12 mars 1949, il précisait en effet dans *Le Monde* :

> La partie, à peu près contemporaine du drame de Sarajevo, [...]
> se jouait alors en même temps que sur la scène du monde dans le
> cœur d'un poète. [...]   (*Th* II, 1444-1445)

L'expression dont use Claudel pour qualifier l'envahisseur allemand, dans une lettre à Darius Milhaud du 30 octobre 1914, « la férocité de la vermine » (*CC* III, 45) pourrait aussi bien s'appliquer aux personnages du drame qu'il vient d'achever six jours avant [5].

Le cas du *Père humilié* est plus net encore. Il faut cette fois que Claudel aille sur les lieux mêmes, à Rome, qu'il voie le Vatican, la Sixtine et Saint-Pierre pour que « la figure de [s]on drame se précise » (*J* III, 120). Le sujet historique qu'il traite, la lutte des Italiens pour arracher au Pape son pouvoir temporel reste un « point [...] sensible » à l'époque où il écrit (*CJF*, 284). Et, à la fin du drame, il a évoqué la première guerre franco-allemande de 1870 dans « la pensée constante de cette épreuve française dont Verdun et la Somme à ce moment marquaient le point crucial » (*Th* II, 1454).

Mais ce présent est aussi un point d'aboutissement. La série des « histories » shakespeariennes conduisait à l'établissement de la dynastie régnante, celle des Tudors, et l'évocation des désordres passés supposait l'apologie de l'ordre présent. Shakespeare brossait, pour l'homme de son temps, le tableau du passé dont il était issu. Claudel, en choisissant la période dite de « l'histoire moderne », arrive aussi jusqu'à cet individu, son contemporain. En ce sens on peut dire, avec Henri Gouhier, que « la Trilogie claudélienne est une fresque historique qui représente ou plutôt devrait représenter pour les Français ce que les " histories " de Shakespeare sont dans la littérature nationale des Anglais » (*RLM*, IV, 36).

A l'origine, un grand bouleversement imprime son sens à toute la période envisagée : la mort d'un Roi. Exton assassine Richard II ; une chiquenaude suffit à faire rouler « la tête » de « ce gros Louis XVI » (*Th* II, 259) : le sang du roi a souillé la propre terre du roi [6]. Reste en scène l'Usurpateur, Bolingbroke ou Napoléon.

---

4. J.-P. KEMPF et J. PETIT, *Etudes sur la « Trilogie » de Claudel* II. *Le Pain dur*, p. 7.
5. Date du manuscrit : 24 octobre 1914.
6. *Richard II*, V, 5, 110-111 ; p. 408 :
   [...] Exton, thy fierce hand
   Hath with the King's blood stain'd the king's own land.

Alors le mal, le désordre, envahissent la scène ; la société et les consciences se trouvent disloquées. Les guerres contre l'étranger s'achèvent dans la débâcle. Malgré l'héroïsme de lord Talbot, les Anglais essuient en France une défaite ignominieuse [7] ; l'ennemi héréditaire prête main-forte aux Gallois révoltés contre Henry IV [8]. Les Allemands et les Russes, « ces Nicodèmes du Nord » (*Th* II, 282), envahissent la France dans *L'Otage* et les « Alboches » (*Th* II, 564) reviennent dans *Le Père humilié*. Pire encore, le fléau de la guerre civile obsède l'imagination de Shakespeare quand il choisit les périodes confuses de la Guerre des Deux Roses (première tétralogie) ou de la rébellion des Northumberland (seconde tétralogie). Claudel, lecteur de Joseph de Maistre, exprime « l'horreur que [lui] inspirent les idées de la Révolution » [9] et la période de la Terreur. Sous une autre forme, les conflits d'intérêts, le libre jeu des instincts déchaînés font rage dans *Le Pain dur* : là encore les « barrières » ont été « rompues » (*Th* II, 1443), le Roi fait plus que jamais figure de « Turelure couronné » (*Th* II, 284) et les sujets ne songent qu'à « se dévorer réciproquement » (*Th* II, 1444).

Le crime initial prend même la gravité d'un sacrilège. En s'attaquant au roi, on s'attaque à Dieu : sur cet élément essentiel du « mythe Tudor » repose la philosophie historique de Shakespeare. « Est-ce que nos sujets se révoltent ? s'écrie Richard II, nous n'y pouvons rien : ils violent leur foi envers Dieu comme envers nous » [10]. Pour Georges de Coûfontaine aussi, « le Roi » est l'« image de Dieu à qui seul obéissance est donnée à Lui seul due (*Th*, 248). Le régicide entraîne la persécution de l'Eglise. Turelure le sans-culotte fait exécuter gaillardement les religieux de l'abbaye, Napoléon essaie d'enlever le Pape, et Louis-Napoléon (Turelure ou non), après avoir vendu le Christ de bronze pour quatre francs (*Th* II, 487), s'unit secrètement, une fois devenu ambassadeur de France à Rome, avec tous les « persécuteurs » du « Père humilié » (*Th* II, 530).

Mais il faut avancer avec prudence dans l'analyse. Georges de Coûfontaine, le porte-parole de l'Ancien Régime, ne croit pas en Dieu (*Th* II, 236). En comptant sur le Pape pour restaurer la monarchie de droit divin, il le ravale au rang d'un instrument et commet l'erreur même des violents qui profanent le sacré. On ne doit pas considérer *L'Otage* comme une simple apologie de l'ordre ancien. Claudel, qui craignait que des lecteurs malveillants ne l'interprétassent à contre-sens, a tenu à s'expliquer sur ce point. Il prévenait Gide, le 2 juin 1910 :

La plupart des lecteurs, superficiels et pressés, le prendront pour un livre réactionnaire, au sens le plus actuel et contemporain.

---

7. *Henri VI*, première partie.
8. *Henri IV*, première partie, acte V.
9. Lettre à Elisabeth Sainte-Marie Perrin citée dans J.P. KEMPF et J. PETIT, *Etudes sur la « Trilogie » de Claudel*. I. *L'Otage*, p. 7.
10. *Richard II*, III, 2, 100-101, p. 395 ; trad. cit., I, 571.
    Revolt our subjects ? [...]
    They break their faith to God as well as us.

> En réalité, j'ai voulu y donner un spectacle de forces contrariées dont aucune, pas même le Pape qui y joue le rôle principal, pas même Dieu, n'a le champ complètement à elle. (*CG*, 137)

et il précisait le 2 février 1914 pour Henriette Charasson : « Dans le fond, je donne tort à tous mes personnages (sauf au Pape) » [11].

« L'orgueil féodal » — qui repose sur « le sentiment qu'on est plus que Dieu », qu'on possède sur le pouvoir spirituel un « droit d'héritage » (*Th* II, 1417) — doit disparaître et il est bon qu'il disparaisse. D'une manière inattendue, Claudel se détourne de Joseph de Maistre et « cherche une autre vision de la révolution, chez Proudhon et chez Michelet » [12]. Le retour au passé n'est pas seulement contraire à sa nature ; il fait violence au mouvement que Dieu a imprimé à l'Histoire. La Révolution française présente sans doute un aspect « destructeur, sanguinaire, démoniaque », mais aussi un aspect « légitime » (*CS*, 159) : c'est « une révolution contre le hasard » (*ibid.*, et *Th* II, 258). Elle « n'est pas l'avenir contre le passé, mais un présent incertain ; elle est la fin d'un monde qui n'arrive pas à être le commencement d'un autre » [13]. Les opportunistes, Turelure ou son fils, essaient, par des ralliements successifs, de suivre le déroulement logique d'une évolution nécessaire.

Pourquoi nécessaire ? Claudel est revenu à diverses reprises sur ce point particulièrement difficile, soit à l'époque où il écrivait la « trilogie », soit plus tard pour l'expliquer [14]. De la comparaison des « vastes civilisations orientales inertes » (*CG*, 107) avec l'histoire plus mouvementée des pays d'Occident, il a tiré la conclusion que le « Christianisme » était le « ferment » qui lui donnait vie. Le désordre des Sociétés éveille l'inquiétude de l'Individu à l'égard de ce Dieu qu'elles essaient en vain de circonscrire et de tenir à distance.

Le retour à ce passé aboli n'a pas davantage place dans la pensée de Shakespeare. Richard II — qu'on a souvent comparé à Hamlet, et appelé le « roi-poète » ou le « roi-fou » — est aussi fragile que la tête de Louis XVI « qui ne tenait guère » (*Th* II, 259) et sa chute s'avère aussi nécessaire que celle du Bourbon. Ce souverain médiéval, « le représentant de Dieu, l'oint du Seigneur, sacré sous ses yeux mêmes » [15], est inadapté aux circonstances nouvelles dans lesquelles il se trouve placé. Son orgueil féodal lui inspire le plus profond mépris pour le peuple, qui n'est composé pour lui que d'esclaves [16]. Il est acculé à la banqueroute [17] et se voit contraint

11. Lettre publiée dans *Comœdia*, le 17 juin 1914 ; *Th* II, 1408.
12. J.-P. KEMPF et J. PETIT, *op. cit.*, *L'Otage*, p. 8.
13. H. GOUHIER, *art. cit. RLM* IV, 37.
14. Voir en particulier le texte écrit en 1921 pour Jacques Copeau en vue de la représentation (qui n'eut jamais lieu) de la « trilogie » au théâtre du Vieux-Colombier, *Th* II, 1414-1419 ; *CC* VI, 96-115.
15. *Richard II*, I, 2, 37-38, p. 383 ; trad. cit., I, 544 :
    [...] God's substitute
    His deputy anointed in his sight.
16. *Ibid.*, I, 4, 27, p. 387.
17. *Ibid.*, II, 1, 258, p. 390.

d'affermer les terres de son royaume comme un vulgaire fief. Il fait figure de survivant dans un pays qui n'est plus que le lit de mort où son pouvoir sacré se débat en une vaine agonie[18]. L'entreprise du banni Bolingbroke crée sans doute un état de désordre où « tout est bouleversé, [...] livré à la confusion »[19], mais, dans les yeux caves de la mort, Northumberland voit poindre la vie[20]. Le lieutenant de Dieu qui tout à l'heure appelait à l'aide les cohortes angéliques[21] retombe brusquement dans les servitudes de l'humanité commune :

> Couvrez vos têtes, et n'offrez pas à qui n'est que chair et sang l'hommage d'une vénération dérisoire ; jetez de côté le respect, la tradition, l'étiquette, et la déférence cérémonieuse ; car vous vous êtes mépris sur moi jusqu'ici. Comme vous, je vis de pain, je sens le besoin, j'éprouve la douleur, et j'ai besoin d'amis. Ainsi asservi, comment pouvez-vous me dire que je suis roi[22] ?

Bolingbroke, par son intelligence et par son énergie, met en marche un ordre nouveau après avoir abattu l'ordre ancien. Roi de tout un peuple, il ôte son chapeau même devant une marchande d'huîtres[23]. Bon jardinier, il sait arracher les mauvaises herbes, ces flatteurs qui ont causé la perte de Richard[24]. Juge clément, il n'envoie à la mort ni Aumerle ni le cardinal de Carlisle, parce qu'il veut maintenant jouer le rôle de réconciliateur[25].

La déposition de Richard II, acceptée par le roi déchu, et sa mort, souhaitée plus qu'explicitement ordonnée par Henry IV, apparaissent alors comme des faits inévitables. E.M.W. Tillyard voit à juste titre dans ce conflit le douloureux passage d'un monde à un autre et dans le calvaire de Richard le moment crucial imposé par l'implacable déroulement de l'Histoire[26].

Mais Shakespeare, comme Claudel, a compris que, s'il est impossible de rétablir l'ordre ancien, l'établissement de l'ordre nouveau ne peut se faire en un instant. Malgré sa bonne volonté, Henry IV voit sans cesse surgir autour de lui des armées rebelles, et se réa-

18. *Ibid.*, II, 1, 95-96, p. 388.
19. *Ibid.*, II, 2, 120-121, p. 391 ; trad. cit., p. 562 :
     [...] All is uneven,
     And every thing is left at six and seven.
L'image est celle du jeu de dés.
20. *Ibid.*, II, 1, 271-272, p. 390.
21. *Ibid.*, III, 2, 58-62, p. 395.
22. *Ibid.*, III, 2, 171-177, p. 396 ; trad. cit., I, 572.
     Cover your heads, and mock not flesh and blood
     With solemn reverence : throw away respect,
     Tradition, form, and ceremonious duty,
     For you have but mistook me all this while :
     I live with bread like you, feel want,
     Taste grief, need friends : subjected thus,
     How can you say to me I am a king ?
23. *Ibid.*, I, 4, 4, 31, p. 387.
24. *Ibid.*, III, 4, pp. 398-399.
25. *Ibid.*, V, 3 et 6.
26. E.M.W. Tillyard, *Shakespeare's History Plays*, éd. cit., pp. 244-263.

liser les prophéties de Richard ou de l'évêque de Carlisle. Il doit se débattre avec ses remords et s'empêtre dans le réseau de ses contradictions intérieures. Henry IV lui-même doit démasquer et punir des conspirateurs, guerroyer en terre étrangère : il est moins un roi idéal, comme on l'a dit, qu'un roi lucide qui lutte encore pour consacrer et maintenir une unité politique chèrement acquise. La première tétralogie [27] montre la recrudescence des difficultés jusqu'à l'avènement de Henry VII qui, par le mariage des deux roses, ramène le temps de la paix [28].

Avec l'éloge d'Elisabeth, à la fin de *Henry VIII* et au terme de la carrière de Shakespeare [29], la série des chroniques historiques s'achève sur l'âge de la réconciliation, sur le triomphe de l'ordre nouveau après deux siècles de luttes.

Le cycle des Coûfontaine, les « histories » de Shakespeare (qu'on prenne isolément chacune des deux tétralogies, ou qu'on envisage l'ensemble des dix pièces) ont donc bien le même sens : la rupture d'un ordre sclérosé, et, à travers le désordre, la quête d'un ordre nouveau. Les deux dramaturges, effrayés par la violence, n'en parviennent pas moins à en définir la nécessité et à en trouver la source dans les desseins de la Providence. Ce spectacle, ils ne nous le proposent pas sans une lutte intérieure. Shakespeare garde, comme Jean de Gand ou comme York, le regret qu'il ait fallu ébranler l'absolu de l'obéissance due à l'oint du Seigneur. Claudel surmonte son horreur de la canaille pour justifier la Terreur et les violences faites à l'Eglise ; il s'estime constamment « contraint par la logique du sujet » (*CC* III, 42). Il hésite, pris entre des affirmations contradictoires. C'est pourquoi chaque drame, pris isolément, peut paraître ambigu et égarer l'interprète.

Point de dessein *a priori* en effet. « Les trois drames [...] ne sont pas la réalisation d'un plan prééétabli » (*Th* II, 1455), avoue Claudel, et l'achèvement de chacun d'eux lui arrache un cri de surprise [30]. De la même façon, H. Fluchère voit dans les chroniques un « vaste champ d'expérience » [31], et plus particulièrement dans *Richard II* « une pièce expérimentale », où « Shakespeare semble prendre une conscience plus claire de la complexité des problèmes que lui pose son sujet » [32].

Au terme de l'enquête se manifeste une insatisfaction analogue, mais les causes en sont différentes. Le point d'aboutissement, dans les deux cas, reste parfaitement obscur.

On s'est beaucoup interrogé sur ce que devait être le « roi idéal » selon Shakespeare. Le plus souvent, on admet que le dra-

---

27. Qui envisage la période suivante.
28. *Richard III*, V, 4, 28, 54, p. 634.
29. Sur *Henry VIII*, et les problèmes de chronologie et d'authenticité que pose cette pièce, voir l'éd. de la Pléiade citée, t. I, pp. CLXXXII-CLXXXV.
30. *CG*, 121 (*L'Otage* « pousse » dans un sens qui le « consterne ») ; *CC* III, 44 (*Le Pain dur* : « c'est une drôle de chose qui me laisse moi-même dans un état d'esprit assez scandalisé »).
31. Ed. de la Pléiade, t. I, p. CLXXX.
32. *Ibid.*, p. CXLIX.

maturge parle lui-même par la voix du Chœur [33] quand il fait l'éloge de Henry V, « la grâce des rois » [34], « cet astre d'Angleterre » [35]. Cette pièce nous approche de sa pensée profonde bien plus que les dithyrambes convenus des Tudors à la fin de *Richard III* ou de *Henry VIII*. Mais il y reste tributaire du mythe et bridé par un présent qu'il faut encenser.

Claudel, toujours soucieux de sa carrière, n'est pas non plus ausi libre qu'il souhaiterait l'être pour exprimer sur la scène un idéal politique certainement fort éloigné du gouvernement qu'il sert. Peut-être même a-t-il laissé le cycle des Coûfontaine s'achever sur un « promontoire abrupt » (*Th* II, 1455) parce qu'il ne pouvait surmonter cette gêne. La lettre qu'il écrivit à Suarès le 10 février 1911 en témoigne. Egalement opposé à la démocratie bestiale qui tombe entre les mains des « ratés envieux » et au mouvement maurrassien, trop dogmatique, trop réaliste (composé, disait Suarès dans sa lettre précédente d'« amis de l'Eglise qui osent se moquer de Jésus-Christ », comme Georges de Coûfontaine), il avoue pourtant que ses préférences vont à la monarchie, « mais à une monarchie revêtue d'un caractère religieux et dont l'autorité est celle moins de la force que de la persuasion, *sicut unguentum quod descendit in barbam, in barbam Aaron* » (*CS*, 159-160).

La citation du psalmiste mérite de retenir l'attention. Elle est extraite du Psaume CXXXIII, cantique de la vie fraternelle :

> Voyez ! Qu'il est bon, qu'il est doux
> d'habiter en frères tous ensemble !
> C'est une huile excellente sur la tête,
> qui descend sur la barbe,
> qui descend sur la barbe d'Aaron [...] [36].

Ainsi se trouve annoncée la politique de la Communauté humaine, de la « liquidité » qui s'exprimera dans toute sa plénitude dans les *Conversations dans le Loir-et-Cher*, mais que le poète ébauchait déjà dans le dernier acte de la deuxième *Ville*. Or on ne trouvait plus dans le *Henry V* de Shakespeare, ni le roi isolé du Moyen-Age, ni le tyran, mais le chef chrétien [37] d'une communauté humaine dont il avait parcouru tous les étages, montant sur le trône après s'être mêlé aux truands, dont il se sentait responsable et dont la « bande de frères » [38] qu'il menait devant Azincourt était l'image même. L'idéal proposé par Cœuvre à la fin de *La Ville* ne fait qu'ajouter à cet idéal shakespearien l'idée de restitution à Dieu :

> Et qu'est le Roi, la chose sacrée qui est entre tous les hommes
> le Roi,
> Sinon le cœur placé dans le milieu des organes ?

---

33. Tel est l'avis de J.W. MACKTAIL, dans son livre *The Approach to Shakespeare*, Oxford, at the Clarendon press, 1933.

34. *Henry V*, II, prologue, v. 28, p. 474 : « this grace of kings ».

35. *Ibid.*, V, 2, 408, p. 501 :« this star of England ».

36. Trad. de la Bible de Jérusalem, p. 785.

37. *Henry V*, I, 2, 241, p. 499 : « a Christian King ».

38. *Ibid.*, IV, 3, 60, p. 491 : « We few, we happy few, we band of brothers ».

Tel qu'un autel sur lequel toute la matière vient se consumer,
chaque coup qu'il bat
 Présente tout le sang au mariage brûlant de l'air divin
 Et envoie la vie jusqu'aux extrémités des organes

                                                    (V, 383)

Or précisément ce corps est vivant. Henry V, sans cesse confronté à des difficultés, doit perpétuellement recomposer un équilibre
fragile. La notion fausse de roi idéal qui répand les bénédictions
de la paix et permet à chacun de manger toujours sous sa propre
vigne ce qu'il aura planté [39], paraît pauvre à côté de ce roi réaliste,
attentif aux circonstances, mais guidé par un idéal dont il ne peut
réaliser que des approximations [40]. De même Ivors, refusant de
confondre le « bonheur » avec la « jouissance », veut s'avancer en
« conducteur d'hommes, et non pas [en] pasteur de bêtes brou-
tantes » (V, 367). L'ordre n'est point un état d'immobilisation, comme
cette « vieillerie » qu'il a fallu « flanquer par terre » (Th II, 259),
mais un développement dynamique qui n'a cessé depuis que le Christ
s'est fait homme :

 Ce que nous appelons l'histoire
 N'est pas une succession d'images vaines, mais le développement,
 à mesure que les choses sortant du temps cessent de lui appartenir,
 D'un ordre et d'une composition.   (V, 377)

Ce serait, bien sûr, prêter beaucoup à Shakespeare que d'assi-
miler sa philosophie de l'histoire et son idéal politique à ceux de
Claudel. Il reste un homme de son temps, avec l'étroitesse de sa
vision et les servitudes du « mythe Tudor ». Il ne saurait, comme
Claudel, imaginer une monarchie analogue à l'Eglise dont son pays
s'est coupé. Mais on reconnaît sans peine à travers le réseau
complexe et mal coordonné de ses intuitions, ce « sens » de l'histoire
qu'y a découvert Claudel et qu'il partage avec lui : la conscience,
dans le désordre, d'un ordre et d'un progrès. Cette compréhension
a sa source dans un providentialisme qui leur est commun et surtout
dans la « sympathie » (RLM, IV, 40) du dramaturge avec son sujet.
Car la leçon se dégage de la période envisagée dans son ensemble,
avec ses pires moments et ses pires monstres. Elle était déjà « développée [...] de l'argument jusqu'à la conclusion » au cours des
années violentes qu'Ivors invitait ses sujets à ne pas oublier :
« toute civilisation est fondée sur la lutte » (CJF, 131).

---

39. *Henry VIII*, V, 5, 34-35, p. 666 :
 In her days every man shall eat in safety
 Under his own vine what he plants [...].
 40. Derek TRAVERSI, *Shakespeare from Richard II to Henry V*, London, Hollis and Carter,
1957, pp. 166-198.

La technique du drame historique

Dans la « trilogie » comme dans *L'Echange*, Claudel se montre particulièrement attentif aux problèmes techniques. Il veut que *L'Otage* soit une pièce « beaucoup plus dramatique et scénique que les précédentes », et il juge son drame réussi parce que, dominant l'élan impétueux de son lyrisme, il a su « créer des personnages objectifs et extérieurs » (*CG*, 157). *Le Pain dur* le frappe par la même qualité : la forme, « beaucoup plus dramatique » encore, doit cette fois exclure complètement le « lyrisme » et les « tirades » (*CC* V, 135) et il considère que, de toutes ses pièces, c'est celle qui lui est « peut-être le plus extérieure ». Tout différent, *Le Père humilié* adapte à l'éveil de l'âme une forme plus « musicale » (*Th* II, 1453) où l'auteur — le compositeur, plutôt — met en œuvre toutes les ressources de cet « art du dialogue » auquel il s'est patiemment et longuement exercé (*CG*, 167). Exercice suppose modèle, et Claudel se réfère en effet à ses illustres devanciers. Tantôt il étudie les compositions de Calderón (*CG*, 167-169), tantôt il cherche à retrouver le charme racinien (*Th* II, 1453). Shakespeare, comme le laisse supposer le *Journal*, dut bien être présent au rendez-vous des maîtres passionnément interrogés.

La conception et la réalisation du drame historique sont en vérité fort différentes dans les « comedias » historiques du Siècle d'Or, les « histories » de Shakespeare et notre tragédie classique. Or, dans un texte paru dans *Le Figaro* le 29 octobre 1934, Claudel rattache le cycle des Coûfontaine à cette dernière tradition seulement, écartant explicitement les deux premières.

> L'Histoire littéraire nous montre qu'il y a deux manières de traiter le drame historique.
> La première, qui a été employée par les grands Anglais et par les grands Espagnols du XVIIe siècle est de choisir, j'allais dire de *monter*, un certain nombre d'épisodes caractéristiques qui procurent au spectateur une sensation vive et contrastée des forces en présence, des personnages qui s'affrontent et se confrontent, des événements qui se préparent et se dénouent. C'est la technique que de nos jours le cinéma a renouvelée et à qui nous devons par exemple cette espèce de grossier chef-d'œuvre qu'est *La Vie de Henry VIII*[41].
> Tout autre est la conception de notre grande tragédie classique. Le Français, amateur d'horizons et habitant des vallées, aime par-dessus tout la ligne, la continuité, la tenue. Il aime, encore plus qu'à sentir, à connaître et à comprendre. Il aime à avoir devant lui de larges ensembles, quelque chose de construit et de composé, à quoi l'œil et l'esprit puissent longuement s'attacher. Il aime le durable, les positions nettement établies que le cours du temps vient animer d'un mouvement en quelque sorte démonstratif. C'est ainsi, quand nous descendons la vallée du Rhône, que nous voyons à notre droite et à notre gauche la double ligne des collines et des montagnes accompagner notre course en une cantilène sans cesse interrompue et reprise. C'est ainsi que des tragédies comme *Bérénice*, comme *Le Cid*, comme *Britannicus* et *Polyeucte*, ne sont qu'une sorte d'insistant contrepoint où les passions personnelles qui animent les

---

41. Il s'agit du film d'Alexandre Korda.

personnages nous montrent un effort plus ou moins réussi et douloureux vers la réduction ou en tout cas vers la position intégrale
et éclatante d'une crise collective et d'un conflit d'idées. Entre les
forces opposées qui prennent leur appui sur une espèce de nécessité
et de devoir, le drame a fait son œuvre quand il a trouvé un certain
point de composition. Les acteurs ont été recrutés pour la solution
d'un problème plus vaste qu'eux.
Cette seconde conception est celle de *L'Otage*.
(*Th* II, 1424-1425)

H. Gouhier, qui ne fait pas état de ce texte, s'inscrit en faux
contre cette déclaration. Pour lui, nos tragédies classiques ne sont
pas « des exemples particulièrement bien choisis du théâtre historique » ; elles traduisent même « une certaine indifférence au
milieu historique, elle-même liée à une vision de l'homme dans le
monde peu propice au souci proprement historique d'évoquer le
passé comme tel ». Un théâtre ne saurait être proprement historique
que « par une intention de conserver ou de retrouver *les couleurs du
temps* », par la « volonté [...] de créer ce plaisir très particulier que
l'on éprouve à retrouver le temps perdu et à sentir le passé comme
ce qui fut jadis du présent » (*RLM*, IV, 32-33). Cette intention, cette
volonté se retrouvent précisément, selon lui, dans le théâtre élisabéthain et chez Claudel : « il y a un théâtre historique de Claudel
au sens où il y a un théâtre historique de Shakespeare », parce que
les deux dramaturges ont voulu l'un et l'autre « exprimer le sens
historique d'une époque » (*ibid.*, 34-40).
Il faut prendre soin de distinguer, à ce sujet, deux problèmes
différents mais connexes : un problème de perspective et un problème de composition.

L'Histoire n'est ni pour Shakespeare ni pour Claudel une toile
de fond immobile, un cadre commode. On sent chez l'Elisabéthain
l'« effort » accompli pour « évoquer » et « faire revivre » « la réalité
du temps passé » avec laquelle il fut en long contact [42]. Non seulement le passé national, mais aussi le passé romain : dans *Coriolan*,
dans *Jules César*, dans *Antoine et Cléopâtre*, il veut « faire revivre
les hommes fameux et les grands événements » [43]. Il recrée magistralement les palinodies de la plèbe romaine, l'état de désolante
confusion dans lequel fut plongée l'Angleterre par la faiblesse
de certains rois et les ambitions de son aristocratie, l'élévation de
César au rang de héros mythifié, le machiavélisme de Richard III.
Claudel cherche ainsi à retrouver la vie profonde de l'époque qu'il
envisage : l'ivresse des sans-culotte (*Th* II, 259), l'attente du monde
dominé par le bruit des armées napoléoniennes (239), le matérialisme de la Monarchie de Juillet, aveuglée par le développement des
forces économiques (420), les intrigues diplomatiques autour de la
Papauté (499-508). Il est plus sensible aux grands courants qu'aux
hommes célèbres. Il ne garde que deux personnages historiques, les
deux Papes privés de leurs noms distincts (le Pape, dans *L'Otage*, le

---

42. E. Legouis et L. Cazamian, *Histoire de la littérature anglaise*, éd. cit., p. 419.
43. *Ibid.*, p. 420.

Pape Pie dans *Le Père humilié*, — ni Pie VII, ni Pie IX), mais présents dans leur attitude, leur caractère, leurs propos et les épisodes significatifs de leur vie [44]. Le dramaturge doit user d'une audacieuse stylisation qui lui permette de dégager les lignes de force, de substituer aux « directions éparses et incomplètes des événements un « sens » nettement défini (*Th* II, 1425), de mettre en valeur les figures saillantes. Ni Shakespeare ni Claudel ne se soucient de « vérité historique » au sens strict de l'expression ; mais ils la sacrifient allègrement à la vérité de l'Histoire. La critique est facile. Ben Jonson, plus soucieux d'érudition dans son *Séjan* ou son *Catilina* que Shakespeare dans ses tragédies romaines, ironise à bon marché sur *Jules César*. Engagé dans le jeu des erreurs, j'ai moi-même exagéré naguère la désinvolture de Claudel dans *L'Otage* qui n'est à aucun moment, — J.-P. Kempf et J. Petit le font justement remarquer — un jeu avec l'Histoire [45]. « Le drame a les mêmes licences que la légende et il fait en raccourci le même travail. La réalité n'est qu'une ébauche que l'artiste à le droit de compléter » (*Th* II, 1425), d'« audacieusement arranger » (*CJF*, 130). Curieusement, un Corneille ou un Racine se montrent plus soucieux de suivre fidèlement l'Histoire [46], de ne la contredire en rien [47], alors qu'ils prennent avec elle, en esprit, de bien plus grandes libertés.

H. Gouhier a établi une distinction parfaitement nette entre les pièces où l'Histoire est « source d'inspiration » (*Coriolan* ou *Jules César*) et celles où elle est « un répertoire d'histoires toutes faites » (*Madame Sans-Gêne*). Claudel sait fort bien que « ce grande drame confus » du XIXe siècle ne peut pas « devenir aussi clair aux yeux des simples qu'une pièce d'Augier » (*CJF*, 131) et il exagère beaucoup quand il dit qu'il a travaillé au *Pain dur* un peu comme Victorien Sardou devait travailler à ses pièces. Il ne s'agit point en effet de plaquer les péripéties historiques sur l'« intrigue » de la pièce pour la compliquer, mais de faire surgir « l'action » de l'histoire [48]. Cette « action », qu'illustre chacun des trois « temps », des trois « épisodes » du cycle des Coûfontaine, c'est « la lutte de l'homme et de Dieu » (*Th* II, 1415) : elle s'incarne en des conflits étroitement circonscrits dans l'espace et dans le temps, mais nous les reconnaissons aisément comme nôtres (*Th* II, 1425). Ainsi la quête de l'ordre qui marque cha-

---

44. Voir l'analyse du personnage du Pape, dans J.-P. KEMPF et J. PETIT, *Etudes sur la* « Trilogie » *de Claudel*, 1. *L'Otage*, pp. 12-15.

45. P. BRUNEL, « *L'Otage* » *de Paul Claudel ou le Théâtre de l'énigme*, pp. 40-45 ; et la critique de ces pages par J.-P. KEMPF et J. PETIT, *Etudes sur la* « *Trilogie* » *de Claudel*. 1. *L'Otage*, pp. 9-16 et en particulier n. 29.

46. Seconde Préface d'*Alexandre-le-Grand* : « Il n'est guère de tragédie où l'histoire soit plus fidèlement suivie que celle-ci. Le sujet en est tiré de plusieurs auteurs, mais surtout du huitième livre de Quinte-Curce » (RACINE, *Œuvres complètes*, Seuil, coll. « L'Intégrale », p. 86).

47. Examen de *Cinna* : « Rien n'y contredit l'histoire, bien que beaucoup de choses y soient ajoutées » (CORNEILLE, *Œuvres complètes*, éd. cit., p. 269).

48. J'emprunte aussi cette distinction entre « intrigue » et « action » à H. GOUHIER, *L'Œuvre théâtrale*, Paris, Flammarion, 1958, pp. 59-65.

cun des drames nationaux éveillait-elle des échos chez le spectateur de Shakespeare sensibilisé par la propagande des Tudor. . Mais les « histories » de Shakespeare sont plus foisonnantes que la « trilogie ». Issues de la « chronicle-play » passablement invertébrée (le *Kinge Johan* de John Bale), elles charrient une masse d'événements et de spectacles. Des chocs émotionnels successifs surgit un sens : chaque pièce se présente, en quelque sorte, comme la lecture rapide et prodigieusement vivante d'un règne tout entier dont les événements saillants sont concentrés au risque de rouler les uns sur les autres. Claudel, au contraire, approfondit un moment, défait un nœud qui, en un point de l'Histoire, entremêle des forces contraires, — la tradition et la révolution, la cupidité et le sentiment de l'honneur, la vocation charnelle et la vocation chrétienne. La complexité, d'un autre ordre, résulte de la multiplicité des harmoniques. La démonstration, plus discursive sans doute que dans le théâtre élisabéthain, serait incomplète sans l'intuition poétique.

Dans notre théâtre classique, les situations passées font seulement « ressortir la psychologie individuelle des personnages de la tragédie », et ils « pourraient avoir les mêmes réactions dans d'autres milieux » [49]. Au contraire, dans le drame historique, la psychologie du personnage est subordonnée à la conjoncture. La Fortune et l'Histoire font naître pour le héros shakespearien une tragédie intérieure que le dramaturge est de plus en plus tenté d'approfondir au fur et à mesure qu'il avance dans son art. Il arrive même que cette tragédie intérieure fasse passer au second plan le conflit historique : les hésitations et l'expiation de Brutus, dans *Jules César*, inaugurent le passage des « histories » aux « tragedies ». Claudel écrit aussi :

> Tandis que dans la vie on croit que ce sont les caractères qui expliquent l'action, ici c'est l'action réglée d'avance qui implique les caractères   (*Th* II, 1441)

mais, une fois convoqués par l'événement, les personnages se mettent à vivre de leur vie imprévisible : les pensées pullulent dans le cerveau de Richard II à Pomfret, et Sygne de Coûfontaine se débat dans l'agonie du sacrifice...

Malgré la déclaration faite par Claudel en 1934, sa technique du drame historique est donc, dans le cycle des Coûfontaine, plus proche de Shakespeare que de Corneille ou de Racine. Sans doute allège-t-il la matière historique en privilégiant des moments dans un siècle, au lieu d'accélérer la marche de la durée par un rapprochement audacieux, dans le temps scénique, de moments fort éloignés dans le temps réel. Mais il l'alourdit en revanche de toute la complexité de l'instant. De toute façon, dans les deux cas, la matière historique est bien la matière première, et non le prétexte à une analyse des passions ou des dilemmes en quête de décor. A partir des circonstances qui mettent en marche sa tragédie intérieure, le personnage prend vie et s'engage dans une lente évolution.

49. J. SCHÉRER, art. cit. dans *RLM*, 32.

L'insatisfaction sur laquelle laisse le commentaire cité s'explique aisément : en 1934, Claudel a opéré un retour vers les classiques aux dépens de Shakespeare. De plus, en voulant rattacher *L'Otage* à la tradition du XVIIᵉ siècle français, il projette sur la tragédie cornélienne et racinienne sa propre conception, selon laquelle le conflit des passions personnelles est la réduction d'une crise collective ou d'un conflit d'idées.

Le thème dramatique du Juif

Il peut être intéressant de resserrer la comparaison sur la place occupée par le Juif dans le théâtre élisabéthain et dans la trilogie des Coûfontaine.

L'antisémitisme répandu en Angleterre à la fin du XVIᵉ siècle explique le grand succès que connut *Le Juif de Malte* de Marlowe. Si la pièce noircit Barabas au point d'en faire un obsédé de l'or et un monstre de cruauté, elle permet toutefois, par son premier acte, de poser grossièrement le problème. Fernèze, le gouverneur de Malte, en dépouillant les Juifs de la moitié de leurs biens (et Barabas de tous les siens) pour pouvoir payer le tribut dû aux Turcs, fait du riche marchand un vengeur aussi frénétique que le Vendice de Cyril Tourneur. Est-ce pour la bonne cause, le salut de la patrie ? Non point, car la promesse faite aux Turcs ne sera pas tenue, et l'argent restera dans les coffres de l'Etat... Barabas peut avec quelque raison reprocher aux chrétiens de faire du vol le fondement de leur religion et d'employer l'Ecriture à confirmer leurs forfaits [50]. Marlowe prend plaisir à montrer que le christianisme n'est pas un brevet d'honnêteté.

> Il y a des Juifs scélérats, comme le sont tous les chrétiens. Mais en admettant même que la tribu dont je descends a été dans son ensemble rejetée pour son péché, serai-je condamné à cause de son offense [51] ?

On a tenté en vain de réhabiliter le Juif de Malte, mais il faut reconnaître qu'un instant il est beau, dans ce cri [52].

---

50. *The Jew of Malta*, Acte II, sc. 2 : « What, bring you Scripture to confirm your wrongs ? », dans Christopher MARLOWE, *Plays*, London, Dent and sons, coll. Everyman's library, p. 170.

51. Trad. P. MESSIAEN, *Prédécesseurs et Contemporains de Shakespeare*, Paris, Desclée de Brouwer, 1948, éd. cit., p. 170 :
Some Jews are wicked, as all Christians are ;
But say the tribe that I descended of
Were all in general cast away for sin,
Shall I be tried for their transgressions ?

52. E. LEGOUIS et L. CAZAMIAN, (*op. cit.*, p. 399) contestent que Shakespeare ait tenté une réhabilitation du Juif dans *Le Marchand de Venise* et jugent que « la seule réhabilitation vraiment vraie est celle de Marlowe dans son premier acte où le Juif altier et intrépide en face du gouverneur intrépide a vraiment le beau rôle ». C'est fort exagéré puisque Barabas ne refuse d'abord de céder que dans l'espoir de ne pas perdre la moitié de sa fortune. Mais il est vrai qu'on peut sentir une étrange sympathie de l'auteur pour son personnage.

Moins impressionnante, mais plus émouvante, Abigaïl, sa fille, s'échappe brusquement du ghetto où il voulait l'enfermer, à la suite de l'assassinat de Mathias, le jeune homme qu'elle aimait. Habilement, le dramaturge l'amène à accomplir sincèrement l'acte qu'elle a une première fois simulé à l'instigation de son père : l'entrée au couvent, qu'elle paie de sa vie.

Shakespeare n'ignorait sans doute pas *Le Juif de Malte*, quand il a écrit son *Marchand de Venise*. De cette pièce parfois ambiguë se dégagent les deux motifs dramatiques qui avaient permis à Marlowe de s'évader d'un antisémitisme sans nuances. Monstrueux comme Barabas dans son acharnement à conquérir la livre de chair qui lui est due, Shylock n'est pas seulement un « villain » de convention, auquel son isolement et son refus de la société chrétienne confèrent un caractère démoniaque [53]. Sans doute l'auteur lui prête-t-il, au cours du procès, une obstination « diabolique ». Mais elle s'explique, là encore, par une rancune, et la certitude de rendre le mal pour le mal. Antonio va expier, aux yeux du Juif, le mépris insultant qu'il a toujours manifesté pour sa race [54]. Shylock est conscient d'user de perfidie, mais les chrétiens en usent de même à son égard [55]. L'enlèvement de sa fille par un chrétien accroît sa hargne ; cette humiliation nouvelle met encore davantage Antonio en danger, comme le note Salanio [56]. Shylock renonce même à une forte somme d'argent, tant il désire exécuter minutieusement sa vengeance. Parfois il atteint, comme Barabas, à une véritable grandeur humaine par la justesse de sa revendication :

> Je suis un Juif ! Un Juif n'a-t-il pas des yeux ? Un Juif n'a-t-il pas des mains, des organes, des proportions, des sens, des affections, des passions ? N'est-il pas nourri de la même nourriture, blessé des mêmes armes, sujet aux mêmes maladies, guéri par les mêmes moyens, échauffé et refroidi par le même été et par le même hiver qu'un Chrétien [57] ?

La haine creuse un fossé toujours plus profond entre le Juif et la société chrétienne. Pourtant son retour n'est peut-être pas impossible.

53. David DAICHES, *A Critical History of English Literature*, London, Secker and Wartburg, 1963, tome 1, p. 256 : « [...] the character of Shylock is not simply that of a stylized villain, the alien devil who is bad because he does not accept the religion and the social standards of his environment, but a figure of power and dignity whose speeches and behavior, for all his conventional villany, almost redeem him into tragedy ». Affirmation qui appelle toutefois quelques réserves dans l'éloge qu'elle substitue à l'habituelle condamnation.
54. *The Merchant of Venice*, I, 3, 107-130, p. 196.
55. *Ibid.*, III, 1, l. 71-78, p. 204 « [...] if you wrong us, shall we not revenge ? If we are like you in the rest, we will resemble you in that. If a Jew wrong a Christian, what is his humility ? Revenge. If a Christian wrong a Jew, what should his sufferance be by Christian example ? Why, revenge. The villany you teach me I will execute, and it shall go hard but I will better the instruction ».
56. *Ibid.*, II, 8, 26, p. 202.
57. *Ibid.*, III, 1, 62-69, p. 203-204 ; trad. cit., I, 1234.
   I am a Jew. Hath not a Jew eyes ? hath not a Jew hands, organs, dimensions, senses, affections, passions ? fed with the same food, hurt with the same weapons, subject to the same diseases, healed by the same means, warmed and cooled by the same winter and summer, as a Christian is ?

Sur ce point, la pièce se révèle moins satisfaisante. Le problème se résout trop aisément pour Jessica, dont l'amour est heureux, mais qui, en reniant sa religion, renie son père qu'elle charge de calomnies [58]. Et Shylock ne peut accepter qu'hypocritement la conversion forcée, le pire des châtiments auxquels on puisse le soumettre [59]. Malgré la réconciliation générale sur laquelle se clôt *Le Marchand de Venise*, malgré la victoire remportée par l'atmosphère radieuse de Belmont, on garde le souvenir des bouffonneries de Lancelot qui doutait du salut si aisé espéré par Jessica [60]. « C'est une Rosine juive », disait plaisamment d'elle Paul de Saint-Victor, un Rosine « qui traite son père en tuteur morose, et livrerait au rasoir d'un Figaro de Venise toutes les barbes du Sanhédrin » [61].

Marlowe et Shakespeare, tout emplis des préjugés du temps qui soulevaient tout un peuple contre les Juifs, laissaient donc pourtant percer le cri du paria qui « s'élève à l'accent d'un peuple écrasé revendiquant son droit devant l'oppresseur » [62] et esquissaient même l'entrée de la race maudite dans la communauté chrétienne.

La même contradiction va se manifester dans *Le Pain dur* et *Le Père humilié*. Epousant pour un moment, par un mouvement naturel de la création dramatique [63], les sentiments antisémites soulevés, sous la Monarchie de Juillet, par les financiers juifs, probablement marqué aussi par son séjour en Allemagne, Claudel met en scène, dans la seconde pièce du cycle, deux juifs qui « n'ont pas un très beau rôle » (*CC* V, 135) : Ali Habenichts et sa fille Sichel.

Ali Habenichts (c'est Turelure qui lui donne ce nom cocasse, « ça lui donne la juste pointe d'Orient et de Galicie, dit-il », *Th* II, 422) correspond au type traditionnel du Juif rapace : il s'occupe aussi bien des minerais de la Sarre que des nouvelles fortifications de Paris (486), — Barabas envoyait ses navires par toutes les mers du monde —, il fait argent du passé et de l'avenir, et éprouve un plaisir particulier à conquérir peu à peu les terres des vieilles familles de l'aristocratie française. La seule spéculation n'explique point l'acharnement qu'il met à acheter la terre de Dormant (446).

Un souvenir du *Marchand de Venise* passe dans *Le Pain dur* : Turelure invite à déjeuner Habenichts qui accepte (444-447), comme Shylock se rendait à l'invitation à souper de Bassanio et d'Antonio, non sans réticence, « pour manger aux dépens du chrétien pro-

58. *Ibid.*, III, 2, 285-291, p. 207.
59. *Ibid.*, IV, 1, 387-388, p. 213.
60. *Ibid.*, III, 5, p. 208.
61. *Les Deux masques*, t. III, p. 49.
62. Paul de SAINT-VICTOR, *op. cit.*, p. 46.

63. « Ce sont là des figures commandées par le drame, rien de plus, et dont je n'ai été que le premier spectateur », précise Claudel, dès 1918, dans une note qui accompagne l'édition du *Pain dur* (*Th* II, 1438).

digue » [64]. Et sans raison autre que le désir de se moquer de lui, Louis lui donne l'assurance, que donnait Antonio au Juif de Venise [65], qu'il sera « payé à l'échéance » (445). Avec Barabas, avec Shylock, Ali Habenichts considère comme une trahison le mariage de sa fille avec un « gentil » :

> LOUIS. — Monsieur Habenichts, j'ai l'honneur de vous demander la main de votre fille, s'il vous plaît.
> ALI. — Monsieur le Comte, vous pensez sans doute que vous me faites un grand honneur ?
> LOUIS. — Le plaisir est pour moi.
> ALI. — Mon père était un rabbin célèbre. *Also !* S'il avait su que sa petite-fille épouserait un gentil et que ce sang se mélange au nôtre,
> Croyez-vous qu'il aurait pris cela pour un honneur ?
>
> (484)

Quant à Sichel (en réalité Rachel), la maîtresse du père avant de devenir la femme du fils, elle a fort bien compris, elle aussi, qu'« il n'y a de vraie propriété que celle qu'on a volée » [66] (447) : intrigante consommée, elle convainc Turelure de l'intérêt qu'il aurait à faire passer sa fortune à son nom à elle, alors qu'elle est complice de la mise en scène qui va amener sa mort.

Mais les Aryens de la pièce sont tout aussi cupides et tout autant dépourvus de scrupules que les deux sémites, et leur rôle « encore plus vilain » (*CC* III, 41 ; et cf. *Th* II, 1438). Il en va comme dans *Le Marchand de Venise* (et même dans le premier acte du *Juif de Malte*), où le monde du Juif n'était en définitive qu'un reflet déformé, mais reconnaissable, de la société chrétienne qui l'entourait [67]. Turelure, avec la complicité de Sichel, entendait conclure avec Ali Habenichts un marché de dupe, puisqu'il avait réussi à arracher au Ministre des Travaux publics que l'embranchement du chemin de fer se situât, non plus à Dormant, mais à Châlons (483). Louis, qui juge que le Juif et son père sont de la même famille (451), fait lui-même volontiers sienne la maxime qu'il prête à Habenichts (447). Quant à Lumîr, pour récupérer les dix mille francs de la caisse patriotique, elle serait prête à céder aux avances de Turelure et elle trempe finalement dans le parricide, exactement comme Sichel.

Condamnation générale, mais aussi, curieusement, réhabilitation générale. Comme Barabas, comme Shylock, Sichel est mue par des siècles d'humiliation :

> Je sais, je suis une Juive, j'ai tout machiné pour te prendre. N'est-ce pas ? Pauvre innocent, j'ai tout préparé de bien loin contre toi.

64. *The Merchant of Venice*, II, 5, 14-15, p. 199 :
     But yet I'll go in hate, to feed upon
     The prodigal Christian.   (trad. cit., I, 1225)
65. *Ibid.*, I, 3, 157-160, p. 196.
66. Affirmation de Louis qui entend exprimer l'opinion du Juif — en lui donnant raison.
67. David DAICHES, *op. cit.*, tome I, p. 256 : « the world of Antonio and Bassanio becomes almost a mirror-image of Shylock's world which in turn is a distorted but recognizable version — and so a deep criticism — of the Christian society about him ».

Et quand cela serait encore ?
Ai-je tant d'amis ? tant de ressources ? tant d'armes sur quoi
compter ? Ah, je n'ai que moi-même toute seule et je suis Juive.
Et cette pierre écrasante sur nous à remonter, cette malédiction
sur nous comme une mâchoire à desserrer !
Voici tant de siècles que nous sommes séparés de l'humanité !
Tant de siècles chez nous que l'on est mis à part comme de l'or
dans la bourse d'un avare ! La porte s'ouvre, tant pis pour ceux
qui nous ont lâchés [...]   (480-481)

Elle est prête « à tout faire, à tout donner et à tout trahir » (425),
— la Synagogue, comme Abigaïl ; son père, comme Jessica —, à
renier complètement ses origines et son nom même, pour « avoir
[s]a place avec le reste de l'humanité » (424). Son oncle d'Epernay
s'appelle désormais Roger Dumesloir (483). Et le vieil Ali Habenichts lui-même finit par reconnaître que « toutes les bornes sont
ôtées » (484).

Mais il faut plus qu'une poignée de mains et qu'un mariage
d'affaires pour conjurer l'antique anathème. « Si votre ancienne
malédiction retombe lourdement sur ta tête, si elle te rend pauvre
et méprisé de tout l'univers, ce n'est pas notre faute, c'est le
péché inhérent à ta race », déclare le premier Chevalier à Barabas [68].
Lumîr la rappelle aussi à Sichel :

Son sang est retombé sur le vôtre. Le sang !
C'est une grande chose que le sang !   (424)

Claudel est revenu souvent sur cette « malédiction » qui a
« comme empoisonné » le sang juif au moment de la crucifixion,
sur ce « second péché originel qui est venu se superposer au
premier » (CC III, 42). Le Pain dur, Le Père humilié surtout, sont
portés par sa longue méditation sur ce problème qui le « préoccupe » depuis 1913 [69]. Sichel, cette « faucille dans le ciel clair du
mois nouveau » (Th II, 422), qui veut, par n'importe quel moyen,
échapper au « ghetto » où on la tient enfermée (424), se dresse
comme le symbole même de la revendication d'Israël et, en ouvrant la porte, elle découvre « cette vocation d'Israël à la possession du monde » que Claudel appellera audacieusement « une vocation catholique » dans L'Evangile d'Isaïe (Ev, 315).
Toutefois la révolte de Sichel est sans nuance. Elle ne se libère
du passé de sa race qu'en la reniant. Elle se préoccupe essentielle-

---

68. Le Juif de Malte, I, 2, 108-110 ; trad. P. Messiaen, p. 191 ; éd. cit., p. 170 :
    If your first curse fall heavy on thy head,
    And make thee poor and scorn'd of all the world,
    'Tis not our fault, but thy inherent sin.
Référence scripturaire Matthieu, XXVII, 24-25 : « Pilate prit de l'eau et se lava les mains en
présence de la foule, en disant : « Je ne suis pas responsable de ce sang ; à vous de voir ! »
Et tout le peuple répondit : « Que son sang soit sur nous et sur nos enfants ! » (trad. de la
Bible de Jérusalem, p. 1328).

69. Dans sa lettre du 6 janvier 1914 à Darius Milhaud (CC III, 42-43), si importante pour
saisir cette méditation à l'époque où Claudel va écrire les deux derniers drames du cycle des
Coûfontaine, il précise que ce problème le préoccupe davantage depuis un an : ce qui nous
ramène au début de l'année 1913. La vocation universelle d'Israël s'y trouve déjà parfaitement
définie.

ment de se sauver, c'est-à-dire, au sens propre, de s'échapper de sa prison. Peu lui importe le salut de l'âme juive qu'elle laisse volontiers de l'autre côté de la porte. Elle ne croit pas en Dieu (424), et n'embrasse que par opportunisme la religion catholique — « elle est si pittoresque » (485). Le commentaire ironique d'Ali n'est pas faux :

> Ecoutez-la ! Elle dit « religion » et « catholique » comme on dit
> une salle à manger Renaissance.
> Ça lui est bien égal ! *Ganz Wurst !* C'est tout saucisse pour elle !
> (485)

Claudel se montre supérieur à Marlowe et à Shakespeare parce qu'il envisage le problème de la conversion d'Israël dans toute sa complexité — seuls le frère Jacomo et le bouffon Lancelot le pressentaient fort grossièrement. *Le Père humilié*, en son déroulement patient, éclaire la lente usure de la résistance judaïque incarnée en la fille de Sichel, l'aveugle Pensée de Coûfontaine [70].

Dans l'affabulation sommaire du procès, au quatrième acte du *Marchand de Venise*, Antonio jugeait qu'il n'est rien de plus dur que d'attendrir un cœur judaïque [71]. Mais le drame de Claudel donne une tout autre dimension à l'entreprise : l'âme chrétienne a le devoir d'éclairer l'âme juive. Point de conversion soudaine, facile, et totale comme celle de Jessica saisie par le bonheur. « Je ne demande pas à Israël de se convertir *hic et nunc* », précisera plus tard Claudel dans *L'Evangile d'Isaïe* (*Ev*, 288). Pensée, qui a reçu le baptême et mêle au sang des Habenichts celui des Coûfontaine, reste encore dans les ténèbres de la Synagogue :

> Il faut beaucoup d'eau pour baptiser un Juif !
> On ne perd pas si facilement l'habitude de tant de siècles !
> Tous les siècles depuis la création du monde, il me semble que je
> les porte avec moi.
> L'habitude du malheur, l'intimité mauvaise avec sa propre
> déchéance.
> Tant d'attente,
> Que nous n'avons pu arriver à changer d'attitude, tant de foi
> dans la promesse qui n'était pas réalisée,
> Que nous n'avons pu y croire du moment où on nous a dit qu'elle
> l'était.   (*Th* II, 512)

L'union n'est pas aussi « impossible » qu'elle le croit. En lançant son cri, elle élève une fois de plus la revendication d'Israël : le Chrétien doit rendre compte de l'usage qu'il fait de la lumière (514), de l'usage qu'il fait de ce Dieu qu'Israël lui a donné (515).

Il y a la joie à retrouver. Pensée a besoin de l'amour d'Orian pour acquérir enfin la conviction qu'elle le mérite, qu'il n'y a plus trace en elle de la déchéance séculaire. Et quelle meilleure

70. Voir Denise GOITEIN, « La Figure de Pensée », *CC* VII, 103-110.
71. *The Merchant of Venice*, IV, 1, 78-80, p. 210 :
You may as well do anything most hard,
As seek to soften that — than which what's harder ? —
His Jewish heart [...].

preuve d'amour pourrait-on imaginer que cette mort qui lui permettra de lui donner toute son âme et d'arriver enfin jusqu'à elle ? Son sang, répandu sur la terre de Champagne, pouvait seul baptiser cette âme : le sacrifice d'Orian est la juste contrepartie, non seulement du sacrifice de Sygne de Coûfontaine, mais du sacrifice du Christ. Obscurément, à travers *Le Père humilié*, cheminent les grands thèmes claudéliens de la priorité de la race d'Israël, de la réciprocité, du sang, plus tard développés dans *Un Poète regarde la Croix* (66-71) et dans *L'Evangile d'Isaïe*. Une « créance », bien sûr : non point les trois mille ducats prêtés par Shylock à Antonio, mais ce sang jadis répandu qu'il ne cesse de demander à récupérer [72]. Nous voici sans doute fort loin du climat dans lequel écrivaient Shakespeare ou Marlowe. Pourtant, n'est-ce pas l'un des signes de la richesse intérieure du théâtre élisabéthain, que d'y pouvoir entendre, balbutiée sans doute, cette « invocation éperdue » (*Th* II, 1455) sur laquelle s'achève *Le Père humilié* ? Et n'est-ce pas en revanche l'un des signes de la sincérité, et même de l'humanité, de l'art claudélien dans le cycle des Coûfontaine, que le silence dans lequel se perd cette invocation ? Peut-être la quatrième pièce de la tétralogie projetée eût-elle proposé une réponse, la réconciliation des « représentants des Deux Testaments se donn[ant] l'accolade sur le suprême champ de bataille où Dieu vient d'être vaincu » [73] (*CC* III, 42). Il est plus beau que cette réponse ne nous ait pas été donnée ; et on voit mal d'ailleurs ce qu'elle aurait pu être, sinon une autre question.

Claudel est venu accidentellement au drame historique. En 1908, il avait simplement l'intention d'utiliser l'époque choisie comme un cadre commode pour une démonstration providentialiste. Le projet

---

72. L'idée n'est pas exprimée par Claudel sans une certaine confusion. Dans la lettre à Milhaud du 6 janvier 1914, Israël apparaît plutôt comme un débiteur : « A cet univers, il fallait qu'Israël donnât son noble sang, le plus pur qui existe, *qu'il se saignât aux quatre veines*. C'est ce qu'il a fait dans la personne du Christ. Les Juifs, qui n'ont pas voulu donner généreusement ce sang libérateur, qui ont voulu le garder pour eux, ils l'ont gardé en effet, et il est retombé sur eux, et ils en restent débiteurs » (*CC* III, 42-43). L'idée de créance se dégage des pages complexes d'*Un Poète regarde la Croix*, mais pour une condamnation : « Ce sang appartient à Israël, il est sien, mais grevé d'une mission, qui est de faire le Christ. Quand donc il réclame ce sang, qui en effet, de nature et de droit lui appartient, c'est comme s'il abjurait cette mission » ; elle évolue vers l'idée de mauvaise conscience : cette prétendue créance n'est en réalité qu'une dette : « Israël sait, quelque chose au fond de lui-même sait pour lui, que ce sang qu'il a reçu n'était pas pour lui, qu'il avait du côté de l'union divine une appétence innée, et maintenant, voici qu'au lieu de l'exhaler, il la ravale, il lui faut garder par devers lui cet hôte incompatible qui le dévore » (*Poète*, 68-69). Elle apparaît plus nettement, à la fin de l'avant-dernier chapitre de *L'Evangile d'Isaïe* : « Israël est le fondé de pouvoir général qui à l'égard de toute " position " particulière exerce celle de créancier. *Lequel de vous m'a donné le premier ?* Je ne suis pas un solliciteur, je suis un créancier. Vous avez quelqu'un à genoux devant vous pour vous solliciter de qui vous avez tout reçu. *Omnia tua mea sunt*. Donne-moi tout ce que je t'ai donné : tout. Et fais silence ! écoute ! l'entends-tu ? Surtout cela ! L'entends-tu, cette musique que j'apporte avec moi, cette musique en entrant à qui j'ai ouvert la porte ? *Non impedias musicam !* » (*Ev.*, 316).

73. Nous retenons sans hésiter la conjecture de J. Petit, *CC* III, 274, qui juge que nous avons là, bien plutôt que le projet du *Père Humilié*, l'annonce du quatrième drame. Ce drame devait bien être en effet celui de la « réconciliation d'Israël » sous la forme d'un « poème dialogué à deux voix » (lettre à Milhaud du 13 novembre 1928, *CC* III, 108). C'est à la prose plus hésitante de *L'Evangile d'Isaïe* qu'il appartiendra de traiter, sans l'épuiser, ce sujet en 1948-1950.

était antérieur au sujet. « [...] Je voudrais composer un cycle de drames ne produisant pas seulement des personnages, mais l'ensemble des moyens étranges, multiples et convergents par lesquels ces personnages eux-mêmes sont produits pour les fins prévues par Dieu. [...] Il est assez possible que je prenne pour cadre une histoire audacieusement arrangée du XIXᵉ siècle [...] », écrivait-il à Frizeau en mai (*CJF*, 130). Ainsi imagine-t-on le dramaturge élisabéthain, au sortir de la Moralité médiévale, empruntant les faits de la chronique dans le seul dessein de proposer une leçon reflétée dans un « miroir pour les magistrats ».

Mais, dès le premier contact avec la matière choisie, la sensibilité et l'imagination du poète ont été piquées, et il a senti se « réveiller » en lui « le pouvoir créateur » (*Th* II, 1517). Ses personnages alors lui échappent et vivent de leur vie propre. Des problèmes imprévus jaillissent au fur et à mesure qu'il avance, et de cette lutte même naît un sens : sens d'une époque qui vient de quelque part et qui va quelque part ; mais surtout, illustré par une époque qui permet de le retrouver, sens de l'histoire chrétienne tout entière. Même dans un mélodrame comme *Le Juif de Malte,* même dans une comédie romanesque comme *Le Marchand de Venise,* la situation du Juif dans la société chrétienne à une époque donnée redit l'antique malédiction. Dans *Le Pain dur* et *Le Père humilié,* sous la Monarchie de Juillet et à la fin du Second Empire, elle fait renaître l'image du Christ crucifié, point de départ de l'Histoire. C'est donc *a posteriori,* et non *a priori* que le drame peut apparaître comme une parabole. Claudel sera tenté plus tard d'interpréter les drames du cycle des Coûfontaine comme des paraboles, et d'interpréter de la même façon les drames de Shakespeare. Mais auparavant il avait élevé une grande parabole dramatique : *Le Soulier de satin.*

CHAPITRE V

L'ÉPANOUISSEMENT

« Veuille la transformation »[1] : comme tous les grands créateurs, Claudel a toujours éprouvé le besoin de renouveler son art. De 1919 à 1930, le thème fondamental de son œuvre demeure, mais il appelle autour de lui d'innombrables motifs où il se reflète et s'anime en une chaîne de variations. Et le poète, comme un magicien penché sur ses cornues, recherche de nouvelles formules — la fresque, le livre — qui lui permettent de retrouver cette science du raccourci que possédaient d'instinct les maîtres d'autrefois.

Comment ne serait-il pas tenté de demander aux dramaturges élisabéthains leur secret et de leur emprunter leurs recettes ? Qu'on ne le félicite pas de son « astuce »[2] ! C'est la leur. Comme eux, il préside aux incessantes métamorphoses des formes, des êtres et de leurs destinées. Et les emprunts mêmes qu'il leur fait ne sauraient résister à sa baguette de Circé.

1. R.M. RILKE, *Die Sonette an Orpheus*, II, 12, éd. Angelloz, Paris, Aubier, 1943, p. 216.
   Wolle die Wandlung. O sei für die Flamme begeistert,
   drin sich ein Ding dir entzieht, das mit Verwandlungen prunkt !
2. Poème précédant la traduction en anglais du *Soulier de satin* (*Th* II, 1471).

I. LA NAISSANCE D'UN CHEF-D'ŒUVRE

La genèse du *Soulier de satin* nous présente l'histoire d'une métamorphose nombreuse : la mutation d'un projet ; le jeu des influences ; la communication d'un enthousiasme.

Les étapes de la genèse

Le drame nouveau ne devait être tout d'abord qu'« une espèce de saynète marine destinée à servir de prologue à *Protée* ». L'idée en vint à Claudel en août 1919 [1], « à la suite d'une conversation avec Sert » (*J* V, 51). Très tôt, le projet évolue. Dès le 21 mai 1919, le poète parle à Margotine d'« une espèce de petit drame espagnol où l'on verra un vieux conquistador retour du Maroc où il a délivré mille captives et de l'Amérique du Sud » [2]. En juin, il note dans son *Journal* ce qui sera la cellule-mère de l'œuvre : « Je comprends maintenant pleinement ce qui m'est arrivé en 1900 » (*J* IV, 29) ; et quelques jours plus tard se présente comme naturellement à son esprit et sous sa plume un « nom de femme : Prouhèze » (*J* IV, 42). Le moment semblait venu d'entreprendre ce grand drame théologique où, rempli de confiance, il allait tenter d'expliquer la crise de Fou-Tchéou. Mais le projet n'était dans sa tête qu'« à l'état de suspension, ce qu'on appelle un état colloïdal » (*MI*, 304).

Claudel part pour le Danemark le 1er août 1919, y « travaille très peu ». Le monde de sa pièce future se peuple, d'une manière encore anarchique, de « pêcheurs », d'« une négresse », d'« un licencié en théologie chinoise, un proxénète napolitain, un renégat hollandais et toutes sortes de créatures comme il en passait sur l'Atlantique il y a deux siècles dans le bruit des trompettes et la lumière des coups de canon » [3]. L'histoire reste celle du « vieux conquistador malheureux en amour qui se venge en ravageant le Maroc et en culbutant la Cordillère des Andes et qui finit captif et enchaîné aux mains d'une de ses filles » [4]. La rédaction de l'« Ode jubilaire pour le six-centième anniversaire de la mort de Dante » qui lui a été commandée en août 1919 par Henry Cochin (*J* IV, 46) et qu'il achève en janvier 1921, celle de l'« Introduction à un poème sur Dante » ont interrompu la préparation du drame espagnol (*CC* III, 66), mais la relecture de *La Divine comédie* a permis à Claudel d'approfondir le thème des amants séparés que la légende de la Tisseuse céleste a inscrit en lettres d'or dans le ciel nocturne [5].

1. Voir la lettre à Mihaud du 18 avril 1919 (*CC* III, 51).
2. Lettre inédite (APC).
3. Lettre à Margotine du 20 mars 1920.
4. *Ibid.*
5. Allocution prononcée par Paul Claudel au cours d'un gala organisé par Marie Bell au profit des cheminots à Paris, le 23 mars 1944 : « Le sujet du *Soulier de satin*, c'est celui de la légende chinoise, des deux amants stellaires qui chaque année, après de longues péré-

Comme la folle et vaine poursuite sur les routes belges et hollandaises (*J* I, 177-178), en avril 1905, avait précipité la rédaction de *Partage de Midi* [6], en décembre 1920, à Londres (*J* IV, 64), une « retrouvaille », une « rencontre », une « explication » avec l'amante d'autrefois, donnant l'impression d'« un apaisement dans un sens élevé » (*MI*, 300), font jaillir l'étincelle décisive [7]. Si l'on en croit les *Mémoires improvisés* (p. 304), dont la chronologie est ici imprécise et même erronée [8], l'imagination claudélienne aurait, au cours du séjour en France qui se situe entre le retour du Danemark (14 mars 1921) et le départ pour le Japon (2 septembre 1921), organisé cette « espèce de fête nautique » qui constituera la Quatrième Journée et ne s'intitule encore que « Sous le vent des îles Baléares ». C'est à ce moment-là seulement que commencerait la rédaction proprement dite.

Au Japon, où Claudel arrive en novembre 1921, elle va se poursuivre selon un rythme désormais à peu près régulier :

> Alors j'ai recommencé à écrire le drame, en partant du premier acte et de tout ce qui s'ensuit. Petit à petit, les idées s'en sont agrégées, et, suivant mon mode de composition, qui n'est jamais fait d'avance, et qui est, pour ainsi dire, inspiré par la marche, par le développement, comme un marcheur qui voit d'autres horizons se développer de plus en plus devant lui, sans souvent qu'il les ait prévus, et les différentes journées se sont placées l'une derrière l'autre, chacune avec ses horizons, ses vues latérales, ses souvenirs, ses aspirations, enfin tout ce qui fait la vie d'un homme et d'un poète.
>
> (*MI*, 304)

Le poète termine les deux premières Journées le 5 octobre 1922 (*CC* III, 72). La troisième, commencée le 4 octobre, est à peu près entièrement détruite dans le tremblement de terre du 1er septembre 1923 ; Claudel ne finit de la « réécri[re] à neuf » (*CJF*, 305) que le 8 mars 1924 [9]. Il achève de rédiger la Quatrième Journée le 22 octobre 1924 et la recopie le 30 novembre (*J* V, 51). Peut-être a-t-il apporté ensuite, jusqu'en janvier 1925, des retouches de détail, en particulier à la scène 10 de la Troisième Journée [10].

---

grinations, arrivent à s'affronter, sans pouvoir se rejoindre, d'un côté et de l'autre de la voie lactée » (*Th* II, 1476). G. Gadoffre a découvert cette légende dans le recueil de Lafcadio HEARN, *Some Chinese Ghosts* (1887) ; voir *Claudel et l'Univers chinois*, *CC* VIII, pp. 351-354.

6. L'un des manuscrits de *Partage de Midi* est daté à la première page de « Bruxelles, 20 mai 1905 ».

7. *J* IV, 65, « Ensevelis (spirituellement) dans les bras l'un de l'autre avant de nous retrouver dans l'éternité » / « L'idée d'un bonheur éternel peut à peine en ce monde être regardé en face. Que dire d'un malheur sans fin ? » / « plein les yeux, plein le cœur, plein ces seize ans ».

8. En effet, contrairement à ce que Claudel affirme p. 304, la « retrouvaille » a eu lieu avant son retour définitif du Danemark.

9. Date du manuscrit ; le 15 janvier 1924, Claudel annonçait à Frizeau que cette Troisième Journée était « presque entièrement reconstituée » (*CJF*, 305), et le 18 février il confiait à Milhaud qu'elle lui avait coûté « un prix énorme » (*CC* III, 12).

10. Sur ce point, voir J. PETIT, *Pour une explication du « Soulier de satin »*, p. 12 et n. 10.

Le problème des sources

Au cours de ces cinq années de genèse, la prodigieuse activité de Claudel lecteur ne s'est pas ralentie. L'étude d'influences s'impose d'autant plus ici que l'auteur lui-même nous présente *Le Soulier de satin* « moins [comme] un drame proprement dit [que comme] un laboratoire d'essais et de découvertes » (*CJF*, 304-305) : à côté des réminiscences inconscientes, il faut faire place de plus en plus à la longue interrogation par Claudel de ses devanciers. Aussi, sans négliger ni les sources chinoises [11], ni Dante qui a coloré le thème béatricien [12], ni Wagner dont Claudel prend le contrepied [13], ni Rimbaud, inspirateur du personnage de Camille [14], faudrait-il se pencher plus particulièrement sur le nô japonais [15], sur les Espagnols du Siècle d'or et sur les Elisabéthains. N'est-ce pas en effet sous le signe de Lope de Vega et de « tous les grands vieux dramaturges anglo-saxons » que Claudel placera son œuvre dans le « Poème précédant la traduction anglaise du *Soulier de satin* » (*Th* II, 1471) ?

Ce double patronage a souvent égaré la critique. Gabriel Marcel écrivait dès 1930 que la pièce était « conçue, en somme, sur le modèle des chefs-d'œuvre classiques du théâtre espagnol » [16]. G. Cattaui y retrouve « le propos d'une certaine esthétique baroque, telle qu'elle s'affirme [...] dans l'œuvre de Calderón » [17]. Dom Walther Willems accentue la comparaison entre la « comedia » et « l'action espagnole en quatre journées » [18]. M. L. Tricaud insiste encore davantage : la Vierge qui protège la maison de Pélage est une « Vierge baroque » surgie « du théâtre espagnol du Siècle d'or, en particulier des auto-sacramentels » (*sic*) ; l'Annoncier reprend le type du « gracioso » ; l'indécision entre le rêve et la réalité rappelle *La Vie est un songe* de Calderón [19]. Mais il faut se méfier d'un rapprochement auquel le sujet convie naturellement. Que Claudel évoque l'Espagne de Philippe II en imitant le théâtre du Siècle d'Or, et le voici réduit au rôle des antiquaires ou (il pousserait des cris d'horreur) d'un Viollet-le-Duc de la scène.

11. Voir G. Gadoffre, *op. cit.*, troisième partie ; E. Roberto, dans son article « Le Théâtre chinois de New York en 1893 », note « des correspondances précises entre le théâtre qu'on pratiquait à Doyers Street, et celui qu'on peut concevoir d'après *Le Soulier de satin* » (*C. Can*, V, 131).

12. Voir Ernest Beaumont, *Le Sens de l'amour dans le théâtre de Claudel*, pp. 73-88 ; *Le Journal* des années 1919-1925 comprend de nombreuses citations de Dante.

13. J. Petit, *Pour une explication du « Soulier de satin »*, p. 11, rappelle qu'en 1921 Claudel a assisté, à Paris, à plusieurs représentations wagnériennes, à la fois « ému et irrité ».

14. L'assimilation est flagrante, p. 674.

15. Voir sur ce point Moriaki Watanabe, « Claudel et le nô », dans *Etudes de langue et littérature françaises*, Tokyo, 1965, n° 6, pp. 61 sqq.

16. G. Marcel, « Claudel, poète planétaire : à propos du *Soulier de satin* », article paru dans *La Quinzaine critique* le 10 février 1930 et repris dans *Regards sur le théâtre de Claudel*, p. 41.

17. Georges Cattaui, « Claudel et l'âge baroque », *La Table ronde*, mars 1964, pp. 158-159.

18. Dom Walther Willems, *Claudel rassembleur de la terre de Dieu*, p. 128.

19. Marie-Louise Tricaud, *Le Baroque dans le théâtre de Paul Claudel*, p. 44, n., 54, 119, 138, 269.

Estelle Trépanier [20] se montre, à juste titre, beaucoup plus réservée et prend conscience des difficultés suscitées par une étude d'influences qui semblait pourtant devoir s'imposer. Sans doute peut-on déceler de vagues ressemblances, de « lointaines analogies » qui ne font qu'accentuer l'infidélité réelle : ainsi, la division en « journées », si souvent retenue par les critiques « baroquisants », « ne réduit pas [le] drame aux proportions de la comédie, ne l'astreint à aucune des normes de ce théâtre. On ne trouve pas dans *Le Soulier de satin* la construction typique de la comédie, qui consiste à faire des premières journées des moments franchement lyriques pour accélérer l'action à la dernière journée et, par un dénouement rapide de toutes les prémisses accumulées jusque-là, déclencher l'émotion du spectateur » [21]. De plus, la pièce présente des traits que Calderón ou Lope eussent assurément désavoués. Son caractère « foncièrement burlesque [...] » n'a pas d'équivalent dans le théâtre classique espagnol » et, même au-delà des Pyrénées, la « progression logique des épisodes » reste une loi au XVIIᵉ siècle, alors que « le spectateur du *Soulier de satin* est constamment tenu de rétablir l'ordre dans lequel se déroule l'action » [22].

Pour sa part, Estelle Trépanier conclurait plutôt à une influence de l'*auto-sacramental*, avec son « grand déploiement autour d'une action statique », sa « composition en escalier » ; ou encore elle songe à cette « kermesse », à cette « revue colossale » qu'est *Le Grand théâtre du Monde*, de Calderón de la Barca, « dont les vedettes sont autant de figures religieuses illustrant une vérité unique, celle de la subordination à Dieu » [23]. Ne trouve-t-on pas en effet des analogies « baroques » (malgré beaucoup de réticences, Estelle Trépanier ne parvient pas à esquiver le terme) entre les deux œuvres ? Pourquoi ne risquerait-on pas un parallèle entre les trois phases de l'existence de Segismond et les trois mouvements de « va-et-vient » de Prouhèze pour mieux souligner, à l'intérieur du *Soulier de satin*, l'existence de « l'ordre baroque » défini par Angel Valbuena Prat à propos de *La Vie est un songe* [24] ? Bref, après avoir fait preuve d'une louable prudence dans l'étude des « similitudes de détail » existant entre l'ouvrage de Claudel et la « comedia », l'auteur de l'article réunit maintenant trop hardiment deux formes de théâtre fort éloignées sous le signe d'un « baroque » sorti à la fois des frontières de l'histoire et de l'esthétique, puisqu'il est censé se rattacher à saint Augustin [25] : à l'instar de l'essayiste espagnol dont elle s'inspire, elle a indûment

20. Dans « L'Hispanisme dans le théâtre de Paul Claudel », *Revue de Littérature comparée*, juillet-septembre 1962. Article dont les thèses ont été réfutées par E. ROBERTO, *C. Can* IV, pp. 314-318.

21. *Art. cit.*, p. 392.

22. *Ibid.*, p. 391.

23. *Ibid.*, p. 392.

24. *Ibid*, p. 391 ; cf Angel Valbuena PRAT, « El Orden Barroco en *La Vida es Sueño* », dans *Escorial*, VI, nº 16, Madrid, 1942,

25. A. Valbuena Prat voyait en effet dans les trois phases de l'existence de Segismond (emprisonnement, essai de libération et résultat final) les trois moments de l'humanité interprétée selon la doctrine de saint Augustin.

étendu le terme à une conception spirituelle, à un « ordre » de caractère religieux.

Alors l'historien reprend ses droits. Et il est bien obligé d'avouer que Claudel a fort mal connu le théâtre du Siècle d'or [26]. La mémoire du vieux poète est-elle défaillante quand il affirme devant Jean Amrouche avoir seulement « parcouru d'une manière très insuffisante [...] un recueil de pièces espagnoles », sans savoir seulement si elles étaient empruntées à Calderón ou à Lope de Vega (*MI*, 347) ? Les lettres adressées à Gide le 6 et le 21 mars 1911 permettent de découvrir qu'il a eu entre les mains un volume contenant la traduction établie par Léo Rouanet de trois drames religieux de Calderón, *Les Cheveux d'Absalon, La Vierge de Sagrario, Le Purgatoire de saint Patrice*. Les a-t-il lus ? Ils ne l'ont en tout cas guère intéressé, et il ne fait aucun commentaire à leur sujet (*CG*, 167, 169, 326). Une note du *Journal*, à la date d'octobre 1919, mérite davantage de retenir l'attention : « Je lis Calderón ; comme Lope de Vega, prodigieux inventeur » (*J* IV, 48). Toujours sans commentaire.

La lecture a donc été commencée, reprise, abandonnée et est restée très superficielle. Elle a donné à Claudel une teinture hispanique, sans vraiment l'imprégner. Le poète peut emprunter au répertoire espagnol des images, des masques, réunis dans un grand magasin d'accessoires, dans un véritable bric-à-brac esthétique, avec des paysages entrevus lorsqu'il traversait l'Espagne et le Portugal [27] en 1917 pour se rendre au Brésil et des tableaux admirés au Prado à la même occasion (*J* IV, 4). *Le Soulier de satin* n'a rien d'un musée ! Des éléments hétéroclites entrent joyeusement, non pas dans une véritable « parodie espagnole », comme l'écrit trop vivement E. Roberto (*C. Can* IV, 217), mais dans un jeu, un « capriccio espagnol », où ils repassent, touches éparses aux quatre coins d'un spectacle violemment. insolemment stylisé.

Le danger, quand on étudie une source, est de négliger les autres et de déformer une œuvre aux dimensions de l'univers en privilégiant une seule de ses orientations. Je n'ai pas refusé de faire du *Soulier de satin* une « comedia » caldéronienne pour lui donner le qualificatif d'élisabéthain. Je n'emploierai la loupe grossissante que pour rechercher des traces souvent fugitives, fondues dans un ensemble puissamment original.

Sans doute Claudel est-il depuis sa jeunesse imprégné de culture élisabéthaine. Mais nous possédons peu de renseignements sur sa persévérance en ce domaine au cours des années 1919-1930.

---

26. Estelle Trépanier, d'ailleurs, serait la dernière à le nier.
27. Ainsi la petite tour de Belem, en contrebas dans l'estuaire du Tage, est-elle devenue le « palais de Belem » avec « une grande salle » qui « domine l'estuaire du Tage » et où vit, dans la Première Journée, le roi d'Espagne entouré de sa cour (*Th* II, 686).

Un effort parallèle de pénétration :
Claudel et les metteurs en scène
à la recherche du secret élisabéthain

Il semble à peu près inutile de chercher du côté des représentations auxquelles il aurait pu assister. Jacques Copeau lui annonce bien, le 2 février 1920, qu'il va monter, au théâtre du Vieux-Colombier, *Le Conte d'hiver* (*CC* VI, 98), dans la traduction qu'il a faite lui-même avec Suzanne Bing. Mais Claudel n'est pas là le jour de la création, le 10 février. Assista-t-il à une représentation au cours de ses deux brefs séjours à Paris, en juin et en octobre de cette année-là ? On ne saurait l'affirmer. La pièce d'ailleurs ne toucha guère le public et la critique la trouva étrange [28].

Il faut, en tout cas, souligner l'admirable activité en faveur de Shakespeare menée au cours de ces années de l'après-guerre par Copeau et par les quatre metteurs en scène qui formeront à partir du 6 juillet 1927 le « Cartel des Quatre » : Gaston Baty, Charles Dullin, Louis Jouvet et Georges Pitoëff. Ces hommes qui ont tous, d'une manière épisodique, entretenu des rapports avec Claudel, considèrent Molière et Shakespeare comme les « vrais Mages du théâtre » [29]. Jouvet, qui a joué Shakespeare au début de sa carrière, le délaissera au profit de Molière. Mais Baty monte le 12 octobre 1928 la première version de *Hamlet*, défend son choix dans un article de *Paris-Soir* (« Les Deux Hamlet », 21 septembre 1928), écrit une étude sur Shakespeare (*Visage de Shakespeare,* publiée dans le XIIIᵉ cahier des *Masques* en 1928) et multiplie les articles (« La Vie théâtrale au temps de Shakespeare », *Le Soir,* 17 septembre 1928 ; « Une nouvelle manière de jouer Shakespeare », *Paris-Midi,* 17 septembre 1928). Pitoëff, qui voue un culte particulier à Shakespeare [30], monte *Macbeth* le 24 octobre 1921 après *Mesure pour mesure* (19 octobre 1920) qu'il donnera de nouveau à la Comédie des Champs-Elysées (3 mai 1922) et *Hamlet* (1ᵉʳ décembre 1920), dans la traduction d'Eugène Morand et Marcel Schwob, qui passera sur la scène du Théâtre des Arts le 16 décembre 1926.

Dullin découvre, au cours de cette période, les autres dramaturges élisabéthains. Adrienne Monnier raconte qu'en 1922, l'année où il s'installa à l'Atelier, il envoya Antonin Artaud prendre un

28. France ANDERS, *op. cit.,* p. 50.
29. Ch. DULLIN, *Souvenirs et Notes de travail d'un auteur,* Paris, Odette Lieutier, 1946, p. 151. Déjà en 1915, Copeau écrivait à Jouvet : « J'ai le pressentiment que nous ferons fortune en jouant Molière et Shakespeare » (lettre reproduite dans le deuxième Cahier de la Compagnie M. Renaud - J.-L. Barrault, p. 115) ; et G. BATY dira : « Molière comme Shakespeare est le tout du théâtre » (*Vie de l'art théâtral des origines à nos jours,* en collaboration avec René CHAVANCE, Paris, Plon, 1932, p. 188).
30. G. PITOËFF, *Notre Théâtre,* Paris, Librairie Bonaparte, coll. « Messages », 1949, p. 32 : « Dans Shakespeare, je n'aperçois pas seulement la beauté de la forme, la perfection, cette certaine beauté essentielle, enfin, de la tragédie, mais j'admire surtout la beauté de sa pensée et sa répercussion sur nous. Les idées s'enchaînent à l'infini, nous entraînant à leur suite ; l'esprit qui approche Shakespeare s'enflamme et, à son contact, se recrée sans cesse à nouveau ». On trouvera dans cet ouvrage des textes sur *Macbeth* et sur *Roméo et Juliette.*

abonnement de lecture à la librairie de l'Odéon, à seule fin de lire tout ce qui, de ce théâtre, avait été mis en français »[31]. Il monte deux pièces de Ben Jonson, adaptées l'une par Marcel Achard (*Epicène ou la Femme silencieuse*, 24 novembre 1925), l'autre par Jules Romains... d'après la traduction allemande de Stefan Zweig (*Volpone*, 23 novembre 1928). Copeau fait paraître à la N.R.F. son adaptation de Thomas Heywood, *Une Femme tuée par la douceur*, en 1924, l'année même ou sort des presses la traduction, qu'il a réalisée avec Suzanne Bing, des *Tragédies de Shakespeare*[32].

Enfin, on négligerait injustement l'effort nouveau de l'Odéon. Sous l'impulsion d'un nouveau directeur avec qui Claudel a également été en relations à ce moment-là, Gémier[33], on y monte *Le Marchand de Venise* et les œuvres les plus débridées de Shakespeare : *Les Joyeuses commères de Windsor*, *La Mégère apprivoisée* et ce *Songe d'une nuit d'été* qui ne disparaît jamais de l'horizon claudélien.

C'est à Copeau que revient l'honneur d'avoir voulu rénover la mise en scène pour la représentation des auteurs élisabéthains, et les membres du Cartel lui devront tous sur ce point quelque chose[34]. Le célèbre « dispositif fixe » qu'utilisera Jouvet après lui est né de son désir de retrouver les conditions mêmes de la scène au temps de Shakespeare. A la multiplicité de décors somptueusement colorés, Copeau préfère la simplicité stylisée du « tréteau nu ». Vivement impressionné par les représentations qu'a données Granville Barker à Londres en 1912-1913, il utilise pour *Le Conte d'hiver* la scène compartimentée qui seule permet de venir à bout des perpétuels changements imposés par le déroulement de la pièce[35] : comme le souligne le programme, l'art de la composition réside dans la seule répartition de l'ombre et de la lumière. Pitoëff se déclare lui aussi partisan d'un « décor épuré »[36] : dans *Mesure pour mesure*, des draperies étagées à l'arrière-plan permettront d'obtenir la dimension en hauteur et en profondeur qu'il recherche toujours ; parfois une toile de fond descendra, présentant un tableau allégorique ou familier[37].

Pour sa part, Baty conçoit l'art dramatique comme une communion des arts, et le théâtre anglais comme l'épanouissement du théâtre médiéval. Soucieux de documentation, il cherche à se représenter la vie de la scène élisabéthaine et se refuse à croire à son austérité. Opposé tant à Copeau qu'à Pitoëff, qui se montrent plus respectueux que lui à l'égard du texte, il utilise pourtant lui

31. Adrienne MONNIER, « Randonnée shakespearienne », dans *Les Lettres nouvelles*, n° 12, février 1954.
32. Union latine d'Edition, 5 vol.
33. Claudel l'appelle, dans une interview dont *Comedia* donne le compte rendu le 2 mai 1921, « notre plus grand maître de la scène » (*CC* V, 172).
34. Voir R. DAVRIL, « Jacques Copeau et le Cartel des Quatre », dans *Shakespeare en France*, numéro spécial d'*Etudes anglaises*, tome XIII, n° 2, Paris, Didier, 1960, p. 174.
35. Pour plus de détails, voir l'article de Helena Robin SLAUGHTER, « Jacques Copeau metteur en scène de Shakespeare et des Elisabéthains », *Etudes anglaises*, n° cité, pp. 176-191.
36. G. PITOËFF, *op.cit.*, p. 41.
37. R. DAVRIL, « Les Mises en scène de Pitoëff », *Etudes anglaises*, n° cité, pp. 192-196.

aussi le décor unique pour *Hamlet*, réunissant tous les lieux de l'action en un seul, la cour du château ; mais ce décor est plus composite, plus riche, et l'ornement n'en est pas exclu[38].

Charles Dullin se soucie davantage encore de l'impression d'ensemble et fait appel au concours de la musique, des décors, des costumes, du rythme même qu'il impose à la pièce. Pour *Epicène ou la Femme silencieuse*, l'orchestre joue une partition de Georges Auric qui souligne les jeux de scène et définit les personnages avec une délicatesse ironique. Si les costumes sont luxueux, les décors gardent quelque chose de capricieux et d'inachevé, avec, en particulier, de grands panneaux schématiques qui s'ornent de quelques indications sommaires, surprenantes au premier abord, mais qui, peu à peu, prennent toute leur valeur[39]. Enfin, la gaîté de la troupe de l'Atelier, son enthousiasme semblent en faire le modèle exact de celle qui est décrite au début du *Soulier de satin*.

Ces mises en scène ont-elles exercé quelque influence sur ce drame ? Je n'oserais le prétendre. La chronologie opposerait d'ailleurs bien des obstacles, car il faut tenir compte des longs séjours de Claudel hors de France. Mais le parallèle est frappant entre ces tentatives et l'œuvre, conçue à la même époque, qui appelle la scène unique, comme les œuvres élisabéthaines. Claudel en a eu la révélation à Hellerau :

> Il faut radicalement se débarrasser des peintures, des sculptures, des toiles peintes, des cartonnages, des machines et autres cochonneries. Il faut une salle qui soit nue comme un atelier et où tout soit souple et étroitement subordonné à l'expression scénique. Ce n'est pas des trompe-l'œil qu'il faut, c'est de l'architecture, ce n'est pas des éclairages, c'est de la lumière[40].

On croit entendre Copeau ou Pitoëff. Et il ne faut pas s'en étonner, puisque Granville Barker, auquel Copeau doit tant, est lui-même redevable à Hellerau, où Claudel l'a rencontré[41].

Pourtant, il faut l'avouer, sur un point ces grands metteurs en scène pouvaient laisser Claudel insatisfait. Trop cartésiens, peut-être, ils semblent avoir été gênés par le foisonnement des intrigues. Copeau avait déjà sacrifié l'intrigue secondaire dans son adaptation d'*Une Femme tuée par la douceur*. L'étrange version à laquelle Dullin a recours pour *Volpone* marque un recul plus grand encore. Selon Jules Romains, qui se montre sur ce point aussi réactionnaire que Maeterlinck en 1894, Ben Jonson aurait pu réaliser un chef-d'œuvre de la classe de *L'Avare* ou de *Tartuffe* ; mais il ne l'a pas fait et sa pièce « n'est pas justiciable de l'adaptation ordinaire » : elle ne peut « revivre [...] qu'à condition d'être remanié[e] profon-

---

38. Je résume ici l'article de J. Jacquot, « Gaston Baty et les Elisabéthains », *Etudes anglaises*, n° cité, pp. 205-215.

39. Hélène Henry, « Charles Dullin et le Théâtre élisabéthain », *Etudes anglaises*, n° cité, p. 197.

40. Lettre de Claudel à Lugné-Poe du 11 juillet 1913 (*CC* V, 122) ; sur Claudel à Hellerau, voir Margret Andersen, *Claudel et l'Allemagne*, pp. 59-67.

41. Il déforme son nom en « Baker » dans la lettre citée à Lugné-Poe, *CC* V, 123.

dément, ou pour mieux dire, repensé[e], refait[e]» [42]. L'avenir a pour tâche d'amener ce chef-d'œuvre grossier à sa maturité classique. Voltaire n'est pas loin. Non seulement on voit disparaître l'intrigue secondaire, qui se déroule autour de Sir Politick Would-Be et de son excentrique épouse ; mais le cinquième acte se trouve bouleversé et, après deux remaniements successifs, le personnage principal lui-même, schématisé à l'extrême, perd toute sa complexité [43]. Devant ces pudeurs, on comprend mieux l'incompréhension dont *Le Soulier de satin* fut victime en 1929-1930, puisqu'il renchérissait encore sur l'apparente anarchie du drame élisabéthain [44].

Les centres d'intérêt

On dispose d'un petit nombre d'éléments pour préciser l'étendue des lectures shakespeariennes de Claudel au cours de cette période.

Il a repris les tragédies romaines. Dans la Quatrième Journée du *Soulier de satin*, le Chancelier montre à Rodrigue l'Angleterre et la Chrétienté tout entière s'avançant pour le supplier

[...] comme jadis les trois femmes qui vinrent trouver Coriolan.
(*Th* II, 928)

Claudel songe à la scène où le guerrier romain, passé chez les Volsques, voit à ses pieds sa mère Volumnie, sa femme Virgilie et la chaste Valérie le prier d'épargner sa patrie [45]. Le *Journal* consigne aussi la relecture d'*Antoine et Cléopâtre* en 1923 (*J* IV, 91) et en 1924 (*J* V, 38) .Au même moment, Claudel appuie son étude de la versification shakespearienne sur quatre vers de *Richard II* (*PP* I, 14) [46].

La versification des « derniers drames » lui paraît plus hardie encore (*J* V, 27 ; février 1924). Et il faut remarquer avec quelle insistance il parle alors de ces ultimes chefs-d'œuvre et comment il les rapproche du *Soulier de satin*. Eclairantes sont à cet égard les déclarations qu'il a faites en 1925 à Frédéric Lefèvre et qu'il a confirmées en 1952 au cours de ses entretiens avec Jean Amrouche : c'est pendant ses années de maturité qu'il a découvert dans toute sa plénitude et dans toute sa profondeur cette sublime conclusion de la production shakespearienne.

Quels sont exactement ces ultimes chefs-d'œuvre ? Claudel en compte cinq, mais ne précise le titre que pour trois d'entre eux :

42. Jules ROMAINS, « Comment est née cette version de Volpone ? » *Correspondance*, n° 2, nov. 1928.
43. H. HENRY, *art. cit.*, p. 199.
44. Sur cet accueil, voir P. BRUNEL, « *Le Soulier de satin* » *devant la critique*, chap. 2, « La conspiration du silence ».
45. *Coriolanus*, V, 3, pp. 732-734.
46. *Richard II*, III, 4, vers 72 et 74-76 ; il s'agit du cri de colère de la Reine contre le Jardinier dont elle vient de surprendre la conversation. Peu importe d'ailleurs ; Claudel se soucie uniquement de prosodie ici. Voir *supra*, pp. 60-68. Les « Réflexions et Propositions sur le vers français » sont exactement contemporaines du *Soulier de satin* et ont été achevées très peu de temps après (le manuscrit est daté du 7 janvier 1925).

Cymbeline, Le Conte d'hiver et *La Tempête* (*MI*, 44). Ce sont ceux-là mêmes que retient E.M.W. Tillyard dans son ouvrage sur *Les Dernières pièces de Shakespeare* [47]. Miss Bradbrook y ajoute *Périclès* [48], et il faut l'ajouter sans hésitation, pour aider la mémoire claudélienne, car l'odyssée du prince de Tyr a laissé une trace évidente dans *Le Soulier de satin*. Reste le cinquième. La chronologie la plus couramment admise place *Henry VIII* au terme de la carrière de Shakespeare, puisque la date de la première représentation de cette chronique historique se confondrait avec celle de l'incendie du Théâtre du Globe, le 29 juin 1613 [49]. G. Wilson Knight, tirant l'œuvre du mépris où elle a longtemps été tenue, a tenté de démontrer qu'elle appartenait comme les quatre autres à cette « poésie de la conversion » vers laquelle a évolué Shakespeare [50]. Mais Claudel a toujours éprouvé si peu de goût pour cette pièce, — il la considère même comme un « effondrement » du génie (*Fig*, 200) —, qu'on voit mal comment il pourrait la compter au nombre de « ces drames qui sont presque le sommet de l'esprit humain » (*MI*, 44). Remplaçait-il *Henry VIII* par *Antoine et Cléopâtre* ? Si cette tragédie a été inscrite au registre des libraires à la même date que *Périclès*, le 20 mai 1608, elle pourrait difficilement être retranchée de la série des « tragedies » pour être transférée dans celle des « romances ». De plus, elle ne présente pas le « système d'actions conférentes » [51] qui caractérise, selon Claudel, le dernier Shakespeare. Enfin, même des « tragédies » *Timon d'Athènes* et *Coriolan* lui semblent postérieures.

Je résume cette argumentation : on admet d'ordinaire (depuis l'édition Furnivall, en 1877 [52]) que les cinq dernières pièces de Shakespeare sont *Périclès, Cymbeline, Le Conte d'hiver, La Tempête, Henry VIII*. Claudel, en 1952, se souvient du chiffre cinq, oublie *Périclès*, qu'il a pourtant beaucoup admiré, néglige *Henry VIII*, qu'il considère comme une réalisation inférieure. Force est donc de conclure qu'il réduit à quatre le nombre de ces ultimes chefs-d'œuvre.

Parallèlement, le poète a continué à pratiquer les autres Elisabéthains qu'il invoque dans le « Poème-Préface ». Aucune allusion dans la correspondance, aucune note du *Journal* ne permettent de préciser les titres des œuvres qu'il a lues. Mais, si l'on se fie au témoignage du poète et diplomate anglais Robert Nichols, qui porte pré-

47. E.M.W. TILLYARD, *Shakespeare's Last Plays*, London, Chatto and Windus, 1954, p. 1.

48. M.C. BRADBROOK, *The Growth and Structure of Elizabethan Comedy*, London, Chatto and Windus, 1955, p. 196.

49. Pour une discussion sur ce point, voir la préface d'H. Fluchère, éd. de la Pléiade, tome I, pp. CLXXXI-CLXXXII.

50. G. WILSON KNIGHT, *The Crown of Life*, « essays in interpretation of Shakespeare's final plays », Oxford University Press, 1947.

51. Frédéric LEFÈVRE, *Une Heure avec*, 3e série, p. 154.

52. Le classement de Furnivall est reproduit dans l'édition d'Oxford utilisée par Claudel à la fin de sa vie, probablement depuis la disparition de son exemplaire annoté dans le tremblement de terre de Tokyo en 1923. L'ordre adopté par Furnivall n'est d'ailleurs pas exactement le même que celui des éditions récentes (que je suis ici) : il place *La Tempête* entre *Périclès* et *Cymbeline*.

cisément sur la période de Tokyo, on n'hésite plus à introduire
d'autres noms : Beaumont et Fletcher, Marlowe, Massinger, Ben
Jonson; peut-être même Webster, Ford, Dekker[53]. Aussi ai-je cru bon
d'élargir le plus possible cette enquête sur les sources et les aspects
élisabéthains du *Soulier de satin*.

53. Voir *supra*, p. 8 et *Bull* XXVII, 1, où Georges Cattaui rapporte le témoignage
de Robert Nichols ; sans doute ce témoignage est-il indirect ; mais on peut noter que
Claudel ne l'a pas désavoué. En effet, il a reçu et lu (voir sa lettre à G. Cattaui du 21 avril
1932, FD) l'article de G. Cattaui sur *Le Soulier de satin* paru dans *The Dublin Review*,
n° de juillet-septembre 1932, et les propos de Robert Nichols s'y trouvaient déjà rapportés,
p. 276 : « Mr. Robert Nichols, who knew Claudel in Tokyo, told me once with what pleasure
it was that he discovered one day that the French ambassador knew, better than any
Englishman, not only Marlowe, Ben Jonson, Beaumont and Fletcher, but even the least known
of the dramatists of the sixteenth century, Webster, Ford, Massinger, Dekker, upon whom he
had nourished himself as abundantly as upon their Spanish contemporaries ». Cette dernière
notation, démentie plus tard par Claudel lui-même (*MI*, 347), rend le texte du témoignage
quelque peu suspect, il est vrai. Enfin il faut s'étonner de voir Claudel vanter la hardiesse
des enjambements shakespeariens et ne jamais faire allusion à la versification de Beaumont
et Fletcher qui en contient tant.

II. THÈMES ET MOTIFS

Claudel a trouvé dans le théâtre anglais un répertoire de thèmes et de motifs où il n'a pas hésité à puiser pour enrichir son drame volontairement divers. Il a retenu les types plutôt que les visages singuliers, les thèmes conducteurs plutôt que les ornements, les décors conventionnels plutôt que les traits réalistes. Et il n'a écouté les voix que pour entendre le silence...

Quelques types élisabéthains

On reconnaît aisément, au fil d'une lecture hâtive du *Soulier*, quelques types que Claudel a empruntés aux Elisabéthains, comme l'auteur d'une comédie à l'italienne reprend les masques de la « commedia dell' arte ».

Par la volonté de Don Pélage, « un cavalier en armes escorte Doña Prouhèze » (669) sur le chemin qui conduit à la mer. Ce protecteur porte un nom fréquent chez les hommes de confiance dans le théâtre de Shakespeare : Balthazar.

On pense au serviteur de Roméo, Balthazar, qui arrive en bottes, à Mantoue, pour donner au jeune homme les dernières nouvelles de Vérone et le surveille dans l'ombre tandis qu'il ouvre la tombe de Juliette[1] : gardien dévoué, et pourtant introducteur d'un Destin qu'il ne peut ensuite conjurer. Dans *Beaucoup de bruit pour rien*, Don Pedro charge un autre Balthazar, son serviteur, de chanter la sérénade destinée à Héro (de la part de Claudio) et aussi à l'irréductible Bénédict, caché sous une tonnelle, que la musique galante doit éveiller à l'amour[2] : la poésie de la scène vient non seulement de l'intention subtile du prince d'Aragon, mais de la situation double dans laquelle se trouve placé le chanteur, amoureux lui-même de la suivante de Héro, Margaret[3].

Don Balthazar, à la fin de la Première Journée du *Soulier de satin*, donne lui aussi une étrange sérénade pendant l'attaque de l'auberge, offrant aux spadassins qui recherchent Doña Musique, la musique de quelques couplets :

> Un chant qui monte à la bouche
> Est comme une goutte de miel
> Qui déborde du cœur.   (720)

Il croit fort éloignée, et entre les mains du Terrible Juge, la jeune fille qu'il aime en secret. Mais voici qu'elle apparaît, emportée par une barque qui s'enfuit sur la mer, et sa voix répond au chant de Balthazar, comme un adieu éternel

---

1. *Romeo and Juliet*, V, 1, 1-33, p. 790, et V, 3, 43-44, p. 791.
2. *Much Ado about Nothing*, II, 3, 40-97, p. 127.
3. *Ibid.*, II, 1, 105-117, p. 123.

Une larme de tes yeux,
Une larme de tes yeux...
[...]
Et courir sur ton visage
Et tomber au fond de ton cœur !
Et tomber au fond de ton cœur !   (724-725)

Dans cette parodie souriante du fameux festin de Balthazar, le poète a joué avec un art exquis de l'échange des voix : le vieux gentilhomme contraint l'insinuant Chinois à chanter pour une bien-aimée lointaine, puis il chante à son tour quand apparaît Doña Musique, si proche et pourtant insaisissable. Le coup de feu qu'il réservait au Chinois l'atteint alors lui-même, venant confirmer la substitution. Comme Shakespeare dans la scène correspondante de *Beaucoup de bruit pour rien*, Claudel suggère ici la délicate poésie des méprises amoureuses.

Le nom de Camille ne saurait renvoyer au fidèle Camillo du *Conte d'hiver* ni même au pitoyable jaloux du *Démon blanc* de Webster. Il est bien davantage dans la tradition des machiavels, à la fois subtils et cruels, qui « vivent dans le mensonge et dans l'audace, jettent leur défi au destin, narguent les lois humaines et divines »[4] et obéissent à une résolution (*virtù*) implacable. De Tête d'Or à Don Camille, l'aventurier claudélien suit l'évolution qui mène de Tamerlan aux hypocrites et aux cyniques de Webster, — des comparses il est vrai, mais animés d'une vie ardente, portant sur les choses un regard d'une étonnante lucidité et confrontés aux problèmes moraux et métaphysiques les plus torturants : des bourreaux qui, de plus en plus, ont tendance à devenir des victimes.

Claudel a joué sur la tradition élisabéthaine du « maure » et sur l'indécision, si caractéristique de l'antisémitisme du temps, entre l'Arabe et le Juif. Camille, quoique gentilhomme espagnol et cousin de Don Pélage (670), fait dire à beaucoup de gens, « à cause de [son] teint un peu sombre », « qu'il y a du Maure dans [son] cas » (673), et il peut se déguiser tour à tour « en marchand juif » (673) et en chef arabe avec son « grand burnous » et à la main « le petit chapelet mahométan » (832). Le « chien de juif »[5] devient le « chien maure » que Rodrigue couvre d'injures et de menaces (767). Mais le Juif rapace ne perd pas ses droits : Camille se transforme en Ochiali à la seule fin de spéculer plus insolemment que jamais (674), de mieux « faire la banque » en vendant de la poudre à tous les clans qui se combattent entre eux (835).

Le Maure est traditionnellement doué d'une violente lubricité. Aaron, dans *Titus Andronicus*, a entraîné dans la luxure Tamora dont l'enfant nouveau-né, par sa peau noire, révèle la faute[6]. Le Mullisheg de Heywood, si clément soit-il (et d'ailleurs la seconde partie nous le présente sous un jour moins sympathique) n'apprécie

---

4. Henri FLUCHÈRE, *Shakespeare dramaturge élisabéthain*, p. 73.
5. *The Merchant of Venice*, IV, 1, 128, p. 210 :
GRATIANO. — O, be thou damn'd, inexecrable dog !
6. *Titus Andronicus*, IV, 2, pp. 752-755.

guère dans la condition de roi que la possibilité de pouvoir garnir son harem avec des beautés infiniment diverses[7]. De la même façon, Don Camille se félicite d'avoir à sa disposition une grande quantité de femmes « dans ce poulailler que l'Afrique et la mer approvisionnent » (832).

Ces appétits sans frein expliquent les crises de jalousie. Il suffit d'un soupçon pour bouleverser même la noble nature d'Othello et la ramener à son chaos originel[8]. Sans doute la faute possible de Desdémone vient-elle cruellement ruiner l'idéal de pureté absolue dont a rêvé ce militaire épris d'ordre et de discipline ; mais, il faut l'avouer, Shakespeare, en homme de son temps, a fait resurgir dans son personnage le Maure de convention, avec sa lascivité[9] et surtout avec la brutalité originelle dont il est le symbole. Dans Le Soulier de satin, Camille ne conçoit l'amour que comme « jaloux » (676) et il va jusqu'à demander le don de l'âme.

Le refus aiguise la cruauté du renégat. Le sadisme s'éveille comme une tendance naturelle chez Camille qui évoque avec délectation les mystères de son « cabinet de torture » (767) ou l'ombre du pendu se balançant au bout d'une corde tandis que se consume un petit feu de braise (770). Il n'est pas moins instinctif chez le machiavel élisabéthain : aussi diabolique que Barabas dans l'invention des supplices, Aaron organise le viol et la double mutilation de Lavinia[10] ; il fait croire à Titus qu'en se coupant une main et en l'envoyant à l'empereur, il retrouvera ses fils, puis il se charge lui-même de l'opération[11]. Au bord de l'abîme, sa frénésie dans le mal atteint à son comble :

> En ce moment même, je maudis le jour [...] où je n'ai pas commis quelque méfait notoire : comme de tuer un homme, ou du moins de machiner sa mort ; de violer une vierge, ou de comploter dans ce but ; d'accuser quelque innocent, et de me parjurer [...]. Souvent j'ai exhumé les morts de leurs tombeaux, et je les ai placés debout à la porte de leurs plus chers amis, au moment où la douleur de ceux-ci était presque éteinte ; et sur la peau de chaque cadavre, comme sur l'écorce d'un arbre, j'ai avec mon couteau écrit en lettres romaines : *Que la douleur ne meure pas, quoique je sois mort*[12] !

---

7. *The Fair Maid of the West*, première partie, IV, 3.
8. A.C. BRADLEY, *Shakespearean Tragedy*, éd. cit., p. 144, parle de « sexual jealousy » ; voir *Othello*, III, 3, pp. 958-962.
9. I, 1, 127, p. 944 [...] the gross clasps of a lascivious Moor ».
10. *Titus Andronicus*, II, 3, pp. 744-7.
11. *Ibid.*, III, 1, 151-191, p. 750.
12. *Ibid.*, V, 1, 125-140, pp. 758-759.
Even now I curse the day [...]
Wherein I did not some notorious ill :
As kill a man, or else devise his death ;
Ravish a maid, or plot the way to do it ;
Accuse some innocent, and forswear myself ;
[...]
Oft have I digg'd up dead men from their graves,
And set them upright at their dear friends' doors,
Even when their sorrows almost were forgot ;
And on their shins, as on the bark of trees,
Have with my knife carved in Roman letters,
Let not your sorrow die, though I am dead.

Car il ne lui suffit pas de martyriser le corps ; il lui faut torturer l'âme, et, à bien l'entendre, il conçoit même son amour pour Tamora comme l'occasion d'exercer sur elle sa volonté de puissance, de la « traîner en triomphe, prisonnière, enchaînée dans les liens de l'amour, et plus étroitement attachée aux regards charmants d'Aaron que Prométhée au Caucase » [13].

Camille se situe bien dans la lignée de ce sinistre personnage ; mais alors que Barabas et Aaron jouissaient d'une grande liberté dans l'exercice du mal, il est exaspéré par les limites qui lui sont imposées. Il a eu beau se créer son « petit royaume en Afrique » (835), il se heurte à Prouhèze, — moins au capitaine que le roi d'Espagne lui a imposé, moins à la femme qui lui refusait son corps, qu'à l'amante de Rodrigue, à ce « Nom — Que Rodrigue avec [elle] de l'autre côté de la mer achève » (837). Il sait qu'il a le pouvoir de la faire fouetter, et il ne se prive pas de mettre ses menaces à exécution quand son irritation l'y pousse, mais il ne torture le corps de sa captive que parce qu'elle lui torture l'âme en lui refusant la sienne.

Claudel modifie le personnage du « villain » élisabéthain dans la mesure où il nuance l'hypocrisie de Camille. Sans doute a-t-il ce sourire faux, ce « sourire câlin » (674) que lui reprochait sa mère. Mais, — avec la loyauté dont elle fait preuve elle-même quand elle avertit Balthazar (681) et la Vierge du Seuil (685) qu'elle fera tout pour rejoindre Rodrigue — il avertit Prouhèze qu'il utilisera tous les moyens pour arriver à ses fins :

> [...] je vais être si malheureux et si criminel, oui, je vais faire de telles choses, Doña Prouhèze,
> Que je vous forcerai bien de venir à moi, vous et ce Dieu que vous gardez si jalousement pour vous, comme s'il était venu pour les justes.   (676-677)

Car son entreprise se situe bien à ce niveau : il veut faire violence à Dieu. Comme l'Enfant prodigue se juge autorisé à tout mettre en œuvre pour que le Père lui demande pardon, il a cru pouvoir Le contraindre à venir à lui en Lui infligeant la souffrance de son départ. L'appel de l'Afrique auquel il obéissait était-il autre que l'appel du Christ, le « cri terrible » de ce Christ que Prouhèze seule peut lui donner en lui donnant son âme (842) ? Par là, il s'élève au-dessus des personnages noirs de Webster, Flamineo ou Bosola, qui s'élançaient dans la carrière du mal par une sorte de renoncement, de frénésie dans le désespoir et la damnation. « Quand nous cherchons au ciel la lumière, le savoir embrouille le savoir » [14], déclarait Flamineo qui choisissait délibérément la brume et concluait

---

13. *Titus Andronicus*, II, 1, 14-17, p. 743 ; trad. cit., 394 :
   [...] whom thou in triumph long
   Hast prisoner held, fetter'd in amorous chains,
   And faster bound ro Aaron's charming eyes
   Than is Prometheus tied to Caucasus.
14. *The White Devil*, V, 6 :
   While we looke up to heaven wee confound
   Knowledge with knowledge, ô I am in a misı   (trad. R. Merle, p. 273).

à la vanité de « ce métier fébrile de la vie », un « affreux charnier » débouchant sur « un long silence » [15].

Subissant la passion de son salut, Camille collabore en outre, et comme malgré lui, au salut de Rodrigue et de Prouhèze afin d'obtenir le sien propre. Dans la Deuxième Journée, il révèle à Rodrigue la combinaison sordide qu'il a cru préparer :

> Vous vouliez sournoisement vous placer dans un tel état de tentation qu'il n'y aurait presque plus eu de faute à y céder ! Rien qu'une petite faute rafraîchissante !
> Et d'ailleurs si grande magnanimité mérite bien quelque compensation.
> Quoi de plus vertueux que d'obéir au Roi ? de rendre une dame à son époux et de la dérober à un ruffian ? et tout cela en se sacrifiant soi-même !
> L'amour, l'honneur, la vanité, l'intérêt, l'ambition, la jalousie, la paillardise, le Roi, le mari, Pierre, Paul, Jacques, et le diable,
> Tout le monde aurait eu sa part, tout cela était satisfait d'un seul coup.　　(771)

Ainsi parvient-il à le convaincre de renoncer à son projet. Dans la Troisième Journée, il joue auprès de Prouhèze le même rôle de « dénonciateur » [16]. Claudel, avec une grande hardiesse, a imaginé de lui faire prendre le relais de l'Ange gardien pour amener l'héroïne sur la voie du renoncement total. Il dévoile à celle qui est devenue sa femme le calcul le plus subtil, le plus sournois qu'elle a fait : ne renoncer à Rodrigue en ce monde que pour mieux le retrouver dans l'autre (837) ; n'accepter le sacrifice de leur bonheur sur terre que pour confirmer l'union de leurs âmes, indissociables dans la mort (842). Elle doit abandonner cette dernière espérance, si elle veut se donner à Dieu tout entière ; elle doit réclamer son âme à Rodrigue ; elle doit sacrifier et lui demander de sacrifier cette dernière chance à laquelle ils s'étaient instinctivement raccrochés comme à l'ultime recours de la casuistique amoureuse. Tout se passe comme si Prouhèze, après avoir vécu de l'idée qu'elle faisait le salut de Rodrigue en le clouant sur la croix de son amour impossible et qu'elle assurait ainsi leur réunion future, recevait tout à coup, grâce à Camille, la révélation de son erreur. Ayant remis sa volonté à la Vierge du seuil, elle doit accomplir le dernier dessein de Dieu : rendre son âme à Camille le renégat qui l'a perdue et pour cela lui donner la sienne, en renonçant à Rodrigue en ce monde et dans l'autre :

> Rodrigue, exclu du bonheur humain, donne forme à un continent.
> Quand à Prouhèze, sa récompense est encore plus haute, car une âme humaine est plus qu'un monde, et voici qu'elle a sauvé une âme, celle de Don Camille le renégat.　　(Th II, 1476)

Le « villain » sauvé : telle est bien l'ultime métamorphose que nous laisse deviner cette lumière qui éclaire le visage de Prouhèze (843). Alors qu'Aaron se précipitait quasi joyeusement dans les

---

15. *Ibid.*, *loc. cit.*, et pp. 268-269.
16. J. PETIT, *Pour une explication du « Soulier de satin »*, pp. 44-45 ; P. BRUNEL, « Le Soulier de satin » devant la critique, p. 61.

flammes éternelles, poussé par le désir d'être transformé en démon et de continuer à torturer ses victimes de ses amères invectives [17], Camille trouvera sans doute, grâce à l'intercession de Prouhèze, la tranquillité éternelle...

Dans *Une Femme tuée par la bonté*, Heywood oblige le « villain » [18] Wendoll à choisir entre Dieu et la Femme, considérée comme la tentation diabolique par excellence, l'idole d'une fausse religion qui cherche à supplanter la vraie. Quant cet autre Tartuffe voit passer Anne Frankford, il sent s'opérer en lui la sournoise substitution :

> Je m'en vais prier, voir si Dieu dans mon cœur veut bien planter des pensées meilleures. Mais prier, c'est méditer ; et quand je médite, — pardonne-moi, mon Dieu ! — c'est sur les divines perfections de cette femme [19].

En choisissant la Femme, Wendoll se condamne à une éternelle vie de réprouvé. Au contraire, le salut de Camille passe par Prouhèze, *etiam peccatis*, même s'il emploie tous les moyens pour qu'elle lui donne ce Dieu qu'elle croit réserver à un autre. La religion de Prouhèze se confond bien, pour lui, avec la religion de Dieu :

> Prouhèze, je crois en vous ! Prouhèze, je meurs de soif ! Ah ! cessez d'être une femme et laissez-moi voir sur votre visage enfin ce Dieu que vous êtes impuissante à contenir,
> Et atteindre au fond de votre cœur cette eau dont Dieu vous a faite le vase !   (842)

Et, tandis que Wendoll entraîne Anne Frankford dans le labyrinthe du péché [20], Camille en détourne Prouhèze et la met à l'épreuve du feu.

La même pièce de Heywood, dont Jacques Copeau publiait l'adaptation française au moment même où Claudel achevait son drame [21], nous présente un autre type du théâtre élisabéthain, l'époux-justicier.

---

17. *Titus Andronicus*, V, 1, 147-150, p. 759 :
If there be devils, would I were a devil,
To live and burn in everlasting fire,
So I might have your company in hell,
But to torment you with my bitter tongue !
18. Wendoll se définit lui-même comme un « villain » au début de II, 3, 1-2 :
I am a villain, if I apprehend
But such a thought [...].
19. Th. HEYWOOD, *A Woman Killed with Kindness*, II, 3, 8-11, dans *Elizabethan Plays*, ed. H. Spencer, Boston, Heath and Company, 1965, p. 609 ; trad. P. Messiaen, p. 726 :
I'll pray, and see if God within my heart
Plant better thoughts. — Why, prayers are meditations,
And when I meditate (Oh, God, forgive me)
It is on her divine perfections.
20. *A Woman Killed with Kindness*, II, 3, 164 : « the labyrinthe of sin », p. 610.
21. Thomas HEYWOOD, *Une Femme tuée par la douceur*, pièce en cinq actes dont un prologue, mise à la scène française par Jacques Copeau, éd. de la Nouvelle Revue Française, 1924.

Pélage, vieillard marié à une jeune femme (comme Mr Wincott dans cette autre pièce de Heywood, *Le Voyageur anglais*) n'est ni le « barbon » de la comédie, bien que Camille lui applique le terme (769), ni le jaloux incapable d'arrêter le geste violent que commandent la brutale révélation ou de simples soupçons : il agit bien, comme Frankford, en véritable justicier. S'il envisage un instant de jouer seulement, comme Alsemero [22], le rôle de geôlier, en enfermant Prouhèze dans « une très bonne et forte prison » (735), il puise dans la grandeur de son âme la force d'une décision plus haute : lui laisser une liberté plus grande, une tentation plus forte, une vie qui sera plus dure que la mort (744) dans cette citadelle de Mogador où Camille lui a fixé un rendez-vous auquel elle ne croit plus. L'époux trouve ainsi une nouvelle occasion d'exercer ses fonctions de Juge « obligé de donner à tout litige qu'on lui adresse une solution » (738) : c'est au nom de Sa Majesté le Roi d'Espagne qu'il prononce sa sentence (744) ; bien plus, c'est au nom de Dieu (735-736) dont il a le devoir de faire respecter l'autorité dans le sacrement du mariage. Encore à peine dégagé du rôle double d'espion de sa femme, guidé par les bons offices d'un valet scrupuleux, Frankford surmonte sa douleur et son désarroi pour acquérir la patience et la gravité du juge [23]. Le verdict qu'il prononce a la valeur d'un acte solennel « enregistré au Ciel [24] : le « manoir » solitaire où il envoie la condamnée vivre en proie aux remords est un lieu d'expiation comme la lointaine place-forte de Mogador, une manière de « purgatoire » terrestre (753) d'où s'envoleront, délivrées, les « âmes captives » [25].

Le « chemin correct » de l'amour

Tous ceux pour qui *Le Soulier de satin* reste la belle histoire d'amour de Rodrigue et de Prouhèze ne peuvent manquer de l'associer aux couples célèbres des amants shakespeariens : non plus seulement Roméo et Juliette, mais Imogène et Posthumus, Rosalinde et Orlando, Périclès et Thaïsa, qui eurent tant de peine à se réunir enfin dans la mort ou dans la vie. « O Seigneur ! Seigneur ! s'écrie Célia dans *Comme il vous plaira*, qu'il est donc difficile aux amants

22. MIDDLETON et ROWLEY, *The Changeling*, V, 3, 86-89, dans *Elizabethan Plays*, éd. cit., p. 1048 :
ALSEMERO. — [...] It must ask pause
    What I must do in this ; meantime you shall
    Be my prisoner only ; enter my closet ;
    I'll be your keeper yet. [...]
23. Sur ce rôle de justicier de Frankford, voir Michel GRIVELET, *Thomas Heywood et le Drame domestique élizabéthain*, Paris, Didier, coll. « Etudes anglaises », 1957, pp. 216-220.
24. *A Woman Killed with Kindness*, IV, 4, 148, éd. cit., p. 623 : « My words are regist'red in Heaven already ».
25. *A Woman Killed with Kindness*, V, 5, 82, éd. cit., p. 630 :
MRS FRANKFORD. — Pardon'd on earth, soul, thou in Heaven art free.

de se rejoindre, alors qu'il arrive même aux montagnes d'être déplacées par des tremblements de terre et de se rencontrer. [26] » Quand Rodrigue apparaît pour la première fois aux yeux de Prouhèze, une tempête vient de le jeter sur la côte d'Afrique (696), comme Ferdinand qui, encore tout abasourdi par le fracas des flots et les cris de détresse de ses compagnons, voyait soudain devant lui la divine Miranda [27]. Mais le même incident peut éloigner les êtres au lieu de les rapprocher. Dans La Comédie des erreurs, une tempête sépare deux frères jumeaux, qui cherchent désormais l'un et l'autre leur pareil, « comme une goutte d'eau qui cherche une autre goutte d'eau dans l'Océan » [28]. Dans Le Soir des rois, un naufrage désunit Viola et son besson Sébastien [29]. La première journée du Soulier de satin s'ouvre sur l'engloutissement dans les flots d'un pauvre bâtiment espagnol et la dernière vague va emporter un Jésuite qui n'est autre que le frère de Rodrigue (666-669).

C'est encore une tempête qui fait (apparemment) périr Thaïsa ; et Périclès, ayant brusquement perdu son épouse bien-aimée, se frotte les yeux, se demandant s'il dort encore et pourquoi les dieux nous font aimer leurs dons splendides, puisqu'ils nous les enlèvent immédiatement [30]. Rodrigue sera, lui aussi ;

> [...] un homme blessé parce qu'une fois en cette vie il a vu la figure
> d'un ange !   (669)

Pourtant la comédie romanesque finit par réunir, comme par miracle les êtres qui s'aiment [31]. Périclès, Comme il vous plaira, Le Soir des rois, Cymbeline, Le Conte d'hiver, s'achèvent sur un heureux dénouement. Et au terme de La Tempête, l'unité primordiale se reconstitue comme s'il ne s'était rien passé :

> Au cours du même voyage, Claribel a trouvé un mari à Tunis,
> Ferdinand, son frère, une épouse au lieu où il s'était perdu, Prospéro,
> son duché sur une pauvre île, et nous tous nous sommes retrouvés
> quand chacun de nous était hors de lui-même [32].

L'absence prend alors un caractère initiatique, celui d'un prélude nécessaire au véritable amour. « Il faut qu'il souffre d'être séparé de moi », songe Imogène après le départ de Posthumus ; « il est des souffrances salutaires, et celle-là est du nombre, car elle fortifie

---

26. Trad. cit., t. II, p. 122 ; As you Like it, III, 2, 195-197, p. 229 : « O Lord, Lord ! it is a hard matter for friends to meet ; but mountains may be removed with earthquakes, and so encounter ».
27. The Tempest, I, 2, 418 sqq., p. 6.
28. Trad. cit., t. I, pp. 912-913 ; The Comedy of Errors, I, 2, 35-38, p. 102.
29. Twelfth-Night, I, 2, pp. 299-300.
30. Pericles, III, 1, 21-23, p. 1059.
31. A.C. BRADLEY, op. cit., pp. 61-101, le montre à propos des « comédies ambiguës » datant de la « période tragique » de Shakespeare.
32. The Tempest, V, 1, 208-213, p. 21 ; trad. cit., II, 1522 :
   [...] In one voyage
   Did Claribel her husband find at Tunis,
   And Ferdinand, her brother, found a wife
   Where he himself was lost ; Prospero his duke-dom
   In a poor isle ; and all of us ourselves,
   When no man was his own.

l'amour »[33]. Et Prospéro, s'imposant d'entraver l'allure trop rapide du sentiment qui, au premier regard, a uni Ferdinand et Miranda, les arrache l'un à l'autre pour mieux observer, tapi dans l'ombre, leurs efforts pour se rejoindre[34]. Le magicien autoritaire, doublé d'un père attendri, joue alors très exactement le rôle de l'Ange Gardien, quand, à la fin de la Première Journée du *Soulier de satin*, il contemple la fuite de Prouhèze, partie rejoindre Rodrigue :

> Regardez-la qui se démène au milieu des épines et des lianes entremêlées, glissant, rampant, se rattrapant, des ongles et des genoux essayant de gravir cette pente abrupte ! et ce qu'il y a dans ce cœur désespéré !
> Qui prétend que les Anges ne peuvent pas pleurer ?
> [...]
> Est-ce qu'elle est étrangère à cet amour et à cette justice dont nous sommes les ministres ? A quoi servirait-il d'être un Ange Gardien si nous ne la comprenions pas ?   (714)

Doña Merveille[35] n'est-elle pas d'ailleurs, par son nom même, la réplique de Miranda ?

Si le cheminement présente des analogies, tout différent est le bout du chemin. A l'absurde réunion des deux cadavres en un même tombeau, la seule possible pour Roméo et Juliette à leur réveil qui n'était qu'un cauchemar, Shakespeare a bien substitué, dans ses quatre dernières comédies, une résurrection au sortir d'une fausse mort (Thaïsa, Imogène, Hermione) ou de disparitions qui lui ressemblent (Marina, Perdita, Miranda). Tout ne s'arrange pas aussi facilement dans *Le Soulier de satin*. Prouhèze et Rodrigue, inéluctablement séparés durant leur vie, le seront aussi dans l'au-delà. Point d'espoir de retrouvailles fabuleuses, dans cette mort des amants, point de « signe » reconnaissable sur les « routes longues, pénibles » qui s'étendent derrière le « partage de minuit ». Prouhèze doit renoncer à ces derniers, à ces subtils espoirs : comment les deux amants pourraient unir leur « double néant » (819), comme ceux de Vérone, alors qu'ils sont l'un et l'autre des « enfants de Dieu » ? comment pourraient-ils réunir leurs âmes, alors que cette âme est à leur Créateur et qu'ils doivent la lui rendre ? La mort ne serait-elle qu'un artifice et Prouhèze ne l'accepterait-elle de la main de Rodrigue « que pour rendre par là [son] âme de lui plus proche » (842) ? Et « l'éternité bienheureuse dont nous parlent les curés » n'existerait-elle « que pour donner aux femmes vertueuses dans l'autre monde le plaisir que les autres s'adjugent en celui-ci » (840) ?

L'Ange pêcheur d'âmes promène Prouhèze au bout de sa ligne dans les eaux de l'impossible. Sans ce fil qui la retient, elle s'élan-

---

33. *Cymbeline*, III, 2, 32-34, p. 1026 ; trad. cit., II, 1341.
[...] let that grieve him, —
Some griefs are med'cinable ; that is one of them,
For it doth physic love [...].
34. *The Tempest*, I, 2, 446-498, pp. 6-7, et III, 1, p. 12-13.
35. Autre nom donné à doña Prouhèze par Don Balthazar (680) ; voir Stanislas FUMET, « Doña Merveille », *Etudes carmélitaines, mystiques et missionnaires*, avril 1931.

cerait à tire-d'aile comme un oiseau, pour être une « épouse riante et sanglotante » entre les bras de Rodrigue (817). Telle est, précisément, l'aventure de Doña Musique. Elle aussi, elle connaît un naufrage ; mais il ne fait qu'accélérer sa course vers ce Vice-Roi de Naples auquel elle se sait destinée de toute éternité et qui l'attend sans la connaître. L'idylle ne vient pas ici réconcilier ou réunir les amants au terme de leurs épreuves : elle file, immédiate, continue et parfaite. Sans se soucier de la voie étroite, l'amour s'élance dans l'espace comme une flèche qui va droit à son but, la joie.

La délicieuse scène de la reconnaissance (Deuxième Journée, sc. 10) rappelle les plus ravissantes des amours shakespeariennes. La rencontre de Ferdinand et de Miranda [36], par exemple : même étonnement, chez le jeune homme, devant cette merveille qu'il prend pour une déesse, même certitude, chez la jeune fille, d'être vouée au simple et magnifique bonheur de l'épouse et de la mère. Le rapprochement est plus littéral encore avec le tendre (et souriant) dialogue d'Hermia et de Lysandre, quand les jeunes gens d'Athènes se réfugient dans la forêt afin d'y cacher leurs amours :

> LYSANDRE. — Bel amour, vous vous êtes exténuée à errer dans le bois et, à vous dire vrai, j'ai oublié notre chemin. Nous nous reposerons ici, Hermia, si vous le trouvez bon, et nous attendrons la clarté secourable du jour.
> HERMIA, *s'étendant contre une haie.* — Soit, Lysandre. Cherchez un lit pour vous ; moi, je vais reposer ma tête sur ce banc.
> LYSANDRE, *s'approchant d'elle.* — Le même gazon nous servira d'oreiller à tous deux ; un seul cœur, un seul lit ; deux âmes, une seule foi.
> HERMIA. — Non, bon Lysondre ; pour l'amour de moi, mon cher, étendez-vous plus loin, ne vous couchez pas si près [37].

Pour préserver la chasteté des jeunes gens, point n'est besoin de la scène entre déesses que suscitent les artifices de Prospéro [38]. La bonne foi du galant vertueux, la pudeur facilement alarmée de la vierge y suffiront. Et il ne veut être auprès d'elle, dans son sommeil pastoral, respirant l'air embaumé de l'Attique ou de la Sicile, que pour resserrer le serment de leurs deux âmes à tout jamais tressées [39] :

---

36. *The Tempest*, I, 2, 406-408, 418 sqq., p. 6.
37. *A Midsummer-Night's Dream*, II, 2, 35-44, p. 177 ; trad. cit., I, 1167-1168 :
LYSANDER. — Fair love, you faint with wandering in the wood ;
    And to speak troth, I have forgot our way ;
    We'll rest us, Hermia, if you think it good,
    And tarry for the comfort of the day.
HERMIA. — Be it so, Lysander : find you out a bed,
    For I upon this bank will rest my head.
LYSANDER. — One turf shall serve as pillow for us both ;
    One heart, one bed, two bosoms, and one troth.
HERMIA. — Nay, good Lysander ; for my sake, my dear,
    Lie further off yet, do not lie so near.
38. *The Tempest*, IV, 1, 51 sqq., pp. 16-17.
39. *A Midsummer Night's Dream*, II, 2, 47-50, p. 177 :
LYSANDER. — I mean that my heart unto yours is knit,
    So that but one heart we can make of it ;
    Two bosoms interchained with an oath ;
    So then two bosoms and a single troth.

LE VICE-ROI. — [...] Viens, nous ne sommes pas bien ainsi. Cédons
à ce conseil de la nuit et de toute la terre. Viens avec moi sur ce
lit profond de roseaux et de fougères que tu as préparé.
DOÑA MUSIQUE. — Si vous essayez de m'embrasser, alors vous
n'entendrez plus la musique !
LE VICE-ROI. — Je ne veux que dormir près de toi en te donnant
la main,
Ecoutant la forêt, la mer, l'eau qui fuit, et l'autre qui revient
toujours,
Cette joie sacrée, cette tristesse immense, mélangée à ce bonheur
ineffable.
Plus tard, quand Dieu nous aura unis, d'autres mystères nous
sont réservés. (766)

Hermia montre finement à Lysandre qu'elle n'est pas tout à fait
dupe de ses « très jolis jeux de mots »[40] ; Musique prend les de-
vants en résumant la situation en une formule piquante. Mais le
discours s'efface, laissant la terre et la nuit tutélaires envelopper les
couples de leur pureté...

Les séjours enchantés

Pour conter la charmante histoire de Doña Musique, Claudel
retrouve les décors idylliques de la tradition élisabéthaine.
Il a, dit-il, transposé dans cette scène sicilienne une nuit passée
au Brésil parmi les mystères envoûtants de la forêt vierge (MI, 305).
Mais on y respire aussi l'atmosphère de la convention pastorale.
Ce n'est plus tant, malgré le clair de lune, la forêt de méprises où
s'égarent et s'échangent les couples, dans Le Songe d'une nuit d'été,
que la forêt d'Ardenne de Comme il vous plaira. Là, loin de la cour
envieuse et vulgaire, le Duc exilé peut enfin écouter l'arbre et le
ruisseau parler leur langue et opiner à l'avis des cailloux et des
pierres[41]. Et le Vice-Roi de Naples, échappant aux solliciteurs,
aux femmes qui viennent en pleurs lui demander justice, aux Français, aux pirates, au Pape, aux usuriers auxquels il a fait des emprunts
et aux ennemis qui trament sa disgrâce, à son habit de cérémonie
pour lequel on n'a jamais pu trouver de galons, se prend à écouter

[...] ce ruisseau intarissable qui fuit,
Se répandant plus loin et encore plus loin, avec trois ou quatre
voix, à lui-même. (762)

Musique, affamée comme Rosalinde[42] et comme Orlando[43], a dérobé
pour s'en nourrir les offrandes apportées par les gens du pays à

40. Ibid., loc. cit., II, 2, 51-53 :
LYSANDER. — Then by your side no bed-room me deny,
For, lying so, Hermia, I do not lie.
HERMIA. — Lysander riddles very prettily. [...]
41. As you Like it, II, 1, 15-17, p. 222 :
DUKE SENIOR. — [...] this our life exempt from public haunt,
Find tongues in trees, books in the running brooks,
Sermons in stones, and good in every thing.
42. Ibid., II, 4, 74, p. 225.
43. Ibid., II, 6, loc cit.

une vieille statue de pierre sans tête (761). Mais elle n'a pas besoin des déguisements et des quiproquos de la « comédie romanesque » pour trouver son Orlando, lui aussi sans doute vêtu en chasseur. La pastorale a ses terres d'élection. La Sicile sert de cadre à de pures amours, celles de Philaster et d'Aréthuse [44], celles de Doña Musique et du Vice-Roi de Naples. Mais, dans le théâtre élisabéthain, l'île n'échappe pas au cycle des épreuves imposées aux parfaits amants. Philaster doit triompher de maint obstacle, les intrigues d'un usurpateur, les projets contrariants d'un père, la vengeance d'une femme et les éternelles méprises de la comédie romanesque. Dans *La Fille d'honneur* de Philip Massinger, dans *Le Conte d'hiver*, et s'étendant au royaume de Naples tout entier dans *La Tempête*, les forces du mal se déchaînent sur cette terre déchue de ses privilèges. Après avoir été pour Léontès et pour Hermione le royaume du Bonheur [45], la Sicile ne le redeviendra qu'après avoir été la proie du désordre.

Il faut donc chercher plus loin encore le véritable refuge des amours pastorales : dans cette étrange Bohême au bord de la mer où s'échoue Perdita, recueillie par des bergers, tandis qu'Autolycus (qui serait un peu son sergent napolitain...) est dévoré par un ours. Bohême réelle ? On a prétendu qu'il s'agissait en réalité des Pouilles [46]. Claudel, lui, s'est efforcé de démontrer qu'elle s'étendait jadis jusqu'à la mer (*J* I, 174).

Peu importe, pourvu qu'elle permette d'échapper aux flots en furie ou à la rage des hommes. Musique, il est vrai, n'évolue plus ici dans le décor pastoral où Florizel et Perdita, princes déguisés en bergers, s'étaient voué un amour ingénu [47]. Protégée par la cathédrale Saint-Nicolas de Prague où elle prie, placée sous la garde des Saints qui prennent place sur leur piédestal, elle vient faire briller la flamme de son espérance dans ce centre de l'Europe dévasté par la guerre et par l'hérésie. Car, après le désordre présent, doit venir la « république enchantée » (787). Et où le ressentirait-on mieux que dans cette « région de sources » d'où s'échappe le Danube pour « coule[r] vers le Paradis » et où le cœur hume « avec des délices inexprimables » l'odeur de sa vraie « Patrie » (790) ?

Il faut se garder de confondre les plongées que fait Shakespeare dans le monde de la convention pastorale avec l'utilisation complaisante et fade qu'a pu en faire un Fletcher dans sa *Bergère fidèle*. Timon d'Athènes, réfugié dans les bois, reste obsédé par l'omniprésence du mal, et le soleil ne dégage pour lui de la terre qu'une humidité pestilentielle [48]. Prospéro sur son île n'oublie pas davan-

---

44. F. BEAUMONT et J. FLETCHER, *Philaster or Love Lies a Bleeding*.

45. *The Winter's Tale*, I, 1, p. 324.

46. Note de J. FUZIER dans l'éd. citée de la Pléiade, II, 1642.

47. *The Winter's Tale*, acte IV, sc. 3, pp. 340-348.

48. *Timon of Athens*, IV, 3, 1-2, p. 810 :
O blessed breeding sun ! draw from the earth
Rotten humidity [...].

tage les forces mauvaises : comment le pourrait-il quand l'irréductible Caliban se promène là, chaque jour, sous ses yeux ? Les zéphirs soufflent sous les violettes, mais les rudes rafales font plier les pins de la montagne [49]. Ces rêves, que l'on prendrait facilement pour des diversions chargées d'entraîner l'imagination hors du monde réel, ne font en réalité que nous y ramener : car ils sont tissés de la même étoffe que notre existence [50]. Leur rôle est double : ils font comprendre, par un violent contraste, la mesquinerie hideuse des cours et des courtisans [51], mais en même temps ils permettent de redécouvrir le miracle de la présence humaine. Un frémissement saisit Bélarius devant Imogène [52]. Miranda crie au prodige quand elle voit apparaître la petite société qui s'est reconstituée sur l'île :

> Combien de belles créatures vois-je ici rassemblées ! Que l'humanité est admirable ! O splendide nouveau monde qui compte de pareils habitants [53] !

Une fois unis, Florizel et Perdita ne vivront pas parmi les bergers de Bohême, mais à la cour. Et Ferdinand, devenu roi de Naples, continuera peut-être à tricher...

On commettrait un contresens analogue à celui qui a parfois faussé le message des quatre dernières pièces de Shakespeare si l'on ne voyait dans l'épisode de Doña Musique qu'une de « ces pastorales que les poètes de la Renaissance aimaient à composer, à l'imitation des idylles antiques » [54]. La jeune femme traverse, elle aussi, la violence déchaînée et sa vocation est, au même titre que celle de Prouhèze ou de Rodrigue, une vocation universelle, mais par d'autres voies. Bergère, elle conduit « ce troupeau intérieur et fermé » du Centre de l'Europe (785) vers « un lac d'or » (786). Elle ne doit pas le garder, mais briser les barrières, et au son de sa « flûte neuve » (788), réunir les brebis de la Chrétienté.

---

49. *Cymbeline*, IV, 2, 169-174, pp. 1034-1035 :
BELARIUS. —   O thou goddest !
    Thou divine Nature, how thyself thou blazon'st
    In these princely boys. They are as gentle
    As zephyrs, blowing below the violet,
    Not wagging his sweat head ; and yet as rough,
    Their royal blood enchaf'd, as the rud'st wind,
    That by the top doth take the mountain pine,
    And make him stoop to the vale. [...]
50. Pour reprendre et inverser la célèbre formule de Prospéro, *The Tempest*, IV, 1, 156-158, p. 17.
    [...] We are such stuff
    As dreams are made on, and our little life
    Is rounded with a sleep [...].
51. Cf. l'usage qu'a fait SPENSER de la convention pastorale dans *Colin Clout's Come Home Again* pour faire l'apologie de la Reine aux dépens de la cour.
52. *Cymbeline*, III, 6, 42-44, p. 1031 :
BELARIUS. — By Jupiter, an angel ! or, if not,
    An earthly paragon ! Behold divineness
    No elder than a boy !
53. *The Tempest*, V, 1, 181-184, p. 21 :
                O, wonder !
    How many goodly creatures are there here !
    How beauteous mankind is ! O brave new world,
    That has such people in't.
54. J. MADAULE, *Le Drame de Paul Claudel*, p. 340.

Les voix

« Musique [...] ressemble à Ariel », écrit Dom Walther Willems [55]. Du génie de l'air, elle a en effet la grâce et son nom seul, sa présence éveillent ces mélodies suaves dont l'Esprit emplissait l'île de *La Tempête*. Sa guitare, symbole d'un bonheur parfait mais fragile, fait songer au luth de Mrs Frankford : l'épouse aimante et fidèle « peut enseigner à toutes les cordes leur plus belle harmonie » [56] ; mais une fois que son hôte l'a entraînée sur le chemin oblique qui mène au péché, le luth devient sourd et muet, ou plutôt il n'est plus dans le ton et ne peut désormais l'accompagner en mesure [57]. Parfois, non content d'enregistrer les fautes, il s'identifie à l'être qui en souffre et lui prête sa sensibilité : Rosalinde reproche à la dédaigneuse Phébé de jouer avec Célius comme d'« un instrument dont elle fait grincer les cordes » [58]. Parfois encore, il se confond avec le coupable qui a empêché la musique : c'est une viole déréglée que l'incestueuse fille d'Antiochus : « touchée de manière à produire sa légitime harmonie, elle eût attiré à elle le ciel et les dieux, avides de l'entendre ; mais mariée avant l'heure, elle ne fait danser que l'enfer avec sa musique discordante » [59].

Abolie ou pervertie quand l'âme se dégrade et prépare sa perte, la musique « prélude toujours au miracle de la spiritualité retrouvée » [60] et à la victoire de la joie absolue. Elle flotte dans l'air quand s'opère l'étonnante résurrection d'Hermione [61]. Pour que Thaïsa revienne à la vie, Cérimon fait résonner les cordes d'une viole [62] et Périclès, retrouvant sa fille Marina qu'il croyait morte [63], entend une mélodie céleste au son de laquelle, bienheureux, il s'endort :

> PÉRICLÈS. — O cieux, bénissez ma fille. Mais : écoutons quelle est cette musique ? [...]
> HÉLICANUS. — Monseigneur, je n'en entends aucune.
> PÉRICLÈS. — Aucune ? C'est la musique des sphères : écoutez, ma Marina.

55. D.W. WILLEMS, *Ce Cœur qui m'attendait, Doña Musique et l'amour, de la note unique à l'accord final*, p. 31.
56. Th. HEYWOOD, *A Woman Killed with Kindness*, éd. cit., p. 602, I, 1, 19-21 :
[...] her own hand
Can teach all strings to speak in their best grace,
From the shrill'st treble to the hoarsest bass.
57. *Ibid.*, V, 2, 20, p. 626 [her lute] « Now mute and dumb for her disastrous chance ».
58. *As you Like it*, IV, 3, 1. 68-70, p. 237, trad. cit. II, 152 :
Wilt thou love such a woman ? What, to make thee an instrument and play false strains upon thee ?
59. *Pericles*, I, 1, 81-85, p. 1049 :
You're a fair viol, and your sense the strings,
Who, finger'd to make men his lawful music,
Would draw heaven down and all the gods to hearken ;
But being play'd upon before your time,
Hell only danceth at so harsh a chime.
60. Introd. à l'éd. cit. de la Pléiade, t. II, p. CLXXXVIII. III, 2, 88-91, p. 1061.
61 *The Winter's Tale*, V, 3, 98, p. 353.
62. *Pericles*, III, 2, 88-91, p. 1061.
63. *Ibid.*, V, 1, 225-236, p. 1070.

LYSIMAQUE. — Il ne serait pas bon de le contrarier ; cédons-lui.
PÉRICLÈS. — Les sons les plus exquis ! Est-ce que vous n'entendez
pas ?
LYSIMAQUE. — De la musique ? Monseigneur, j'entends...
PÉRICLÈS. — La plus céleste musique ; elle me pénètre de ses
harmonies, et une profonde somnolence pèse sur mes paupières ;
laissez-moi reposer [64].

Le 8 mai 1918, Claudel notait dans son *Journal* : « une musique
si belle qu'on ne saurait lui préférer que le silence » (*J* IV, 23) et
déjà la première Ode célébrait, entre les « lettres » plantées comme
des « clous », le « blanc qui reste sur le papier » (*OP*, 224). Aussi ne
faut-il pas s'étonner si Doña Musique ne joue pas de cette guitare
que pourtant elle ne quitte jamais (*Th* II, 671), laissant seulement
fuser son « rire », « un rire qui n'a rien à voir avec le comique »
mais qui « naît [...] d'une simple exhalation de l'âme » (*J* VII, 87).
Ce n'est plus le rire railleur de Lechy Elbernon ou le rire dévorant
d'Ysé, mais un rire purificateur qui « mêle à chacun [des] sentiments » de celui qui l'écoute « comme un sel étincelant et délec-
table qui les transforme et les rince ! » (*Th* II, 709) [65]. « Mon chant
est celui que je fais naître », dit-elle elle-même (764). Elle n'introduit au silence que pour permettre à l'âme d'entendre au fond
d'elle-même la Voix [66]. Elle n'est harmonieuse que pour être créatrice d'harmonie. Son âme, unie aux « cordes ineffables » (709)
d'une autre âme, donne un « concert » inouï que, comme Périclès,
seule cette autre âme peut entendre, et qu'elle prend pour la musique de la harpe du monde :

> Ce n'est pas un chant, c'est une tempête qui prend avec elle et
> le ciel et les cœurs et les bois et toute la terre !   (764)

La « note unique » a fait pressentir l'accord parfait, « l'ordre ineffable » (765) d'une union pacifiée sous le regard divin.

Par-delà l'époque mise en scène, on croit apercevoir la Catholicité triomphante, cet idéal vers lequel tend la politique claudélienne, car Doña Musique, l'Ame humaine, représente aussi la Sagesse qui accompagna Dieu au jour de la Création et elle magnifie
l'Eglise qui doit, à l'époque de Philadelphie, préparer le murmure
d'attente de Laodicée...

On est mieux à même de comprendre, après avoir lu *Le Soulier
de satin*, le jugement que Claudel formulait dès ses années de jeunesse sur Shakespeare :

---

64. *Ibid.*, V, 1, 225-236, p. 1070 ; trad. cit., II ; 1301 :
PERICLES. — O heavens ! bless my girl. But, hark ! what music ? [...]
HELICANUS. — My lord, I hear none.
PERICLES. — None !
          The music of the spheres ! List, my Marina.
LYSIMACHUS. — It is not good to cross him ; give him way.
PERICLES. — Rarest sounds ! Do ye not hear ? [*Music*]
LYSIMACHUS. — My lord, I hear.
PERICLES. —   Most heavenly music :
          It nips me unto list'ning, and thick slumber
          Hangs upon mine eyes ; let me rest. (*Sleeps*)
65. Sur les vertus de ce rire, voir *CC* II *passim*, et surtout G. ANTOINE, « L'Art du
comique chez Claudel », pp. 143-154.
66. Voir sur ce point Joseph SAMSON, *Paul Claudel poète-musicien*, pp. 166-190.

Ce qu'il y a de plus beau en lui, ce sont les voix [67].

Les personnages « nobles » ne sont pas seuls à les entendre : elles entraînent dans un rêve Caliban lui-même et le font pleurer du désir de rêver encore [68]. Une invitation à l'harmonie...

E. Beaumont juge l'épisode de Musique « empreint d'une fantaisie si extravagante qu'il ne saurait être inscrit sur le même plan de « réalité » que les relations complexes qui unissent les principaux protagonistes » [69]. Se fondant sur une lettre de Claudel à Rivière datée de 1913, le critique anglais rappelle que, pour l'auteur du Soulier de satin, « l'amour humain n'a de beauté que quand il n'est pas accompagné par la satisfaction » (CR, 180). Mais, à ne retenir que le « thème de Béatrice », on fausse probablement le sens profond du drame. Etiam peccata ne signifie pas Peccata solum. J. Petit, sans contester que « cette aventure se déroule [...] dans un univers où règne la fantaisie poétique », nie cependant, à bon droit, que « Claudel ait voulu lui ôter toute réalité » [70]. Tout n'est pas que féerie, d'ailleurs, dans cette histoire d'amour : la scène de la Mala Strana nous présente une Musique plus grave, qui a épousé les soucis de son Vice-Roi, et porte en son sein l'espoir du monde, Don Juan d'Autriche.

Des amours shakespeariennes, Claudel a comme disjoint les deux termes extrêmes pour les présenter séparément en deux couples voués l'un à l'idylle, l'autre à l'éternelle séparation. Margaret partait pleine d'espoir à la rencontre d'Henry VI mais, Musique déçue, ne trouvait pas le vice-roi de Naples dont elle avait rêvé [71]. Imogène, Prouhèze comblée, serrait de nouveau son bien-aimé dans ses bras après l'avoir perdu [72]. Ce qui s'enchaînait, dans le drame shakespearien — l'idylle détruite, l'idyle retrouvée — se déroule, dans Le Soulier de satin, en un parallèle fortement contrasté — l'idylle parfaite, l'idylle impossible. A l'« intrigue » s'est substituée la « complémentarité ».

---

67. Léon DAUDET. L'Entre-deux-guerres, p. 29.
68. The Tempest, III, 2, 147-155, p. 14 :
CALIBAN. — Be not afeard : the isle is full of noises,
    Sounds and sweet airs, that give delight, and hurt not.
    Sometimes a thousand twangling instruments
    Will hum about mine ears ; and sometime voices,
    That, if I then had wak'd after long sleep,
    Will make me sleep again : and then, in dreaming,
    The clouds methought would open and show riches
    Ready to drop upon me ; that, when I wak'd
    I cried to dream again.
69. E. BEAUMONT, Le Sens de l'amour dans le théâtre de Claudel, p. 135.
70. J. PETIT, Pour une explication du « Soulier de satin », p. 40.
71. Henry VI, deuxième partie, III, 2, v. 73 sqq., p. 548.
72. Cymbeline, V, 5, 49-53, p. 1047.

III. L'ESTHÉTIQUE DE LA COMPLÉMENTARITÉ

L'épisode de Musique n'est pas le seul qui vienne accompagner le destin de Rodrigue et de Prouhèze, mais il entre dans un « concert »[1] infiniment varié pour « enrichir, épauler, contraster le thème principal » (*Pr*, 405). Des voix discrètes (l'amour de Don Balthazar pour Musique), douloureuses (Don Luis et Doña Isabel), burlesques (Le Chinois et Jobarbara), rassérénées (Diego Rodriguez et Doña Austrégésile), exultantes (Doña Musique et le Vice-Roi de Naples), sévères (l'amour de Pélage), effrayantes (l'amour de Camille) mettent en valeur la singularité de l'amour-absence et corrigent ce que son développement exclusif pourrait avoir d'excessif. Comme si l'on faisait abstraction du dessin qui porte le sujet pour s'enchanter des seules oppositions de couleurs dans un tableau où pourtant elles se fondent, on éprouve d'abord devant *Le Soulier de satin* l'impression de vifs contrastes qui vont s'atténuant dans l'ampleur du dessein général. De l'Espagne, la pièce a conservé la crudité des tons, le refus des brumes et des halos, comme ces paysages admirables que fait surgir, un soir d'été, le soleil de feu sur la terre de Castille.

Cœuvre découvrait déjà que la feuille « jaunit pour fournir saintement à la feuille voisine qui est rouge l'accord de la note nécessaire » (*V*, 303) et *L'Art poétique* composait la symphonie obligée des couleurs :

> La rose ou le pavot signe rouge l'obligation au soleil d'autres fleurs d'être blanches ou d'être bleues. Tel vert ne saurait pas plus exister à lui seul qu'une masse sans ses points d'appui.
>
> (*OP*, 153-154)

Dans *Le Soulier de satin*, le poète applique pour la première fois au drame cet art parfaitement « métaphorique » (*OP*, 143), la « juxtaposition de couleurs » (*MI*, 343) que lui a enseignée la nature : aussi voit-on surgir « tous ces personnages qui n'ont pas de rapports mécaniques avec l'ensemble du drame, mais ont un rapport [...] complémentaire ». De même, Véronèse ou le Titien multiplient des figurants « qui ne sont pas nécessaires, mais dont l'absence paraîtrait faire un trou sur la toile » (*MI*, 310).

En cela le drame est « baroque »[2], à la manière du théâtre élisabéthain... à supposer qu'on puisse appliquer le terme à la nature elle-même.

Rompant délibérément, insolemment même, avec le tabou classique de l'unité d'action, Claudel se plaît à généraliser le procédé de la « double intrigue ».

---

1. Sur ce point, voir les excellentes pp. 37-55 de J. PETIT, *Pour une explication du « Soulier de satin »*.

2. M.-L. TRICAUD, *Le Baroque dans le Théâtre de Claudel*, p. 174, oublie cette « juxtaposition des couleurs » au profit d'éléments « baroques » beaucoup plus vagues — le « goût de la démesure », le « goût de la mort et du macabre », le « goût du surnaturel », seuls retenus dans sa conclusion, pp. 268-269. J'ai déjà pris position contre cette extension abusive du terme dans « *Le Soulier de satin* » *devant la critique*, chap. IV.

Nul procédé ne fut plus discuté, dès le XVIᵉ siècle, et nul ne gêne davantage le lecteur ou l'adaptateur français. *The Changeling*[3] en présente un exemple typique. L'intrigue « noble » déroule la tragique aventure de Béatrice, la fille du gouverneur d'Alicante : promise à Piracquo, mais amoureuse d'Alsemero, elle fait tuer son fiancé par l'intendant De Florès, qu'elle déteste, mais à qui elle doit payer le prix de sa virginité ; mariée à Alsemero, elle se voit réduite à se faire remplacer, au cours de la nuit de leurs noces, par sa suivante Diaphanta dont elle a éprouvé la vertu à l'aide d'une liqueur magique ; mais le forfait est découvert ; De Florès tue sa complice et se tranche la gorge. L'intrigue « basse » montre comment un faux fou s'introduit dans l'asile du médecin jaloux Alibius pour le cocufier.

Les critiques ont avancé diverses hypothèses pour expliquer cette singularité : la répartition des deux intrigues entre des auteurs différents[4] ; le désir de se concilier les deux parties du public, car opposer sur scène les princes et les gens du peuple, comme dans *Henry IV*, ce serait faire plaisir à la fois aux princes, s'ils se trouvent assez dignes, et aux fripons, s'ils se jugent assez malins[5] ; le souci de tenir le bon peuple sous le charme d'une aventure romanesque pour glisser, dans le contrepoint, des compliments à la reine[6] ou des allusions satiriques.

Claudel se souvient-il du théâtre multiple cher aux Symbolistes[7], et érige-t-il sur ses tréteaux un spectacle farcesque ou romanesque pour la foule ignorante, en réservant aux initiés la « métaphysique de l'amour »[8] — l'histoire de Rodrigue et de Prouhèze ? L'élite, en tout cas, si élite il y eut, se rebella longtemps. André Thérive, dans sa chronique du *Temps*, jugea l'œuvre « incohérente », avec son mélange de « satires contemporaines », de « ragots », de « visions », d'« apocalypses » et de « fumisteries »[9]. Et le Père Auguste Valensin se crut obligé, pour conquérir les auditeurs de sa conférence, d'« extraire » du *Soulier de satin* « la pièce principale, la pièce centrale » et de la « dégager de la pièce infiniment complexe où elle est perdue »[10].

Pourquoi s'en étonner quand le modèle de Claudel reste, au même moment, l'objet des mêmes critiques ? Après Maeterlinck, qui élaguait les « plantes parasitaires » pour conserver pure l'histoire d'Annabella et de Giovanni[11], Pierre Messiaen expulse de *The Changeling*

---

3. Thomas MIDDLETON & William ROWLEY, *The Changeling* (pièce écrite vers 1622, jouée en 1624, et publiée pour la première fois en 1653), dans *Elizabethan Plays*, éd. cit., pp. 1015-1050.

4. H. SPENCER, à propos de *The Changeling*, introd. à l'éd. cit., p. 1016 : « To Middleton's collaborator the comic portion of the play is due ».

5. Voir William EMPSON, « La Double intrigue et l'ironie dans le théâtre élisabéthain », dans *Le Théâtre élisabéthain*, numéro cité des *Cahiers du Sud*, pp. 56-60.

6. Ainsi procéderait Robert GREENE, dans *The Honorable History of Friar Bacon and Friar Bungay*, (*Elizabethan Plays*, éd. cit., pp. 175-206).

7. Sur ce point, voir J. ROBICHEZ, *Le Symbolisme au théâtre*, pp. 176-183.

8. J. PETIT, *Pour une explication du « Soulier de satin »*, pp. 28-36.

9. André THÉRIVE, « Les livres : *Le Soulier de satin* », dans *Le Temps*, 24 janvier 1930.

10. Auguste VALENSIN, S.J., « La Clé du *Soulier de satin* de Paul Claudel », dans *Regards*, Aubier, 1955, deuxième série, pp. 187 et 215.

11. M. MAETERLINCK, *Annabella et Giovanni*, trad. cit., p. XVII ; *supra*, p. 81.

tous les fous, vrais ou faux, et leur médecin [12]. E. Legouis et L. Cazamian pensent que seule l'histoire de Béatrice présente de l'intérêt.
Dans leur *Histoire de la littérature anglaise*, parue en 1924, ils se
montrent des adversaires convaincus de la « double intrigue » : ils
regrettent que l'« idylle souvent fort gracieuse » de *Frère Bacon et
Frère Bungay* ait été gâtée par la « très médiocre comédie » que
constitue « la partie inférieure du drame », et ils jugent que, dans
Une Femme tuée par la douceur, les deux intrigues sont « mal rat-
tachées l'une à l'autre » et que « seule importe celle qui donne au
drame son nom » [13].

Il a fallu attendre la jeune génération des universitaires ou des
traducteurs français pour voir justice enfin rendue à ce procédé
si riche que ni Robert Davril [14] ni Georges Pillement [15] ne reprochent plus à Ford, bien au contraire, dans *'T'is Pity*. Claudel a pris
une avance considérable sur la critique de son temps en éloignant
pour la première fois peut-être le spectre de Voltaire et de sa théorie du « diamant brut » [16]. La « double intrigue » pouvait bien être
triple, comme dans *'T'is Pity*, mais on n'assistait jamais, dans le
théâtre élisabéthain, à l'extraordinaire prolifération, à l'entrelacement compliqué des « fils » [17] que nous présente *Le Soulier de satin*.
De plus, Claudel a fait la somme des effets que les dramaturges
anglais tiraient de ce procédé. Si l'on ne retient que les deux intrigues les plus développées, celle de Prouhèze et celle de Musique,
on s'aperçoit que, sur le plan strictement dramatique, elles se
complètent comme les deux sujets de *Une Femme tuée par la
douceur*. Ici et là, deux destinées se trouvent opposés : tandis que
Miss Frankford fait l'expérience des amours interdites, comme
Prouhèze, Susanne Mountford, la jeune fille pauvre, comme Musique, reçoit la récompense de son honnêteté, le bonheur conjugal
que lui offre Sir Francis Acton.

Mise, non plus en parallèle avec elle, mais « en abyme » [18] dans
celle de Rodrigue, voici l'histoire de ce Diego Rodriguez qui retrouve, lui, au bout des mêmes « dix ans » (909), sa bien-aimée non
mariée (IV, 7). « Parce qu'il est pauvre et résigné », écrit J. Petit,

12. *La Remplaçante*, dans *Théâtre anglais : prédécesseurs et contemporains de Shakespeare*, trad. cit., p. 1181 sqq.
13. E. LEGOUIS et L. CAZAMIAN, *op. cit.*, pp. 402-403, 466.
14. Robert DAVRIL, *Le Drame de John Ford*, Paris, Didier, 1954.
15. Georges PILLEMENT, *Dommage qu'elle soit une putain*, trad. de la pièce de John FORD,
'T'is Pity she's a Whore, Paris, Charlot, 1947.
16. Sur ce point, voir André M. ROUSSEAU, *Voltaire*, « *La Mort de César* », Paris,
S.E.D.E.S., 1964, p. 16 ; Maeterlinck, on l'a remarqué, emploie comme d'instinct la même
métaphore dans sa Préface d'*Annabella et Giovanni*.
17. Claudel disait lui-même en 1925 à Frédéric Lefèvre : « C'est une trame composée
d'un fil bleu, d'un fil rouge et d'un fil vert qui, sans cesse, paraissent et disparaissent »
(F. LEFÈVRE, *Une Heure avec*, 3e série, p. 154). Sur ce point, voir l'article de Jean-Noël SE-
GRESTAA, « Regards sur la composition du *Soulier de satin* », *RLM* V, pp. 59-81.
18. J. PETIT, *Pour une explication du « Soulier de satin »*, 40 .— sur la composition « en
abyme » des *Faux-Monnayeurs*, voir l'analyse de Claude-Edmonde MAGNY dans *Histoire du
roman français depuis 1918*, Le Seuil, coll. « Pierres vives », 1950, 269-278 : « La mise en
abyme ou le chiffre de la transcendance ».

« tout lui sera donné, tandis qu'à Rodrigue qui revient sûr de lui, sûr de cet amour que confirme la *lettre*, tout est refusé »[19].

Cette composition « en abyme », utilisée à la même époque par Gide dans *Les Faux-Monnayeurs* et par Joyce dans *Ulysse*, a pour origine le théâtre élisabéthain. Gide et Joyce songent l'un et l'autre à la scène de la comédie, dans *Hamlet*[20]. L'analogie des noms fait penser à l'histoire des deux Spencer, dans la pièce de Heywood, *La Jolie fille de l'Occident*, et la fidèle Doña Austrégésile apparaît comme la Bess Bridge de l'histoire. L'intention ironique ne fait pas de doute, si l'on veut bien remarquer que cet autre Rodrigue, devenu aussi vieux que celui de Mañacor, est appelé « Don Diègue » par Don Alcindas. Il y a là une manière subtile de nous indiquer que le temps a passé. Et la « dérision » ne va pas sans quelque tendresse : c'est comme un rêve de Rodrigue (et de Claudel lui-même) sur son destin, s'il eût été autre. L'intention n'est pas vengeresse, comme dans *Hamlet*, mais on a l'impression d'assister à une scène de comédie montée par le prince danois pour lui-même.

La dérision est plus sensible encore dans les amours bouffonnes du Chinois et de la négresse Jobarbara. La critique a poursuivi les scènes de ses sarcasmes : J. Chiari juge qu'elles sont hors de propos et qu'elles ne font pas partie du drame[21]. Beaucoup plus justement, J. Petit retrouve la « tradition de la comédie qui fait jouer au valet et à la servante, sur un autre plan, le même jeu amoureux que leurs maîtres »[22]. Mais le souvenir de Marivaux ne doit pas nous cacher, une fois de plus, la participation au jeu élisabéthain. L'intrigue secondaire, dans *The Changeling*, a précisément ce rôle de « dérision burlesque des thèmes de la poursuite et du désir ». Isabella est, comme Béatrice, aux prises avec trois hommes ; mais contrairement à elle, elle saura se donner au moins jaloux des trois au lieu de le faire assassiner : le barbon Alibius est une caricature du mari, Alsemero, intransigeant sur le point d'honneur ; Franciscus est à l'image du confiant Piracquo ; et « the changeling », Antonio, est un De Florès démasqué à temps. La folie amoureuse feinte par Franciscus[23] démystifie la folie d'amour en la réduisant au « sentiment intestinal » (700) du Chinois.

19. J. Petit, *ibid.*, *loc. cit.*
20. Dès 1893, Gide écrivait dans son *Journal* (Paris, Gallimard, coll. « Bibliothèque de la Pléiade », 1965, p. 41) : « J'aime assez qu'en une œuvre d'art on retrouve ainsi transposé, à l'échelle des personnages, le sujet même de cette œuvre. Rien ne l'éclaire mieux et n'établit plus sûrement toutes les proportions de l'ensemble. Ainsi, dans tels tableaux de Memling ou de Quentin Metzys, un petit miroir convexe et sombre reflète, à son tour, l'intérieur de la pièce où se joue la scène peinte. Ainsi, dans le tableau des *Ménines* de Vélasquez (mais un peu différemment). Enfin, en littérature, dans *Hamlet*, la scène de la comédie ; et ailleurs dans bien d'autres pièces [...]. Aucun de ces exemples n'est absolument juste. Ce qui le serait beaucoup plus, ce qui dirait mieux ce que j'ai voulu dans mes *Cahiers*, dans mon *Narcisse* et dans *La Tentative*, c'est la comparaison avec ce procédé du blason qui consiste, dans le premier, à en mettre un second en abyme ». C.E. Magny applique cette même expression à la conversation au sujet de Hamlet, dans *Ulysses*, conversation « où se trouvent repris [...] quelques-uns des thèmes majeurs du livre ».
21. J. Chiari, *The Poetic Drama of Paul Claudel*, p. 112 : « In Claudel those comic scenes are not out of tone, but they are irrelevant, they are interesting writing, but they are not part of the drama ».
22. J. Petit, *Pour une explication du « Soulier de satin »*, p. 38.
23. *The Changeling*, III, 3, éd. cit., p. 1030 :

Plus largement se découvre alors le rôle dévolu aux grotesques du théâtre élisabéthain. Comme le « fou » du roi, ils révèlent la folie des sages. C'est le sens même des réponses du « changeling », dans la scène où le docteur Alibius et son « fidèle » adjoint Lollio l'interrogent pour juger s'il mérite d'être interné[24]. Dans une pièce comme *Henry IV*, où le principe de la double intrigue est appliqué avec une grande netteté et semble fondé sur l'opposition de milieux et l'opposition de tons, on observe que le trait d'union n'est pas seulement la personne du prince Harry. Les scènes de guignol où les voleurs se font voler sont à l'image des grands qui s'entendent pour se combattre ensuite. Rien n'est plus simple alors que d'échanger les rôles : Falstaff et Harry seront l'un après l'autre le roi. Seigneurs ou coquins : tous les mêmes.

Claudel a devant ses grotesques le même regard de sympathie : ils sont bien inoffensifs, au fond ; on les aime bien. Ce brave Bottom avec ses oreilles d'âne ! Cet excellent Don Léopold-Auguste à qui ses brillants diplômes universitaires en tiennent lieu, tout aussi solennel, même quand, suspendu au bout d'une canne à pêche, il exécute « dans la bonne brise de l'après-midi une espèce de danse personnelle aussi majestueuse que gaillarde » (806) ! Comme le monde serait ennuyeux s'ils ne mimaient pas si joliment l'importance que nous nous accordons ! Comme il serait faux surtout ! L'auteur, comme Dieu, est à la fois créateur et juge : ces pantins à nos yeux sont l'image des pantins que nous sommes (et avec nous Prouhèze, et avec nous Rodrigue, et avec nous Claudel qui en rit tout le premier) aux yeux de Dieu. De son apparent triomphe, l'auteur tire la plus grande leçon d'humilité.

N'en faisons pas un saint tout de même. Ces intrigues secondaires constitueront un excellent moyen d'introduire quelques allusions satiriques ou d'exhaler quelques rancœurs personnelles.

Alibius et Lollio, dans *The Changeling*, représentent sans doute le Dr. Hilkish Crooke, et son intendant, dépossédés de leurs charges, à l'hôpital de Bethléem, en 1632, après s'être rendus coupables de divers délits[25]. Shakespeare, en introduisant dans *Hamlet* une troupe de comédiens médiocres, « une chialée de petits blancs-becs, dont

---

ISABELLA. — Alack, alack, 't is too full of pity
To be laughed at ! How fell he mad ? Canst thou tell ?
LOLLIO. — For love, mistress.
24. *Ibid.*, I, 2, p. 1023.
LOLLIO. — [...] I come to you again, cousin Tony ; how many fools goes to a wise man ?
ANTONIO. — Forty in a day sometimes, cousin.
LOLLIO. — Forty in a day ? How prove you that ?
ANTONIO. — All that fall out amongst themselves, and go to a lawyer to be made friends.
LOLLIO. — A parlous fool !
[...]
LOLLIO. — Say how many fools are here.
ANTONIO. — Two, cousin, thou and I.
25. Si l'on accepte du moins la thèse de Robert Rentoul REED, exposée dans *Bedlam on the Jacobean Stage*, Cambridge Mass., Harvard University press, 1952, pp. 35-37 et 47-48.

les voix de fausset s'élèvent d'autant plus haut qu'on les applaudit davantage »[26], déchargeait probablement sa mauvaise humeur sur une troupe rivale, celle des Enfants de la Chapelle, avec qui il avait eu maille à partir au cours de la « Guerre des théâtres », et dont Ben Jonson s'était fait le défenseur. Claudel s'en prend aussi à ses détracteurs, dont les attaques se sont multipliées depuis 1911, en particulier Paul Souday et Pierre Lasserre.

Le premier, qui est aussi le moins violent, tenait depuis 1912 le feuilleton littéraire du *Temps*. « En général consciencieux et bien-veillant », du propre aveu de Claudel (*PP* II, 141 sqq.), il combattait aveuglément toutes les idées qui lui paraissaient heurter son rationalisme positiviste. Aussi crut-il devoir défendre Renan contre l'auteur de la *Corona benignitatis anni Dei* dans deux articles du 18 juillet 1914 et du 2 décembre 1915. S'estimant traité d'« infirme de l'esprit », et même de « demi-imbécile » pour être passé à côté de ces« glaciers de l'intelligence » (*L'Avenir de la science* et *La Vie de Jésus*), Claudel répliqua dans *La Croix* du 1er mars 1916,, par un texte intitulé « La " Jolie foi de mon enfance " », où il dénonçait cet « instinct de paresse déguisé sous le nom de *raison* », suprême abri des adversaires de la foi (*PP* II, 145). Le Prologue du *Soulier de satin* malmène déjà passablement la raison. Mais il faut relire, à la lumière de « La " Jolie foi de mon enfance " », le dialogue entre Rodrigue et son serviteur chinois (I, 7) ou la lutte bouffonne entre les équipes Bidince et Hinnulus (IV, 5) pour voir se constituer l'énorme machine lancée contre le rationalisme.

Le Chinois rappelle les « fools » du théâtre élisabéthain par l'excès de logique poussé jusqu'à l'absurde, qui se manifeste dans ses commentaires ironiques. Parolles ou le Clown, dans *Tout est bien qui finit bien*, excellaient comme lui, non seulement dans le registre gras, mais aussi dans l'art du syllogisme étourdissant où la conclusion fait rejaillir son ridicule sur le raisonnement qui l'a amenée :

> Celui qui console ma femme soigne ma chair et mon sang ; celui qui soigne ma chair et mon sang aime ma chair et mon sang ; celui qui aime ma chair et mon sang est mon ami ; *ergo*, celui qui baise ma femme est mon ami[27].

Le Chinois justifie lui aussi, à coups de raisonnements audacieux, le prêt usuraire qu'il a fait à Jobarbara :

> Quoi, n'est-ce point vertu que de donner *illico* aux *petentibus* ? Et à quoi reconnaît-on la vertu, sinon à ce qu'elle comporte subitement sa récompense ?   (694)

---

26. *Hamlet*, II, 2, 363-364, éd. cit., p. 883 :
   ROSENCRANTZ. — [...] an aery of children, little eyases, that cry out on the top of question, and are most tyrannically clapped for't.   (trad. cit., II, 643)
27. Trad. cit. II, 247 ; *All's Well that Ends Well*, I, 3, 50-55, éd. cit., p. 273 :
   He that comforts my wife is the cherisher of my flesh and blood ; he that cherishes my flesh and blood loves my flesh and blood ; he that loves my flesh and blood is my friend : *ergo*, he that kisses my wife is my friend.
   Les raisonnements de Parolles sur la virginité, dans la scène 1, constitueraient un autre exemple caractéristique.

La scène entre les équipes Bidince et Hinnulus ridiculise, elle, les théories d'Henri Poincaré sur l'hypothèse :

> BIDINCE. — Il existe ! Il a le devoir d'exister ! C'est une hypothèse commode.
> Il est mieux qu'effectif, il est indispensable   (898)

et, en général, les étranges égarements où de prétendus savants se trouvent entraînés par leur imagination incontrôlée. Car les livres où l'esprit fort croit trouver « la " raison " et la " science " », ne lui offrent en réalité que « la collection la plus divertissante de coqs à l'âne, de pétitions de principes, de contradictions dans les termes, d'affirmations gratuites et pétulantes, d'erreurs de fait et de tous les sophismes dont le vieil Aristote a dressé jadis le catalogue, sans oublier ce procédé le plus naïf et le plus fréquent, habituel aux enfants et aux femmes, qui consiste à substituer l'illustration à la preuve » (PP II, 145-146).

L'autre grand adversaire de Claudel, à cette date, est un autre universitaire, Pierre Lasserre. Mais, curieusement, cet agrégé de philosophie, auteur de La Morale de Nietzsche (1902), s'en prend moins à ses idées qu'au style dans lequel il les exprime. Comme l'annonçait en termes pourtant peu autochtones sa thèse sur Le Romantisme français (1907), ce fervent des théories maurrassiennes pourchasse « la dispersion dans le sentiment par l'abdication des énergies organisatrices et constructives »[28] et s'irrite du langage claudélien, parce qu'il lui paraît contraire aux traditions nationales et aux canons séculaires. Désireux, dès 1911, de « dire son fait à l'auteur de L'Arbre »[29], il passe du ton encore modéré de son article sur L'Otage[30] à l'agressivité de son attaque contre le claudélisme comme « chapelle littéraire »[31]. L'affaire s'envenime, les André Beaunier ou les Roger Allard s'en mêlant, et Claudel, irrité[32], prend finalement le parti d'en « rire » (CJF, 301). Contre la conspiration des grammairiens et des professeurs, esprits obscurantistes et rétrogrades, et son chef bruyant, il se réserve une plaisante vengeance : la scène deux de la Troisième Journée du Soulier de satin

Poussé par l'amour exclusif de la grammaire, de la « chère grammaire, belle grammaire, délicieuse grammaire, épouse, mère, maîtresse et gagne-pain des professeurs » (792), don Léopold-Auguste, éminent titulaire d'une « chaire sublime » à l'Université de Salamanque, l'a quittée pour restaurer la langue castillane mise à mal par les colons d'Amérique :

---

28. Pierre LASSERRE, Le Romantisme français, « essai sur la révolution dans les sentiments et les idées au XIXᵉ siècle », Paris, Mercure de France, 1907, pp. 158-159.

29. Selon le témoignage de GIDE, Journal, I, p. 377.

30. Article paru dans L'Action française, le 7 mai 1911.

31. « Les Chapelles littéraires : M. Paul Claudel et le claudélisme », paru dans La Minerve française, 1er et 15 août 1919.

32. Voir Journal, 1922, IV, 79 « Lasserre, Roger Allard, etc., trouvent que je ne suis pas français [...]. Quant à dire que je me rapproche des Allemands ! » ; lettre de Claudel à Pierre Moreau du 29 novembre 1923 publiée dans Le Figaro littéraire du 5 mars 1955 ; sur les attaques de Beaunier dans La Revue des Deux-Mondes, P. BRUNEL, « Le Soulier de satin » devant la critique », p. 18.

Don Fernand. — Voilà ce que c'est pour un pays que de sortir de ses traditions !
Don Léopold-Auguste. — La tradition, vous avez dit le mot. Comme on peut voir que vous avez fréquenté les livres de notre solide Pedro, comme nous l'appelons, le rempart de Salamanque, le professeur Pedro de Las Vegas, plus compact que le mortier ! La tradition, tout est là ! dit ce sage Galicien.   (793)

L'illustre Pedro, c'est, bien sûr, Pierre Lasserre, et Claudel n'hésitera pas, plus tard, à transformer le nom en Pedro de Las Serras. Et pourquoi son porte-parole ne serait-il pas son noble confrère, le cher André Beaunier [33] ?

Shakespeare profitait ainsi des épisodes en marge de l'intrigue principale pour ridiculiser les pédants (Slender et Shallow dans *Les Joyeuses commères de Windsor,* Holofernes dans *Peines d'amour perdues*) et le savoir, éternel ennemi de la liberté de l'art. Est-ce à Robert Greene, est-ce à Thomas Nashe qu'il donne un coup de patte, quand, pour faire patienter Thésée, il propose ce sujet, par l'intermédiaire de l'intendant Philostrate :

Les neuf Muses pleurant la mort
De la Science, récemment décédée dans la misère [34] ?

Le duc écarte à l'avance ce spectacle qui, à n'en pas douter, tournerait à « quelque satire de critique mordante ». Car, trop explicite, la polémique tue le plaisir dramatique et la scène ne saurait se transformer en arène. Pour se défendre, le théâtre doit user de masques et de déguisements nouveaux, et se trouve contraint à la prolifération, pour la plus grande joie des spectateurs : *Le Songe* s'abrite derrière « Pyrame et Thisbé » pour mieux se justifier et Claudel, entraînant la lettre de Prouhèze dans un détour nouveau, tend à son adversaire le miroir grossissant d'une scène parasite.

Dans ce miroir, Claudel aussi se regarde. Pour éviter les rires, il est le premier à rire de lui-même. Il anticipe sur toutes les parodies que pourrait susciter *Le Soulier de satin.* Se croyant déjà vainqueur, il laisse éclater sa joie et se décerne un *satisfecit* comme le dramaturge élisabéthain dans ses épilogues.

---

33. Comme j'ai déjà tenté de le démontrer dans « *Le Soulier de satin* » *devant la critique,* pp. 20-21.
34. *A Midsummer-Night's Dream,* V, 1, 52-55, p. 188 :
Theseus. — *The thrice three Muses mourning for the death*
Of Learning, late decceas'd in beggary.
That is some satire keen and critical,
Not sorting with a nuptial ceremony.

IV. LE JEU DU POÈTE AVEC LE TEMPS

Claudel ne peut s'empêcher d'associer au spectacle qu'il prépare cet autre spectacle : les yeux grands ouverts de son public futur. Dans son cœur de poète se rencontrent la vie de la salle et celle de la pièce ; il sait qu'elles vont obéir toutes les deux à la tyrannie de la clepsydre et coïncider pour quelques heures. Cela signifie-t-il nécessairement qu'elles vont battre le même temps ? Le spectateur oublie le temps réel que continue pourtant à scander le rythme de son cœur, quand il a pénétré dans l'imaginaire où il va désormais se laisser conduire par les caprices du temps fictif, tantôt ralenti, tantôt prompt à filer, sautant les nuits, les jours et les années. Ce temps de l'intrigue lui-même stylise le temps de l'action [35] qu'il doit réduire au temps de la représentation, tout en laissant entière l'illusion du temps écoulé...

Un esprit soucieux de logique ne peut admettre qu'une solution, la superposition parfaite de ces durées. Tel était le vœu de Corneille ; il avait trop peiné à la tâche dans *Le Cid* pour ignorer combien le projet se révélait irréalisable, mais il ne renonçait pas à se rapprocher le plus possible de cet idéal.

> La représentation dure deux heures et ressemblerait parfaitement, si l'action n'en demandait pas davantage pour sa réalité. Ainsi [...] resserrons l'action du poème dans la moindre durée qu'il nous sera possible, afin que sa représentation ressemble mieux et soit plus parfaite [36].

Le problème n'a pas échappé aux Elisabéthains. Ils ont eu vent des règles d'Aristote, contrairement à ce qu'a prétendu la critique française au XVIIIᵉ siècle. Il existait même en Angleterre un théâtre scolaire, destiné à des érudits, qui les appliquait avec scrupule. On connaît la plaisante condamnation prononcée vers 1583 par Sir Philip Sidney contre ces pièces où d'ordinaire « deux jeunes princes tombent amoureux ; après d'innombrables revers, la princesse est enceinte, puis met au monde un beau garçon ; il se perd, il devient homme, amoureux, et est sur le point d'avoir un enfant à son tour ; et tout cela en l'espace de deux heures » [37]. Quand, vers 1614, Webster accumule les invraisemblances dans *La Duchesse d'Amalfi*, Ben Jonson a déjà protesté contre la violation de l'unité de temps, dans le Prologue de *Chacun dans son caractère* [38].

---

35. Sur cette distinction entre temps de l'intrigue et temps de l'action, voir H. GOUHIER, *L'Œuvre théâtrale*, pp. 151-161.

36. CORNEILLE, *Discours des trois unités, d'action, de jour et de lieu*, dans *Œuvres complètes*, éd. cit., p. 844.

37. Sir Philip Sidney, *An Apologie for Poetrie*, éd. cit., pp. 89-90 : « [...] ordinary it is that two young Princes fall in love. After many traverces, she is got with childe, delivered of a faire boy ; he is lost, groweth a man, falls in love, and is ready to get another child ; and all this in two hours space » (1598).

38. Ben JONSON, *Every Man in his Humour*, 1-8, éd. C.H. Herford and Percy Simpson, t. III, p. 303.

Paradoxalement, on a énuméré des causes déterminantes (le goût du public, la tradition médiévale ou romanesque, etc.)[39] pour exprimer l'extraordinaire liberté du théâtre élisabéthain. Comme s'il pouvait exister une meilleure explication que cette liberté elle-même ! Comme s'il ne s'agissait pas d'un jeu par lequel « on entre franchement dans le jeu du temps, comme on entre dans le jeu d'un fou qu'il s'agit d'amener à une relative sagesse »[40] ! Claudel, après avoir longtemps hésité, entre à son tour délibérément dans ce jeu, en manipul[ant] le temps comme un accordéon » : « à notre plaisir, les heures durent et les jours sont escamotés. Rien de plus facile que de faire marcher plusieurs temps à la fois dans toutes les directions » (732).

« Les heures durent... »

Pour Richard II devenu, entre les murs de Pomfret, le prisonnier du temps, chaque instant s'étire, comme un soupir qui n'en finit pas de s'exhaler[41]. Rodrigue, enfermé au dernier étage du château de Nagoya, au Japon, a vécu de « longues journées d'hiver sans jambes » (870), incapables de se traîner jusqu'à leur terme. Le dramaturge, avec Desdémone ou Doña Honoria, s'attarde dans l'attente anxieuse de la catastrophe prochaine.

Surtout, la succession des scènes lui permet d'éclairer un même moment où s'accomplissent des actions différentes en différents points du globe. Si le texte les juxtapose, si la représentation les reproduit dans cette succession, l'auteur laisse à son lecteur ou à son spectateur le soin de les superposer. Car Prospéro peut fort bien surprendre la conversation amoureuse de Ferdinand et de Miranda[42] pendant que le trio des ivrognes médite de lui marteler le crâne[43]. Doña Prouhèze peut fort bien s'entretenir avec Doña Musique (Première Journée, sc. 10) pendant que Rodrigue tue Don Luis (sc. 9), que le Sergent napolitain se querelle avec la Négresse (sc. 8) et que le Roi tient conseil (sc. 6). Pourquoi, au moment même où Doña Musique prie au son assourdi de l'orgue dans l'église de la Mala Strana (Troisième Journée, sc. 1), Don Léopold-Auguste ne ferait-il pas à Don Fernand un cours sur l'abâtardissement de la langue castillane aux colonies (sc. 2) ? Il est sûr, en tout cas, que les scènes 10 et 11 de la Quatrième Journée se déroulent simultanément : le marché dont Rodrigue fait l'objet se traite tandis que Doña Sept-Epées gagne à la nage le vaisseau de Don Juan d'Autriche, puisque l'ancien vice-roi des Indes échoue entre les mains de la religieuse au moment

---

39. Mise au point dans Madeleine DORAN, *Endeavors of Art : a Study of Form in Elizabethan Drama*, Madison, The University of Wisconsin press, 1964, pp. 279-288.

40. H. FLUCHÈRE, *Shakespeare dramaturge élisabéthain*, p. 157.

41. *Richard II*, V, 5, 50-60, p. 407.

42. *The Tempest*, III, 1, pp. 12-13.

43. *Ibid.*, III, 2, pp. 13-14.

même où un coup de trompette lui annonce que son « enfant » est sauvée et où un coup de canon salue à la fois la victoire de Lépante délivrant la Chrétienté des Turcs et la délivrance de l'âme de Prouhèze (948).

« Les jours sont escamotés »

Le dramaturge ne peut s'attarder ainsi sur des moments privilégiés qu'en renonçant à respecter scrupuleusement la marche du temps. Il a pu suivre le Père Jésuite dans sa longue tirade, accordant un répit assez peu vraisemblable à un naufragé en proie à la fureur des flots (666-669) ; mais une fois qu'il a commencé à raconter en images l'histoire de Rodrigue et de Prouhèze, une fois qu'il a accumulé les épisodes romanesques, à la fin de la Première Journée [44], comment retiendrait-il sa propre impatience et celle de ses spectateurs ? Les scènes seront désormais des conquêtes sur l'ardeur excessive de l'Irrépressible qui « mène les choses trop vite » et voudrait « en deux foulées » être « au but » (730). Chez les Elisabéthains, ce diable d'homme agissait tantôt à l'insu du spectateur, tantôt avec son aveu. Il en va de même dans Le Soulier de satin.

Des semaines, des années, des mois, peuvent se trouver « télescopés » [45], sans que le public en ait conscience, afin que l'essentiel du sujet soit très fortement ramassé. Le problème est alors résolu, par miracle, comme si l'auteur n'y avait pas pensé un seul instant ou comme s'il s'associait à l'illusion du spectateur. En réalité, avec une grande hardiesse, le dramaturge a condensé de longues périodes en juxtaposant, sans la moindre explication, sans la moindre indication, des épisodes disjoints dans le temps.

Ainsi dans les trois premiers actes de Jules César, Shakespeare place les Ides de Mars le lendemain même des Lupercales (qui avaient normalement lieu en février), ne laissant aux conspirateurs qu'une nuit pour organiser leur complot. Entre l'assassinat du maître de Rome, suivi d'une panique générale [46], et les justifications réclamées par le peuple [47] s'étaient écoulés cinq jours : la tragédie, elle, enchaîne les scènes. De même un serviteur annonce à Antoine, immédiatement après sa harangue, l'arrivée d'Octave, qui ne s'était produite qu'en mai [48].

Dans Edouard II, Marlowe parvient à enchaîner en quatre cents vers, — c'est-à-dire en une demi-heure de discours environ — les événements historiques qui, selon la chronique, ont occupé deux

---

44. Faut-il rappeler que cette division traditionnelle de la « comedia » n'a aucune signification temporelle, que l'unité de jour n'est pas plus respectée à l'extérieur de la « journée » que dans l'ensemble de la pièce ? D'ailleurs Cervantès use dans Don Quichotte (I, XLVIII) de termes analogues à ceux de Sidney pour condamner la violation des unités aristotéliciennes chez les dramaturges de son temps.

45. H. FLUCHÈRE, Shakespeare dramaturge élisabéthain, p. 157.

46. Julius Caesar, III, 1, p. 831.

47. Ibid., III, 2, pp. 833-836.

48. Ibid., loc. cit., v. 266-276, p. 836.

années : le roi a pu contresigner « non pas avec de l'encre, mais avec des larmes » la cruelle sentence qui exile son mignon Gaveston, à la demande des principaux seigneurs de la cour ; les amants ont eu le temps de se faire de pathétiques adieux, Gaveston de partir, la reine de se raviser, le messager de se hâter vers l'Irlande pour rechercher le banni [49]. Cette science de la perspective temporelle, que l'on a pu rapprocher de la science de la perspective spatiale chez certains peintres du Quattrocento, procède par des raccourcis qui laissent au spectateur, s'il le veut, le soin de déplier le temps ainsi condensé et de reconstituer la durée simplement suggérée par la pièce.

Cette science, Claudel a tenté de la retrouver en composant *Le Soulier de satin*. De la scène 2 à la scène 10 de la Première Journée, Don Balthazar a eu le temps de conduire Doña Prouhèze et la caravane qui l'accompagne « à travers maintes villes et villages », jusqu'à la côte de Catalogne (669-670) ; Don Pélage de gagner, dans la sierra, la maison de Doña Viriana ; Doña Musique de s'en échapper et de parvenir, elle aussi, jusqu'à la mer. Entre la scène 2 et la scène 5 de la Troisième Journée, Don Léopold-Auguste a franchi une partie de l'Océan Atlantique, puis est passé de vie à trépas. Au lieu d'enchaîner directement des scènes disjointes dans le temps, comme le faisaient les Elisabéthains, Claudel obtient de tels raccourcis en intercalant, entre deux moments d'une histoire, une scène d'une autre histoire qui éloigne pour un instant notre attention des personnages dont nous sommes censés suivre la destinée. L'intermède devient entracte. Pour passer des déclamations de Don Léopold-Auguste en mer à la piteuse réduction de son apparence corporelle en un pourpoint poussiéreux, il suffit de deux très courts regards en d'autres points de l'action et de l'espace (l'empoignade entre Almagro et Rodrigue au large de l'Orénoque, la conversation de trois sentinelles sur les remparts de Mogador). Quant à la Quatrième Journée, elle semble emprunter à la mer la miraculeuse continuité de ses flots.

En revanche, quand il juxtapose deux scènes que sépare une coupure chronologique, Claudel l'indique. Shakespeare nous laissait ignorer la trêve de vingt jours qui divisait la bataille de Philippes en deux phases [50]. Mais *Le Soulier de satin* précise qu'il s'est écoulé « deux mois » (847) entre le départ de la flotte espagnole appareillant pour l'Europe dans le golfe de Panama (Troisième Journée, sc. 11) et son arrivée devant Mogador (sc. 12).

Il ne faut pas confondre cet avertissement loyal, — léger tribut payé, peut-être, à des traditions qui ne s'effondrent pas d'un seul coup —, avec le jeu du dramaturge, qui consiste à dénoncer, devant le spectateur, la convention, l'illusion même qui a pu parfois l'abuser. Shakespeare, conscient des limites du raccourci temporel, n'hésite pas, quand il le faut, à souligner les libertés qu'il prend avec

49. *Edward the second*, acte I, sc. 4.
50. *Julius Caesar*, acte V, pp. 841-845.

le temps et à faire appel à la bonne volonté du spectateur au lieu de capter sa crédulité par son habileté. « C'est votre pensée qui doit [...] franchir les temps et accumuler les actes de plusieurs années dans une heure de sablier » [51] : le Chœur qui apparaît au début de chaque acte dans *Henry V* a pour charge de « précipiter la pièce » [52], mais il demande encore humblement pardon pour « cet abrégé des temps, des nombres et du cours naturel des choses qui ne sauraient être présentés [...] dans leur vaste plénitude » [53]. On reconnaîtrait l'excuse, traditionnelle en ce temps-là, chez d'autres dramaturges élisabéthains, surtout dans les pièces de caractère romanesque. L'originalité de Shakespeare dans ses dernières pièces vient de ce qu'il est passé insensiblement de l'excuse à l'apologie. C'est pourquoi elles ont tellement frappé Claudel, qui s'est senti à son tour emporté, dans *Le Soulier de satin*, par un « sentiment de triomphe » (*MI*, 322).

Dans *Périclès*, où l'histoire contée se déroule sur plusieurs années, l'auteur a besoin d'un truchement qui avertisse le public, mais aussi d'un héraut qui annonce sa victoire sur le temps. Alors, trompant le vieil ennemi de l'homme, le vieux Gower, choisi comme porte-parole, renaît de ses cendres pour le vaincre une nouvelle fois dans la pièce. Il résume, avant chaque acte, les épisodes négligés de ce récit « qu'on chante dans les fêtes, dans les veillées, dans les soirées fériées » [54] et demande aux spectateurs une aide complaisante :

> Je ne puis que faire marcher le temps
> Ailé à l'allure boiteuse de ma rime ;
> Et je ne pourrais jamais y réussir,
> Si votre pensée ne m'accompagnait [55].

Mais bientôt, comme encouragé par leur muette approbation, il se laisse gagner par l'enthousiasme et se félicite d'« us(er) le temps en abrégeant les plus longues distances » [56]. Et il a conscience, à la fin de la pièce, d'être le maître d'un temps nouveau auquel il va pouvoir mettre un terme.

---

51. *Henry V, Prologue*, v. 30-32, p. 470, trad. cit., I, p. 757 :
[...] jumping o'er times,
Turning the accomplishment of many years
Into an hour-glass.
52. *Ibid.*, II, Prologue, v. 32, p. 474, trad. cit. I, p. 766 : « force a play ».
53. *Ibid.*, V, Prologue, v. 3-6, p. 496, trad. cit., I, 819 :
I humbly pray them to admit the excuse
Of time, of numbers, and due course of things
Which cannot in their huge and proper life
Be here presented.
54. *Pericles*, I, Prologue, v. 5-6, p. 1048 :
It hath been sung at festivals,
On ember-eves, and holy-ales.
55. *Ibid.*, IV, Prologue, v. 47-50, p. 1062 ; trad. cit., p. 1281 :
Only I carry winged time,
Post on the lame feet of my rime,
Which never could I so convey
Unless your thoughts went on my way.
56. *Pericles*, IV, 4, 1, p. 1065 ; trad. cit., II, 1228 ; « Thus time we waste, and longest leagues make short ».

Devant faire accepter les seize années qui séparent les actes II et IV du *Conte d'hiver*, Shakespeare n'a pas hésité à introduire sur scène le Temps lui-même qui, ouvrant ses ailes, s'en va de sa « fuyante allure » et « laisse inexploré le développement de ce large intervalle »[57]. Il demande, avec quelle ironie !, la permission de s'écouler, alors qu'il possède, il le sait, les spectateurs qui le regardent bouche bée. Usant d'un étrange artifice, l'auteur joue sur la confusion qui existe entre le temps de la fiction et le temps réel et il accorde au temps qu'il crée les pouvoirs de celui auquel il est, comme tout homme, soumis. Cette substitution lui permet même de lancer l'impertinence finale :

Souffrez qu'il en soit ainsi,
Si jamais auparavant vous avez plus mal employé votre temps
Et sinon, souffrez que le Temps en personne vous dise :
Je vous souhaite de ne jamais, à l'avenir, m'employer plus mal à
                                                          [propos,
Et vous le souhaite bien sincèrement[58].

Pour deux heures, il a substitué à l'existence de chacun de ses spectateurs une vie dont il est le démiurge tout-puissant...

L'Irrépressible, dont Claudel feint de se dissocier[59], représente, de la même façon, le sentiment qu'a le dramaturge de pouvoir régir le temps à sa guise. Certes, il laisse poliment au spectateur la liberté de le mesurer comme il lui plaira[60] ; mais en réalité c'est lui qui use, selon son bon plaisir, du temps de la fiction, évoluant comme un oiseau qui plane et puis soudain s'envole à tire-d'aile. Le meneur de jeu n'est plus « calfeutré » dans sa loge (730) : maintenant, il mène les choses rondement et nous franchissons, comme dans un sommeil[61], les jours et les années. Le temps de l'action escamoté par l'entracte croît à mesure que la pièce avance. « Quelques jours » (732) se sont écoulés entre les deux premières Journées ; entre la deuxième et la troisième, plus de dix ans (799) ont passé : Pélage est mort, Prouhèze a épousé Camille, et a donné naissance à une fille, Rodrigue est devenu « cet homme d'outre-tombe dont personne n'a entendu la voix ni regardé la figure » (797) et la fameuse lettre a passé de main en main, allant « de Barcelone à Macao, d'Anvers à Naples » (799). Entre la troisième et la quatrième, un immense pan de vie s'écroule pour laisser paraître, au lieu du Vice-Roi à la

---

57. *The Winter's Tale*, IV, Prologue, v. 1-7, p. 338 ; trad. cit., II, 1429.

58. *Ibid., loc. cit.*, v. 29-32 ; trad. cit., II, 430 :
[...] Of this allow,
If ever you have spent time worse ere now :
If never, yet that Time himself doth say
He wishes earnestly you never may.

59. « [...] je n'ai pas eu le temps de mourir dans cette loge où l'auteur me tient calfeutré » (730).

60. « Doña Prouhèze est arrivée ici dans le costume que vous avez vu, il y a quelques jours, le temps que vous voudrez » (732).

61. Cf. *The Winter's Tale*, IV, Prologue, 15-17, p. 338 :
TIME. — [...] Your patience this allowing
I turn my glass and give my scene such growing
As you had slept between.

belle prestance, un pitoyable vieillard boiteux [62] : la petite Sept-Epées est devenue une jeune fille [63] et l'enfant de doña Musique commande la flotte contre les Turcs — ainsi Florizel et Perdita se métamorphosaient-ils de bébés en fiancés entre l'acte III et l'acte IV [64]. Comme dans *Le Conte d'hiver* il reste dans *Le Soulier de satin* un silence de seize ans, l'intervalle qui sépare la « retrouvaille » de l'adieu de jadis [65]. Le véritable Irrépressible, le temps réel, est venu se substituer au temps dont se croyait maître le dramaturge.

« Plusieurs temps à la fois »

Dans ses deux façons opposées de traiter le temps conventionnel, Claudel a fait preuve de fantaisie et d'une grande, d'une volontaire imprécision. La simultanéité de deux scènes (à l'exception des deux dernières) n'est jamais certaine : la scène 8 de la Deuxième Journée (le bateau de Rodrigue mis à mal par la tempête) pourrait se passer en même temps que la scène 6 (l'apparition de saint Jacques) mais aussi en même temps que la scène 9 (la présentation de la citadelle de Mogador à Prouhèze), qui est pourtant nécessairement postérieure à la scène 6. Les sauts dans le temps ne sont jamais mesurés avec exactitude : la scène 1 de la Troisième Journée (la prière de Doña Musique dans l'église de la Mala Strana) peut être moins éloignée de la Deuxième Journée que du moment où Rodrigue rencontre Prouhèze pour la dernière fois.

Tout se passe comme si chacune des histoires qui s'entrelacent obéissait à son temps propre, car « rien de plus facile que de faire marcher plusieurs temps à la fois dans toutes les directions » (732). Dans les pièces à double intrigue du théâtre élisabéthain, « deux séries d'événements, pourtant subtilement mêlées, peuvent se dérouler à deux vitesses différentes, et donner l'impression qu'elles coïncident aussi » [66]. Il suffit de comparer, dans *Comme il vous plaira*, les amours d'Audrey et celles de Rosalinde. L'histoire de Doña Musique file bien plus vite que celle de Prouhèze : à l'envol de la joie s'oppose ainsi la marche de la peine sur une voie pleine d'obstacles, avec des scrupules, des remords et des retours. Pour cette raison peut-être se produit, dans la deuxième Journée, un curieux renversement : la scène où Saint Jacques, surgissant du milieu de la « rose Atlantique » (751), contemple le sillage laissé par les vaisseaux qui emportent les deux amants vers des destins séparés précède la scène

---

62. Le *Journal* des années 1919-1925 est émaillé de réflexions qui attestent l'étonnement de Claudel devant son propre vieillissement, étonnement qu'accuse encore le souvenir de la crise de 1900-1904, où l'auteur était encore plein de force. Par exemple, en 1923 : « Je regarde mes mains ridées » (*J* V, 23).

63. Cf. *J* IV, 64 « L[ouise] boulotte, belle voix, très intelligente ».

64. *The Winter's Tale*, IV, Prologue, v. 21-25, p. 338.

65. *Journal* V, 65 (1921) : « plein les yeux, plein le cœur, plein ces seize ans... », et *The Winter's Tale*, *loc. cit.*, v. 5-6 : « I slide / O'er sixteen years ».

66. H. FLUCHÈRE, *Shakespeare dramaturge élisabéthain*, pp. 162-163.

sept où le roi l'Espagne tente de dissuader Don Pélage de laisser partir son épouse à Mogador. Le temps de l'intrigue, comme s'il craignait de reproduire servilement le temps de l'action, a préféré le prendre à rebours.

Ou simplement cet entrelacement d'un temps rapide pour les idylles joyeuses et d'un temps lent, tortueux, pour les histoires douloureuses reproduit l'alternance dans le cœur du narrateur, des heures gaies trop brèves et des longues heures moroses : le drame reflète les caprices du temps sentimental qu'analysait Rosalinde dans *Comme il vous plaira ;* tantôt il « va l'amble », tantôt « trotte », tantôt « galope » et tantôt « ne bouge pas » [67].

Cette « variabilité » du temps qui fait le « mystère » et la « grandeur » de l'homme [68] et qui impose sa marque subtile à ces œuvres, moins soucieuses des carcans traditionnels que de liberté expressive, explique le déroulement imprévisible de chacune des intrigues. Le dramaturge a cru tenir les ficelles du temps quand il n'obéissait en réalité qu'à son instinct de conteur et à son temps intérieur. « Comme il vous plaira » ? Non : comme il lui a plu, moins par une décision arbitraire du démiurge absolu, que par une intuition secrète, moins selon son bon plaisir que selon son plaisir...

Gêné par le problème du temps, comme Shakespeare dans *Périclès* ou dans *Le Conte d'hiver,* parce qu'il avait comme lui une longue histoire à raconter, Claudel a renoncé lui aussi à suivre le précepte aristotélicien pour imposer au temps sa volonté. Mais l'apparente liberté du déroulement ne doit pas nous cacher le caractère illusoire de cette prétendue toute-puissance. Le temps, son temps, surgit encore, l'Irrépressible, et le force à entrer dans le jeu...

V. LE TRAITEMENT DE L'ESPACE

La scène et le globe

On ne renie pas complètement Aristote, si l'on n'élargit l'espace où se meut le drame. La pensée judéo-chrétienne invite le poète nouveau à « imiter » le geste du Divin Créateur, à reproduire le vaste monde qui, au XVIᵉ siècle, se découvre à ses yeux. La scène du théâtre cherche à s'adapter à celle du « grand théâtre du monde ».

L'art renaissant reflète fidèlement ce fait majeur des temps modernes : l'éloignement progressif de l'horizon [69]. Les grandes expé-

---

67. *As you Like it,* III, 2, 328-332, p. 230, trad. cit., II, 127 : « Time travels in divers paces with divers persons. I'll tell you who Time ambles withal, who Time trots withal, who Time gallops withal, and who he stands still withal ».

68. H. FLUCHÈRE, *Shakespeare dramaturge élisabéthain,* p. 155, qui développe ce point dans l'ensemble de son chapitre.

69. Jean-Claude BERTON, *Shakespeare et Claudel,* p. 55.

ditions, en découvrant des mondes inconnus, frappent l'imagination de l'auteur dramatique et du public dont il cherche à s'attirer les faveurs. Lope de Vega transpose l'épopée de Christophe Colomb [70] ; Marlowe lance son Tamerlan à la conquête du monde. Célébrant à son tour dans *Le Soulier de satin* cette période « glorieuse » où « Vasco de Gama retrouve l'Asie » tandis que « Christophe Colomb voit un monde nouveau jaillir pour lui du sein des eaux » [71] et lançant Don Rodrigue sur toutes les mers du monde comme un autre « conquistador » [72], Claudel fait, lui aussi, nécessairement éclater les barrières de l'espace scénique.

Mais un sujet d'Elizabeth Ire reste un Anglais : il suit surtout à travers le monde le précieux destin de ses compatriotes confié aux flots de tous les océans. Son univers, comme celui de Barabas, tend à se confondre avec le réseau des sillages creusés par ses vaisseaux [73]. Son imagination recherche l'itinéraire des expéditions militaires où s'est illustrée la victorieuse Albion : Heywood, apologiste de la « Troia Britannica », organisateur des « pageants » en l'honneur du Lord-Maire, grand-prêtre du culte d'Elizabeth [74] et présentateur officiel du « Souverain des mers » [75], met en scène dans *La Jolie fille de l'Occident* l'expédition d'Essex aux Açores, en 1597 [76], à laquelle prend part Spencer, le gentilhomme épris de Bess Bridges. Il ose même évoquer l'invincible Armada dans *Si vous ne me connaissez pas* [77], se montrant le prédécesseur direct de Claudel [78] ; mais l'un cherche à glorifier la Reine, l'autre la déguise, comme Ariel [79], en harpie menaçante (*Th* II, 885).

On peut se demander ce que l'odyssée des personnages doit à l'expérience du poète-voyageur. La vie des Elisabéthains est si mal connue que la question reste pratiquement sans réponse. Les voyages de Shakespeare constituent une énigme irréductible et, malgré les efforts conjoints de ses biographes et de ses exégètes, on se prend à douter qu'il ait jamais parcouru les chemins de l'Europe, quand on relève les étranges erreurs de sa géographie (Vérone ou la Bohême au bord de la mer [80], Bertrand de Roussillon passant par Florence pour se rendre de France à Saint-Jacques de Compostelle [81]).

---

70. Lope de Vega, *El Nuevo Mundo descubierto por Cristóval Colon* (1614).
71. Entretien de Claudel avec Frédéric Lefèvre, *les Nouvelles littéraires*, 7 mai 1927, p. 2.
72. Lettre de Claudel à Margotine du 20 mars 1920 (citée *supra*).
73. Marlowe, *The Jew of Malta*, I, 1, 38-47.
74. Dans *If you Know not me you Know Nobody*.
75. Ce navire d'orgueilleuses proportions conçu par Charles Ier comme un symbole de suprématie maritime fut l'objet d'une « description » officielle commandée à Heywood en 1637 ; voir M. Grivelet, *op. cit.*, p. 88-89.
76. Selon la thèse la plus souvent admise (Schelling, Ward, Aronstein, Grivelet), car on ignore la date exacte de cette première partie de la pièce.
77. M. Grivelet, *op. cit.*, p. 377.
78. *Le Soulier de satin*, Quatrième Journée, sc. 4.
79. *The Tempest*, III, 3, 53-54, p. 15 : « *Thunder and lighting. Enters Ariel like a Harpy* ».
80. *The Two gentlemen of Verona*. II, 2, 14-15, p. 28 ; *The Winter's Tale*, IV, 4.
81. *All's Well that Ends Well*, III, 4, p. 284 ; sur les voyages de Shakespeare, voir G. Lambin, *op. cit.*

Sans oublier la part qu'il convient de réserver aux livres, probablement plus limitée qu'on ne l'a dit, il faut surtout se fier à la merveilleuse intuition de son imagination et de son cœur : sa Venise est si vraie qu'elle se mêle tout naturellement aux impressions ou aux souvenirs du touriste moderne. Au contraire, il semble bien que Claudel ait organisé la carte du *Soulier de satin* — si l'on excepte le Maroc — autour de centres qui lui sont familiers: lieux de séjour — Rome (746), la forêt vierge en Amérique (774), Prague (782), le Japon (813-814) ; paysages aperçus au passage [82] — le « désert de Castille » (691) ou l'estuaire du Tage (686). La mer porte ses personnages, du Jésuite crucifié au roi d'Espagne, comme elle n'a cessé de l'entraîner lui-même vers l'un ou l'autre des points cardinaux.

A dire vrai, ces centres se confondent souvent avec ceux vers lesquels était orientée l'imagination élisabéthaine : l'Italie et la Bohême, chères à la tradition pastorale ; l'Amérique, toujours présente à l'esprit d'un homme de la Renaissance ; l'Espagne hostile ; la Méditerranée ou le Maroc, riches pour le marin britannique en souvenirs d'aventures et de mésaventures. Sans se soucier de réalisme, « Claudel retrouve l'âme espagnole un peu comme Shakespeare [a retrouvé] l'âme italienne » [83], ou comme Debussy a recréé l'atmosphère ibérique dans « La Puerta del vino » d'après une simple carte postale [84]. Les conventions littéraires venant soutenir rêveries et souvenirs, l'art n'imite pas le réel ; mais, comme le disait Gide, il l'exagère. Pays et paysages subissent au théâtre la même métamorphose que les êtres qui les peuplent : leurs traits majeurs, fortement accusés, les composent en types chargés d'un rôle symbolique.

La stylisation

Cette stylisation reste la caractéristique majeure du traitement de l'espace dans le théâtre élisabéthain. Elle seule permet d'évoquer dans un espace scénique réduit (plus riche il est vrai que celui dont disposent nos classiques) l'immensité du monde où s'égarent les personnages. Le plateau, neutre, presque nu, sans coulisses ni toile de fond, porte seulement des accessoires très simples, qui permettent d'entraîner le spectateur « à travers une gamme illimitée d'illusions couvrant, s'il le [veut], le monde physique dans sa totalité » [85].

Charmants, ces roseaux verts jetés au hasard pour figurer le plein air ; quelques buissons, quelques rochers évoqueront un bois ;

---

82. Il faut corriger sur ce point l'article cité d'Estelle Trépanier (p. 886), qui affirme que Claudel a « traversé les Pyrénées pour la première fois en 1925 ».
83. J.-C. Berton, *op. cit.*, p. 89 ; les chap. 1 et 2 de cet ouvrage développent longuement ce point ; j'y renvoie le lecteur.
84. Claude Debussy, *Préludes*, deuxième livre, n° 3, Paris, Durand, 1913, pp. 11-15.
85. Peter Brook, « Le Point de vue du metteur en scène » dans *Shakespeare*, Paris, Hachette, coll. « Génie et Réalités », 1962, p. 241.

un banc moussu, un jardin ; deux sièges, un appartement ; une barre et des bancs, un tribunal ; un autel, une église ; un trône, le majestueux palais d'un roi. Parfois un simple écriteau indiquera à ceux qui savent lire l'endroit où se situe l'action. Comme on n'emploie pas de rideau pour séparer le décor de la salle, il est impossible de monter à l'avance un tableau vivant. Le spectateur assiste donc aux entrées et aux sorties des personnages. Il doit accepter la fiction et adhérer, malgré cela, au spectacle qui lui est présenté. En dernier recours, on fera même appel à un présentateur qui, en quelques paroles, l'invitera à se transporter par l'imagination d'un lieu dans un autre. Dans *Périclès*, ce rôle incombe à Gower : il nous fait passer d'Ephèse à Tyr et de Tyr à Tharse [86] ou nous demande de tenir la scène pour le pont d'un vaisseau naufragé [87].

On se tromperait beaucoup si l'on croyait que ces moyens rudimentaires satisfaisaient parfaitement les Elisabéthains. Le chœur, dans *La Jolie fille de l'Occident*, demande aux spectateurs de bien vouloir l'excuser s'il se contente de résumer rapidement les aventures de Bess Bridges ; mais la « scène est si malpropre à figurer la mer» qu'il se voit « obligé de raconter [...] ce que le drame aurait dû représenter » [88]. Ambitieux, comme tous les créateurs, ces dramaturges changeraient volontiers pour autre chose le « Théâtre » ou le « Globe » — sans parler des simples planches supportées par de maigres tréteaux dans une cour d'auberge...

Au XVIIᵉ siècle, on s'emploiera à supprimer la partie neutre de la plate-forme, à mettre le rideau devant la scène entière et à édifier, sans que le spectateur s'en aperçoive, des décors plus nombreux, plus vastes et plus compliqués. La « course aux effets » marque déjà l'histoire du théâtre de Shakespeare, surtout sous le règne de Jacques Iᵉʳ. La meilleure façon de créer l'illusion n'est-elle pas d'emprunter brutalement ses éléments à la réalité ? Bottom voulait faire briller le clair de lune par la fenêtre ouverte [89]. Macbeth fait son entrée à cheval. Pour la représentation de *La Tempête*, on emploie des artifices pyrotechniques qui doivent imiter la perturbation des éléments déchaînés. Enfin pour *Henry VIII*, on introduit sur le plateau de vrais canons, pensant ainsi saluer l'entrée du roi avec la pompe nécessaire... et, par un beau jour de juin 1613, l'édifice entier du théâtre du Globe devient la proie des flammes. Alors la lassitude s'empare des Elisabéthains qui sont tentés de renoncer. Thomas Heywood, qui a voulu représenter la victoire de l'Armada dans une version primitive de *Si vous ne me connaissez pas*, se contente finalement d'employer le procédé classique des messagers et des récits [90].

---

86. *Pericles*, IV, Prologue, v. 1-8, p. 1062.
87. *Ibid.*, III, Prologue, v. 58-60, p. 1059.
88. *The Fair Maid of the West*, première partie, IV, 4 ; trad. P. Messiaen, *op. cit.*, p. 697.
89. *A Midsummer-Night's Dream*, III, 1, 1, 53-62, p. 178.
90. Voir M. GRIVELET, *Thomas Heywood et le Drame domestique élisabéthain*, p. 377.

On voit mal tout d'abord l'intention de Shakespeare quand il fait monter par de braves Athéniens la pauvre tragédie du « Pyrame et Thisbé » ? Est-il poussé par le grand orgueil d'un magicien du théâtre qui se moque des balbutiements de l'art primitif ? Jette-t-il au contraire un regard désabusé sur les moyens dérisoires qui sont les siens et sur son seul domaine, l'illusion grossière ? Les voici, ces pauvres artisans : ils voudraient devenir artistes, acteurs et metteurs en scène à la fois, machinistes et même machines quand il le faut. Ils dévoilent naïvement, devant Thésée et devant nous, les expédients auxquels ils ont recours : un homme, avec son plâtre et sa chaux, représentera le mur qui sépare les amants ; un autre, avec sa lanterne, son chien et son fagot d'épines, tiendra lieu de clair de lune [91]. Faut-il être dupe ? Rester en dehors du jeu et fuir de si stupides divertissements ? Thésée et Hippolyte vont trouver dans le spectacle destiné à fêter leurs noces leur premier sujet de querelle :

> HIPPOLYTE. — Voilà le plus stupide galimatias que j'aie jamais entendu.
> THÉSÉE. — La meilleure œuvre de ce genre est faite d'illusions ; et la pire n'est pas pire quand l'imagination y supplée.
> HIPPOLYTE. — Alors ce n'est plus l'imagination de l'auteur, c'est la vôtre [92].

L'objection de la reine des Amazones précise bien le dessein secret du dramaturge qui n'aura pas besoin, cette fois, d'épiloguer pour faire son apologie [93]. Loin de se sentir gêné par les conventions du théâtre ou d'en avoir honte, le meneur de jeu en tire satisfaction, comme Prospéro de ses sortilèges. Gower ne s'adresse plus au public avec l'humilité du chœur qui, dans *Henry V*, sollicitait la charité et la bonne volonté de chacun [94]. Il magnifie le triomphe du théâtre et de ses artifices :

> Ainsi [...]
> Nous traversons les mers dans des coques de noix,
> Et pour avoir nous n'avons qu'à souhaiter,
> Voyageant, pour occuper votre imagination,
> De parage en parage, de région en région [95].

Il s'est emparé de l'esprit du spectateur au point de pouvoir parler en son nom.

Ce mélange de modestie et d'orgueil, cet appel au public, qui dissimule mal l'assurance de le tenir dans ses rets, on les découvre

---

91. *A Midsummer-Night's Dream*, V, 1, 133-138, p. 188.
92. *Ibid.*, V, 214-219, p. 189, trad. cit., I, 1198 :
    HIPPOLYTA. — This is the silliest stuff that ever I heard.
    THESEUS. — The best in this kind are but shadows, and the worst are no worse if imagination amend them.
    HIPPOLYTA. — It must be your imagination then, and not theirs.
93. *Ibid.*, *loc. cit.*, v. 363-364, p. 190.
94 *Henry V*, Prologue, v. 28-32, p. 470.
95. *Pericles*, IV, 4, 1-4 p. 1065 ; trad. cit., II, 1288.
    Thus [we]
    Sail seas in cockles, have an wish but for't ;
    Making — to take your imagination —
    From bourn to bourn, region to region.

aussi dans *Le Soulier de satin*. Le poète renonce ici à l'ordre « qui parle à la raison », pour accepter, avec une feinte humilité, le désordre qui « parle à l'imagination » (*J* V, 22, et cf. *Th* II, 663) et fait du spectateur un créateur comme lui.

Repoussant les prétendues commodités de la scène classique, il recrée les conditions misérables des tréteaux élisabéthains. « Les machinistes feront les quelques aménagements nécessaires sous les yeux mêmes du public pendant que l'action suit son cours », comme s'il n'y avait pas de rideau. La toile de fond n'est nullement nécessaire ; si on ne veut pas s'en passer, qu'elle reste « le plus négligemment barbouillée » et que, « mal tirée », elle « laiss(e) apparaître un mur blanc devant lequel passe et repasse le personnel ». Le « proscenium » sur lequel s'avance l'Annoncier correspond à l'avant-scène des Anglais (*Th* II, 663).

Le lieu changeant sans cesse d'une scène à l'autre, il ne saurait être question de créer des décors réalistes. Il suffira le plus souvent d'un élément symbolique : « un coup prolongé de sifflet comme pour la manœuvre d'un bateau » (665) fera surgir dans l'imagination du spectateur l'image d'« un navire démâté qui flotte au gré des courants » (666) ; « une carte bleue et quadrillée de lignes indiquant les longitudes et les latitudes » (791), étalée dans le fond de la scène, indiquera clairement le point de l'Océan où se trouve le bateau qui emporte vers l'Amérique Don Fernand et Don Léopold Auguste. Si l'indication scénique est trop complexe, on pourra l'afficher, ou la faire lire soit par le régisseur soit même par les acteurs eux-mêmes « qui tireront de leur poche ou se passeront de l'un à l'autre les papiers nécessaires » (663) : ainsi, comme il est impossible (et inutile) de planter sur les planches une forêt vierge en Sicile avec l'entrelacs des lianes, un ruisseau qui s'écoule, la mer au loin et un beau clair de lune, tout cela sera « avantageusement remplacé par Doña Musique qui en donnera connaissance au public » (760).

Ce procédé — le plus fréquemment utilisé, si l'on en juge par la longueur des indications scéniques — ne revient-il pas au récit classique, à la substitution de la parole au spectacle ? Ni Claudel, ni les Elisabéthains n'échappent toujours à ce danger : l'auteur du *Soulier de satin* résout ainsi un peu facilement le problème de l'évocation marine auquel s'étaient heurtés Heywood — au point de renoncer — et Shakespeare — qui faisait appel alors à son annoncier —. L'ouvrage, admirable rêverie sur le théâtre, reste du domaine du livre. Pourtant les détails de génie y abondent, telle cette tête de mort où le roi d'Espagne voit la défaite de l'Armada que nous lisons en même temps que lui (884-885) : la solution est plus satisfaisante, assurément, que les récits de Heywood.

Le Songe d'une nuit d'été a encore ici fourni à Claudel des éléments où la stylisation expressive est inséparable de la dérision. Diego Rodriguez qui porte dans la main une simple bouteille contenant un bateau à voiles doit nous faire penser au vieux bateau délabré et rapiécé qui le ramène au port (908), comme « l'homme [...]

dans la lune » qui s'avançait muni d'une lanterne[96]. La raison se révolte. Thésée crie à « la plus grande de toutes les bévues : l'homme aurait dû se mettre dans la lanterne »[97]. Et l'on s'étonne de voir Diego Rodriguez porter son vaisseau au lieu d'être porté par lui... Claudel veut-il à son tour évoquer le clair de lune, l'Irrépressible, venant bousculer les machinistes désormais dépassés par le cours des événements, se met tout simplement à fredonner le commencement de la sonate dite « au clair de lune » (371). Et, pour passer du port de Cadix où s'affairaient les cavaliers en partance pour les Indes Occidentales à la « Sierra Quelque chose », où Doña Honoria veille son fils agonisant, il lui suffit de faire le geste de pédaler à toute vitesse sur une bicyclette invisible (730).

Rudimentaires, les pauvres moyens artisanaux du théâtre ? Merveilleux, au contraire, puisqu'ils invitent sans cesse à un jeu dans lequel tous, auteur, metteur en scène, acteurs et spectateurs, sont complices. Puisque tout n'est qu'illusion, il faut dénoncer les illusions et faire qu'elles gardent, malgré cela, toute leur puissance. Claudel a été attiré par le côté paradoxal du théâtre élisabéthain qui, afin d'échapper à la convention, l'exagérait. Lui aussi, il brutalise son public, pour lui arracher son consentement au spectacle. La stylisation, toujours consciente et volontaire, est d'autant plus puissante qu'elle est plus voyante. Tant pis si les spectateurs n'ont pas assez d'imagination ! Après tout, leur protestation même renforcera, comme au cinquième acte du *Songe d'une nuit d'été*, le plaisir théâtral.

---

96. *A Midsummer-Night's Dream*, V, 1, 250-251, p. 189.
97. *Ibid., loc. cit.*, 252-254, trad. cit., I, 1199.

VI. L'UNIVERSALITÉ

« J'ai considéré l'Espagne au XVIᵉ et au XVIIᵉ siècle, explique Claudel, comme le champion, comme le héros d'une situation épique, un héros qui a à la fois d'une main à conquérir le monde, de l'autre à repousser les attaques que la foi qui l'inspire a à subir soit du côté des Musulmans, soit du côté des hérétiques » (*MI*, 348). Tous les personnages, même Rodrigue, même Prouhèze, font figure de comparses à côté de ce personnage central. Le poète a trouvé un modèle du drame « historique » ainsi conçu dans le théâtre de Shakespeare. En janvier 1923, il notait dans son *Journal* :

> Dans les drames historiques de Shakespeare, même dans *Antoine et Cléopâtre*, il n'y a pas de vedettes. Tous les personnages ont la même importance. C'est une grande fresque historique ; il fait ruisseler l'histoire sur les escaliers du drame. (*J* IV, 91)

Le « thème impérial »

On isole trop souvent, dans une pièce de Shakespeare, le destin d'un homme (la déchéance de Richard II, l'expiation de Brutus) ou d'un couple (les amours violentes d'Antoine et Cléopâtre). Le mythe Tudor et la conscience nationale ont en réalité amené l'auteur à mettre en scène la tragédie du royaume d'Angleterre ou de Rome, son reflet dans l'histoire antique. Les maisons rivales, York et Lancastre, ou les partis rivaux, Pompéiens et Césariens, entraînent la nation dans un chaos d'où doit surgir le restaurateur de l'ordre, Richmond ou Auguste. Car l'Histoire est faite de crises qui se dénouent puis recommencent, donnant l'impression d'une perpétuelle répétition. « Que de fois, dans les âges, ce drame sublime que nous créons sera joué en des langues inconnues, devant des peuples qui ne sont pas encore ! » s'écrie Cassius, trempant ses mains dans le sang de César sacrifié [1] : mais ce « drame sublime » passe par un crime qui se reproduira tout au long de l'Histoire et dont Duncan ou Richard II seront à leur tour les pitoyables victimes. Antoine prédit les malheurs de l'Italie [2] comme Jean de Gand prophétise ceux de l'Angleterre, cette terre de Majesté [3].

---

1. Trad. cit., II, 582 ; *Julius Caesar*, III, 1, 111-113, p. 832 :
CASSIUS. — [...] How many ages hence
    Shall this our lofty scene be acted o'er
    In states unborn and accents yet unknown !
L'apparente ambiguïté de *Julius Caesar* (voir André ABBOU, « L'Acte générateur du désordre » dans *Cohérence et Vraisemblance dans « Jules César » de Shakespeare*, Minard, coll. « Archives des Lettres modernes », 1966, pp. 11-13) disparaît si l'on veut bien considérer, avec le Duc d'York dans *Richard II*, que l'usurpateur, une fois au pouvoir, devient le chef légitime de la nation.
2. *Julius Caesar*, III, 1, 259-275, p. 833.
3. *Richard II*, II, 1, 31-68, p. 388.

Claudel découvre aussi dans l'Histoire l'éternel retour de la triade composée de « la strophe, l'antistrophe et la catastrophe » (*Mil*, 19). Mais au lieu d'en examiner les modalités à l'intérieur d'un seul empire, il élargit la scène aux dimensions de l'univers. Même dans *Antoine et Cléopâtre*, où l'on assistait à la prodigieuse expansion de l'impérialisme romain au Moyen-Orient et en Afrique, Shakespeare ne sortait ni des limites ni des problèmes du monde romain. Dans *Le Soulier de satin*, l'Espagne ne travaille pas pour son propre compte. Sans doute se lance-t-elle dans une aventure plus vaste encore, depuis l'Amérique jusqu'au Japon, mais parce qu'elle s'avance, à ce moment précis de l'Histoire, en champion de l'Eglise catholique qui « se défend avec l'univers » (*Th* II, 749). Octave éliminait seulement les rapaces — Lépide, Sextus Pompée, Antoine, et Cléopâtre elle-même — qui tentaient de retenir dans leurs serres une partie de son Empire futur. Le Roi d'Espagne envoie ses émissaires aux quatre coins du monde, pour qu'ils règnent en son nom, c'est-à-dire au nom de Dieu. Aux appétits des ambitieux, Claudel substitue des vocations ; à la jouissance d'Antoine, l'austérité du maître de l'Escurial ou la pauvreté de Rodrigue. « Un subalterne n'a pas droit aux actions trop éclatantes »[4] : la sagesse de Ventidius qui, instruit par les mésaventures de son prédécesseur Sassius, guerroyait contre les Parthes pour le compte des triumvirs, a manqué à Antoine comme elle manque à Don Camille, qui veut s'isoler à Mogador, ou à Almagro, qui organise pour lui seul un coin perdu de l'Orénoque (800-804) et que Rodrigue se voit contraint de ruiner.

Il appartenait précisément à Rodrigue d'aller au-delà de son propre Roi. Quand il expose, devant la Cour, que Dieu n'a pas fait conquérir à l'Espagne le monde pour elle seule mais que le moment est venu pour que « tous les peuples y communient » (932), qu'elle doit effacer cette petite capitainerie, son immense empire, pour faire place au royaume du « monde entier » (933), il liquide ce qui restait dans *Antoine et Cléopâtre* le « thème impérial »[5] pour introduire à sa place le « thème universel ».

Un amour aux dimensions de l'univers

Aucun mystère ne recouvre le goût soudain de Claudel, en ses années de maturité, pour ce spectacle magnifique et poignant : les illustres amants d'Alexandrie roulés et emportés par les flots de l'Histoire dans un univers brusquement élargi. La séparation, voulue ou contrainte, n'a pu faire oublier ni à Antoine les charmes capiteux de sa « gipsy » ni à Rodrigue la voix de Prouhèze, « ce rythme

---

4. Trad. cit., II, 1046 ; *Antony and Cleopatra*, III, 11-15, p. 991.

5. C'est le titre d'un ouvrage de G. Wilson KNIGHT, *The Imperial Theme*, « Further interpretations of Shakespeare's tragedies, including the Roman plays », London, Methuen, 1958. Il contient des pages remarquables sur *Antony and Cleopatra*, la plus subtile et la plus grande des pièces de Shakespeare, selon l'auteur, avec *The Tempest*.

blessé et cette note qui s'altère » (830). Octavie ou Doña Isabel passent devant leurs yeux comme des fantômes, et, sous un faux prétexte, ils s'embarquent l'un pour Alexandrie, l'autre pour Mogador [6]. Antoine jetait à la face de l'univers la passion violente qui le liait à Cléopâtre :

> Voici pour ennoblir la vie (*il l'embrasse*), quand c'est le jeu d'un couple aussi bien assorti que nous sommes ; j'assigne le monde entier à reconnaître, et sous peine de châtiment, qu'il n'existe pas de pareil [7].

De même, Rodrigue prend à témoin tous les hommes assemblés autour de lui sur le vaisseau-amiral du « long désir »» qui existe entre Prouhèze et lui et « qui est un proverbe depuis dix ans entre les deux Mondes » (853). Le souvenir de Cléopâtre et des amours qu'elle alluma dans les cœurs de César et d'Antoine [8], ces illustres capitaines du temps jadis, vient naturellement s'associer à cet autre couple mythique que les deux amants claudéliens formeront désormais :

> Regardez-la, comme ceux-là qui de leurs yeux maintenant fermés ont pu regarder Cléopâtre, ou Hélène, ou Didon, ou Marie d'Ecosse,
> Et toutes celles qui ont été envoyées sur la terre pour la ruine des Empires et des Capitaines et pour la perte de beaucoup de villes et de bateaux.
> [...]
> Et tout de même d'où serait venu pour *César* et pour *Marc-Antoine* et pour ces grands hommes dont je vous ai donné tout à l'heure à penser
> Les noms et dont je sens l'épaule à la hauteur de la mienne,
> Le pouvoir tout à coup de ces yeux et de ce sourire et de cette bouche comme si jamais auparavant ils n'avaient baisé le visage d'une femme,
> Si ce n'était dans leur vie toute prise au maniement des forces temporelles l'intervention inattendue de la béatitude ?
>
> (853-854)

Antoine donne son amour en spectacle à l'univers entier parce que cet amour lui tient lieu d'univers : auprès de Cléopâtre il a appris à oublier le monde politique que ses victoires avaient pourtant démesurément agrandi. Désormais Rome peut s'abîmer dans le Tibre et la voûte immense de l'empire crouler [9]. Son amour, devenu son nouveau royaume, crée autour de lui l'espace dans lequel il vivra désormais [10]. Lui-même, agrandi par le souvenir, prend, aux yeux de la reine d'Egypte, les dimensions de l'univers.

---

6. *Antony and Cleopatra*, III, 6, v. 65-66, p. 994 ; *Le Soulier de satin*, Troisième Journée, sc. 11, *Th* II, 843.

7. *Antony and Cleopatra*, I, 1, 36-39, p. 977 :
   [...] the nobleness of life
   Is to do thus ; when such a mutual pair (*embracing*)
   And such a twain can do't, in which I bind.
   On pain of punishment, the world to weet
   We stand up peerless.

8. Les deux illustres amants de Cléopâtre sont fréquemment réunis par association d'idées dans *Antony and Cleopatra*, cf., I, 5, 66 et 59, p. 982, III, 6, 63-65, p. 989, etc.

9. *Antony and Cleopatra*, I, 1, 33-34, p. 977.

10. *Ibid.*, *loc. cit.*, v. 34.

Son pas enjambait l'océan ; son bras étendu faisait ombre sur le monde ; sa voix, quand il parlait à un ami, rappelait la musique des sphères, mais, menaçante, ébranlait l'air comme un tonnerre. Sa munificence n'avait pas d'hiver ; c'était un continuel automne qui s'enrichissait de ses dons. Ses yeux délicieux semblaient ceux des dauphins soulevant leur dos sur les ondes ; à sa suite s'empressaient les diadèmes et les couronnes ; il laissait tomber des plis de sa toge, comme des pièces d'or, les îles et les continents [11].

La passion, « par sa violence et ses excès, s'égale à ce monde immense où, en même temps que le destin des couples, se joue celui de Rome et de plusieurs empires aux ressources prodigieuses » [12]. Mais elle ne s'égale à lui que pour le nier.

Au contraire, l'interdit qui pèse sur son amour permet à Rodrigue de « donner forme à un continent » (*Th* II, 1476), de « créer un monde » (1480) et, comme il l'explique lui-même à Doña Sept-Epées, d'« élargir la terre » (920). L'intercession du Jésuite, l'intervention du Roi, la volonté de Dieu s'accordent à l'exclure de l'espace nouveau que créerait l'amour, pour l'empêcher d'y être étouffé (753), comme Antoine soumis aux sortilèges de l'Egyptienne. On peut avoir l'impression d'une rechute, d'une désertion quand, répondant à l'appel de Prouhèze, il abandonne « à cause d'une femme » (846) cette Amérique qui est pour lui « plus que sa femme » (810). Mais, après l'ouverture du canal de Panama, il a accompli sa tâche en ce point du globe ; la mer l'appelle de l'autre côté vers « les Quatre-Vingts Iles » (828) et « ces peuples obscurs et attendants, ces compartiments en deçà de l'aurore où piétinent des multitudes enfermées » (825). Mogador ne sera qu'une étape sur la route des mers, le point de départ d'une nouvelle exploration de l'univers.

La femme est déconcertante jusqu'en sa mort, qui, vraie ou fausse, laisse le héros désemparé et comme honteux de lui-même. « Depuis que Cléopâtre est morte, j'ai vécu dans un opprobre à dégoûter les dieux » [13], remarque Antoine avec amertume. Rodrigue, sachant qu'il est désormais inutile de chercher Prouhèze sur terre, se voit sous les traits d'un pauvre « vieux fou » à l'âme vide qui « s'amuse à dessiner des images avec le moignon qui lui reste de son esprit » (914-915). Mais cette dernière dérobade ne leur donne-t-elle pas en réalité la clef qui ouvre la porte de l'autre monde ?

---

11. *Ibid.*, V, 2, 82-91, p. 1008 ; trad. cit., II, 1086 :
Cleopatra. — His legs bestrid the ocean ; his rear'd arm
  Crested the world ; his voice was propertied
  As all the tuned spheres, and that to friends ;
  But when he meant to quail and shake the orb,
  He was as rattling thunder. For his bounty,
  There was no winter in't, an autumn 'twas
  That grew the more by reaping ; his delights
  Were dolphin-like, they show'd his back above
  The element they liv'd in ; in his livery
  Walked crowns and crownets, realms and islands were
  As plates dropp'd from his pocket.
12. Introduction à l'éd. cit. de la Pléiade, t. II, p. clii.
13. *Antony and Cleopatra*, IV, 12, 55-57, p. 1005 ; trad. cit., II, 1077 :
  [...] Since Cleopatra died,
  I have liv'd in such dishonour, that the gods
  Detest my baseness [...].

Antoine se précipite dans la mort avec la même impatience étourdie que Roméo. Il imagine les Champs-Elysées comme un autre univers où il donnera aux ombres jalouses le spectacle de son amour retrouvé. Il tend ses bras insatiables vers la tombe comme vers un nouveau lit d'amour [14]. Aperçoit-il Cléopâtre vivante, il demande à la faucheuse un instant de répit pour pouvoir disparaître dans un ultime baiser [15]. Après avoir perdu son amant, la reine se retrouve à son tour dans un « monde décoloré » qui « n'est plus qu'un cloaque » [16]. Seul « l'univers des dieux », qu'elle méprisait jusqu'ici, prend à ses yeux quelque valeur, puisqu'il lui a volé ce « joyau » [17]. Elle s'avance volontairement vers la mort, comme jadis, en pompeux appareil, elle s'embarquait sur le Cydnus à la rencontre d'Antoine [18]. Le triomphe de l'amour s'organise, pour elle aussi, en un spectacle majestueux, et elle cède à la mort comme à l'étreinte d'un amant [19].

C'est beaucoup prêter à Shakespeare, que de voir dans la mort d'Antoine et de Cléopâtre la « spiritualité retrouvée » [20]. La certitude de l'immortalité n'est qu'un degré supplémentaire dans la montée de la passion qui, après avoir substitué son espace à ce monde va le substituer à l'autre monde. Cette tentation, Claudel la connaît bien ; après la rupture de 1905, les amants se sont sentis « Ensevelis (spirituellement) dans les bras l'un de l'autre avant de se retrouver dans l'éternité » (J IV, 65). Mais la méditation théologique à laquelle il s'est livré a corrodé en lui cette espérance. Prouhèze et Rodrigue doivent y renoncer à leur tour (grâce à la « dénonciation » de Camille) comme ils ont cessé de croire à la possibilité de leur union en ce monde.

Rodrigue, créateur d'un univers terrestre parce qu'il s'est senti exclu du bonheur, ne peut accéder dans l'au-delà que par une prolongation de cette exclusion. Le texte souligne fortement cette correspondance : Rodrigue a ouvert un « passage » en Amérique Centrale entre l'océan Atlantique et l'océan Pacifique (823), mais cette « porte [...] à l'horizon de l'Ouest » (812) est le symbole de la Porte qui sépare ce monde de l'autre et qu'il devra franchir après l'autre, s'il veut se montrer « plus audacieux que Colomb pour arriver jusqu'à (Prouhèze) » (915). L'admirable dialogue à voix basse de Prouhèze et de Rodrigue à travers l'étendue de l'Océan (812-813) est tout entier fondé sur cette ambiguïté. Cléopâtre éprouvait la même impression de déliement : tout étonnée de la facilité avec laquelle le nœud se défaisait, elle désirait n'être « plus que du feu, que de l'air » [21]. Mais elle se consumait au feu de sa passion alors

14. *Ibid.*, *loc. cit.*, v. 99-101.
15. *Ibid.*, IV, 13, 18-21, p. 1006.
16. ID., *ibid.*, *loc. cit.*, v. 60-62.
17. *Ibid.*, *loc. cit.*, v. 75-78.
18. *Ibid.*, V, 2, 226-228, p. 1010 ; Enobarbus racontait cette rencontre solennelle avec un luxe de détails devant Agrippa ébloui à l'acte II, sc. 2, v. 193 sqq., p. 985.
19. *Ibid.*, V, 2, 297, p. 1011 : « The stroke of death is as a lover's pinch ».
20. H. FLUCHÈRE, *Shakespeare dramaturge élisabéthain*, p. 368.
21. *Antony and Cleopatra*, V, 2, 291-292, 296, p. 1011.

que Prouhèze brillera éternellement, « étoile flamboyante dans le souffle du Saint-Esprit » (820). Si Rodrigue, sur « ce petit globe », achève seul « son étroite orbite », cette exploration de l'univers est « à l'imitation de ces distances énormes dans le Ciel qu'immobile » Prouhèze doit désormais « dévorer » (822) ; le « chemin » qu'il suit s'enroule autour du bras de Prouhèze, afin « qu'il n'y fasse pas un pas auquel (elle) ne soi(t) attachée », mais aussi afin de l'empêcher de la chercher au bout et de se détourner pour la rejoindre (824). Illusion que la séparation des deux mondes :

> Pourquoi parlez-vous de seuil comme s'il y avait une séparation ?
> Il n'y a pas de séparation lorsque les choses sont unies comme le sang avec les veines.
> L'âme des morts comme une respiration pénètre notre cœur et notre cervelle.   (915)

Rodrigue finira par reconnaître le bien-fondé de cette explication que lui donne Sept-Epées. L'« absence essentielle » ne creuse pas, comme il le croyait, un « besoin sans fond et sans espoir » auquel il serait « prédestiné » (914) — cet appétit que la possession n'a fait qu'irriter chez Antoine : une gardienne invisible se place à ses côtés, une libératrice aussi qui l'a détaché d'elle comme il a lui-même travaillé à « détacher » l'humanité entière « de toute autre chose que Dieu » (920).

Antoine, captif de Cléopâtre, abandonnait son royaume d'Orient auquel il avait préféré l'univers de son amour jusque dans la mort qui devait le recréer ; Rodrigue a voulu rompre toutes les prisons (696, 919-920), celles des nations et celles qui parquaient son âme, mais l'âme de Prouhèze était-elle assez grande pour le contenir (816) ? Ne risquait-il pas de s'y ensevelir en renonçant à sa tâche de libérateur ? L'interdiction lui permet de continuer à « délivrer les captifs » (919), et, en redonnant à Prouhèze cette liberté qu'elle est venue lui redemander (855), de délivrer leurs deux âmes captives.

Le combat naval d'Alexandrie et celui de Lépante mettent en jeu le sort de l'univers à un moment de l'histoire : mais celui des âmes y est intimement mêlé. Le tambour égyptien bat la chamade pour la désintégration d'un royaume et l'engloutissement des amants d'Alexandrie dans leur rêve qu'ils ont trouvé plus beau que la réalité [22]. Le canon de Lépante annonce, avec la libération des Chrétiens, qui ont secoué le joug des Turcs, celle de l'âme de Prouhèze et celle de Rodrigue qui sur cette terre a enfin trouvé la paix de la joyeuse acceptation.

22. *Antony and Cleopatra*, V, 2, 93-100, p. 1009.

L'universalité de Shakespeare

Cette divergence invite à chercher ailleurs l'universalité de Shakespeare et ce qu'il faut bien appeler, avec Claudel, son « catholicisme ».

Nous tombons ici dans un lieu commun de la critique shakespearienne. Paul de Saint-Victor, entre autres, le développait complaisamment[23]. Pourquoi Claudel n'aurait-il pas prêté au plus grand des Elisabéthains la « catholicité » de Rodrigue ? Shakespeare : un conquistador de la Renaissance, lui aussi, un rassembleur de la terre de Dieu. En 1921, l'« Introduction à un poëme sur Dante » oblige Racine à « céder le pas » devant Shakespeare « auquel il est si souvent supérieur [...], par le défaut de cette catholicité, en même temps que d'une certaine énergie essentielle » : l'auteur de *Hamlet* mérite, comme Dante, le titre de poète « impérial » ou « catholique » ; il a reçu « de Dieu des choses si vastes à exprimer que le monde entier [lui] est nécessaire pour suffire à [son] œuvre. [Sa] création est une image et une vue de la création tout entière dont [ses] frères inférieurs ne donnent que des aspects particuliers » (*PP* I, 161-164). On s'étonne moins alors de voir Claudel reprendre à son compte, non sans un sourire, l'hypothèse selon laquelle Francis Bacon se cacherait sous le nom de Shakespeare.

A la fin des *Conversations dans le Loir-et-Cher*, Saint-Maurice exprime le projet même de Rodrigue (*Th* II, 920) et l'espoir d'une terre réunie dans l'amour de Dieu :

> GRÉGOIRE. — N'est-ce pas ce que prévoyait Bacon quand il disait que le moment était venu de constituer un lit nuptial pour le mariage de l'Homme et de l'Univers ?
> SAINT-MAURICE. — Croyez-vous vraiment que ce soit Bacon qui ait écrit les drames de Shakespeare ?
> GRÉGOIRE. — Je ne l'aurais pas cru autrefois, mais c'est une absurdité de temps en temps aujourd'hui contre laquelle j'ai bien de la peine à me défendre. (*Conv*, 269)

Les partisans de cette hypothèse se fondent moins d'ordinaire sur le désir qu'eut Bacon d'une « magna instauratio » accordant l'intelligence de l'homme et le monde que sur des signes ésotériques laissés par le célèbre savant dans le texte du *Folio* et patiemment décryptés. Claudel a comparé sa minutieuse investigation des Ecritures à celle de l'« habile spécialiste » qui venait, à l'en croire, de retrouver « le nom de Bacon inscrit de tous côtés sur le frontispice des in-folio shakespeariens » (*Mil*, 227). Le chapitre XIII d'*Au milieu des vitraux de l'Apocalypse*, où se trouve consignée cette remarque, a été rédigé en 1930. Le manuscrit de « Samedi » porte la date du 15 mars 1928. Les deux textes remontent aux années de Washington et conservent la marque d'une lecture récente qu'aucune note du *Journal* ne permet de préciser. A cette époque, la querelle entre

---

23. *Les Deux masques*, t. III, p. 5.

« baconiens » et « antibaconiens » rebondissait aux Etats-Unis ; il n'est donc pas étonnant que Claudel en ait eu vent. La découverte est en effet moins récente qu'il le pense. Dès 1888 on dévoilait au public le fameux « chiffre bi-littéral de Francis Bacon », retrouvé dans ses écrits par Ignatius Donnelly et Mrs Wells-Gallup [24]. L'effort de Joseph C. Hart pour « détrôner Shakespeare » [25], l'idée de Miss Delia Bacon [26], la campagne lancée en 1856 par William Henry Smith [27], semblaient trouver là un point d'aboutissement satisfaisant pour les esprits les plus rigoureux. Mais Claudel pouvait lire, dans la récente édition du *Literary Digest* parue à New York en 1927, un chapitre introductif sur « Shakespeare and Bacon » de sir Henry Irving qui, intervenant dans la controverse, et répondant à un ouvrage de Judge Allen sur *The Bacon-Shakespeare Question*, réfutait point par point les thèses de l'hérésie baconienne [28]. La théorie du « chiffre », de ce fameux « silly cipher », ne trouvait pas grâce à ses yeux : les très nombreuses erreurs du folio de 1623, précisait-il, interdisent de penser que le texte en ait été revu par son auteur, et s'expliquent par le seul fait qu'il était mort [29]. Bacon ne pouvait pas plus produire les pièces de Shakespeare que Shakespeare le *Novum Organum* [30].

Tout représenter, tout admettre, tout accepter : l'universalité peut prendre une nuance morale, et même religieuse. Depuis les ouvrages de G. Wilson-Knight, la critique shakespearienne a insisté sur une évolution vers le pardon qui, après les brutalités des premiers drames, après l'humeur noire de la « période tragique », se dessinerait dans les dernières pièces. Plus d'Aaron méditant de torturer son prochain, plus de Hamlet s'égarant dans les méandres d'une vengeance trop longtemps calculée : Cymbeline embrasse Bélarius, bien qu'il lui ait ravi ses fils ; autour de Léontès se répand l'affection de sa famille retrouvée, dont il a pourtant voulu la mort ; Prospero accueille son frère l'usurpateur et son acolyte le roi de Naples. Ni les maquereaux de *Périclès*, ni Autolycus l'aigrefin, ni les ivrognes, Stephano et Trinculo, ne subissent de châtiment. Si Prospero renonce à sauver le rétif Caliban, du moins, en lui rendant la liberté, l'abandonne-t-il aux soins de la Providence, qui s'est

---

24. Voir Jean PARIS, *Shakespeare par lui-même*, Paris, Seuil, 1954, p. 24, et ID., « Qui était Shakespeare ? » dans *Shakespeare*, Hachette, coll « Génies et Réalités », pp. 35-37.

25. Joseph C. HART, *The Romance of Yachting*, New York, Harper, 1848.

26. Cette descendante (ou simple homonyme ?) de Bacon prétendit en 1856, que « Shakespeare » était le pseudonyme de son « aïeul » dans un article du *Putnam's Monthly* : « Shakespeare and his plays, an enquiry concerning them » et le développa longuement dans *The Philosophy of the plays of Shakespeare Unfolded*, avant de finir ses jours dans un asile d'aliénés.

27. William Henry SMITH, *Was Lord Bacon the author of Shakespeare's plays : a letter to Lord Ellesmeres*, London, Skeffington, 1856.

28. *The Complete Works of William Shakespeare […] with a contribution on the Shakespeare and Bacon Controversy* by the late Sir Henry Irving, the Literary Digest, Funk and Wagnalls, New York, 1927.

29. *Ibid.*, p. XI.

30. *Ibid.*, p. X.

chargée de punir Cléon et sa femme, ou Cloten et sa mère. *La Tempête* ne s'achève pas sur un cri de confiance optimiste, mais sur la résignation à laisser aller le cours des choses en ne recourant plus qu'à l'humble prière, « la prière toute pénétrante qui livre assaut à la Merci même, et délie toute faute [31]. La réconciliation ne va pas jusqu'à la rédemption claudélienne : nul ne peut dire si Léontès ne redeviendra pas jaloux, Cymbeline tyrannique, Sébastien et Antonio conspirateurs, s'ils ne retomberont pas dans l'ancienne ornière comme le Don Juan de *Beaucoup de bruit pour rien*; mais ils pourront encore recevoir le pardon.

On a qualifié de « chrétienne » la patience d'Hermione [32] et de « pèlerinage » la quête du bonheur dans *Périclès* [33]. On a placé les dernières pièces de Shakespeare sous le signe de la Charité, de l'Amour universel. Même E.M.W. Tillyard, si soucieux pourtant de nier qu'il existe une solution de continuité entre les dernières pièces de Shakespeare et celles qui les ont précédées, y découvre le thème complet de la *Divine comédie* [34] avec, pour s'en tenir au *Conte d'hiver*, l'enfer et le purgatoire (les tourments de Léontès), le paradis terrestre (les scènes de Bohême), le paradis des Bienheureux (la résurrection d'Hermione).

Le même rapprochement a été fait à propos du *Soulier de satin* [35] où le chemin de l'enfer semble conduire au Paradis et où tout, « vieux drapeaux » et « pots cassés », traîtres honteux et vieillards calomniés, doit, par la grâce d'une sœur chiffonnière, se retrouver à « l'ombre de la Mère Thérèse » (*Th* II, 946-947). Et Claudel n'a-t-il pas aimé en Dante un poète des choses et des âmes qui, comme Shakespeare et comme lui-même, se place « non pas du point de vue du spectateur mais de celui du Créateur » (*PP* I, 170) ?

Car un poète « catholique » n'embrasse pas seulement les aspects multiples de l'univers. Il crée lui-même un univers, et ayant donné vie aux êtres dont il le peuple, il est seul en mesure de leur pardonner leurs fautes et de les expliquer. Paul de Saint-Victor attribuait à Shakespeare cette toute-puissance :

> L'archéologue filtre et pèse la poussière des âges ; Shakespeare souffle dessus, et cette poussière se remet à vivre. [...] Tous ses personnages sont égaux devant lui comme les créatures devant le Créateur ; il les pèse, il les juge, il les absout ou il les condamne, sans que sa voix tremble, sans que sa voix frémisse, sans que sa verve s'égare [36].

---

31. *The Tempest*, Epilogue, v. 16-18, p. 22 ; trad. cit., II, p. 1526.
32. H. Fluchère, éd. de la Pléiade cit., t. II, p. ccx.
33. D. Traversi, *The Age of Shakespeare*, p. 259.
34. Dans *Shakespeare's Last Plays*, op. cit.
35. Voir Gabriel Marcel, *Théâtre et Religion*, p. 71 ; J. Madaule, *Le Drame de Paul Claudel*, pp. 344-345 ; E. Beaumont, *Le Sens de l'amour dans le théâtre de Claudel*, pp. 76-77 ; P. Brunel, « *Le Soulier de satin* » *devant la critique*, pp. 110-111 ; J. Petit, *Pour une explication du « Soulier de satin »*, p. 36.
36. *Les Deux masques*, t. III, p. 6.

Claudel, depuis longtemps peut-être, a rêvé de ce pouvoir démiurgique du dramaturge et éprouvé, au seul « nom de Shakespeare » un « sentiment d'envie et presque de désespoir » : ce « sens de la nature » qu'il manifeste, « cette vitalité caractéristique des moindres figures, cette gaîté débordante, ces trouvailles et ces méprises continuelles du génie, cette liberté d'une action inépuisable » (*Th* II, 1478-1479) en le remplissant d'« enthousiasme » le mettent bien, au sens propre, en contact avec le souffle divin. L'immense jeu du *Soulier de satin* prend la valeur d'une épreuve : son exubérance, sa diversité, sa longueur même seront les signes du poète de Dieu. Jamais peut-être l'accord définissant Sa « parole » comme une « répétition du Verbe Divin » (*OP*, 230) ne s'est mieux réalisé que dans ce drame. C'est parce qu'il lui paraissait « essentiel [...] à l'esprit de la création » (*MI*, 318) que Claudel a voulu retrouver la *vis comica* du théâtre shakespearien. Et, en jetant le même regard amusé sur ses héros tragiques et sur ses grotesques, sur les amours de Rodrigue et de Prouhèze aussi bien que sur ceux du Chinois et de Jobarbara, sur le Roi d'Espagne aux prises avec l'hérésie aussi bien que sur Don Léopold-Auguste en garde contre les solécismes coloniaux, il a cru s'imprégner de l'« espèce de sympathie humoristique » que garde le « Père, qui est le bon Dieu, [...] pour ces pauvres êtres qui se donnent tant de mal, qui, dans le fond, ne font rien de très sérieux » (*MI*, 319). On songe au regard de Prospéro, à la fois rieur et attendri, quand, après avoir usé de magie, il surprend la conversation de Ferdinand et de Miranda [37].

André Beaunier accusait Claudel de vouloir se mettre à la place de Dieu [38], ignorant sans doute la tradition dramaturgique dont il se réclamait. Gabriel Marcel a reproché à l'auteur du *Soulier de satin* de « nous livrer le dernier mot des destinées individuelles et de nous éclairer sur la façon dont elles se situent et s'articulent sur le plan divin » [39], d'avoir cette « exorbitante prétention » d'« oser se placer au point de vue même de Dieu » et de « considérer les êtres, ici Rodrigue et Prouhèze, suivant une perspective divine » [40]. Il y reconnaît bien la conséquence d'un sens cosmique de nature shakespearienne [41]. Mais selon lui, la réussite de l'Elisabéthain tourne, chez Claudel, à l'échec, car il n'est pas parvenu « à reproduire au sein d'un microcosme le mouvement par lequel s'élabore la destinée des créatures à la fois dérisoires et démesurées que nous sommes ». L'œuvre reste, plus qu'une création véritable, « un témoignage » au sens « le plus fort », de la partialité du Dieu claudélien pour lequel prend parti Claudel lui-même [42] et dont il usurpe la place : « on

---

37. *The Tempest*, III, v. 92-96, p. 13. E.M. W. TILLYARD considère la pièce tout entière comme la contemplation de Prospéro : le spectacle que nous regardons se confondrait avec celui qu'il voit lui-même (*Shakespeare's Last Plays*, p. 82).
38. André BEAUNIER, « Les Chapelles littéraires », *La Revue de Paris*, 1er juillet 1921.
39. G. MARCEL, *Regards sur le théâtre de Claudel*, p. 140.
40. ID., *Théâtre et Religion*, pp. 30-31.
41. ID., *Regards sur le théâtre de Claudel*, p. 144 : « ce prodigieux sens cosmique qu'aucun poète de théâtre, sauf Shakespeare, n'a possédé à un tel degré ».
42. *Ibid.*, 55-56.

peut se demander si ces personnages ne tendent pas à devenir des sortes de marionnettes dont Dieu, c'est-à-dire ici l'auteur tient la ficelle » [43]. Claudel a peut-être, en effet, remplacé Ariel par l'Esprit gardien qui protège Alice contre les tentatives de Comus et la « romance » par le « masque ». Prospéro brise sa baguette et renonce à ses sortilèges à la fin de *La Tempête* ; son fidèle serviteur retrouve sa liberté et s'envole comme un papillon dans les airs. Claudel reprend Shakespeare au point où il a laissé son art. Il s'empare des recettes magiques dont le dramaturge élisabéthain ne pouvait plus s'empêcher de révéler le secret dans ses dernières pièces ; il les étale insolemment, emporté par un sentiment de triomphe qu'on voyait poindre dans les interventions de Gower ou du Temps. Mais le jeu, moins improvisé que l'auteur a bien voulu le dire, s'organise en système dramatique ; l'esprit des airs est chargé d'un message et le ton devient plus didactique ; le spectateur, qu'on invite à participer au spectacle, peut s'en sentir exclu. C'est l'âge des successeurs de Shakespeare, celui de Milton et celui de Claudel...

Ecrit en marge des Elisabéthains, *Le Soulier de satin* joue, en toute liberté, avec les types, les thèmes et les conventions de leur théâtre. Cette liberté même, il la leur emprunte : comme Heywood, ou comme Middleton et Rowley, Claudel mêle diverses intrigues qui éclairent les différents plans de l'action et enrichissent chaque personnage de ses reflets ; comme Shakespeare dans ses ultimes chefs-d'œuvre, il manie à sa guise le temps et l'espace, jette aux yeux des spectateurs la poudre de l'illusion tout en leur criant de se méfier, triomphe orgueilleusement en feignant de solliciter humblement leur approbation.

Poussant à leurs conséquences extrêmes les éclairs de lucidité des Elisabéthains dans un théâtre qui n'hésitait pas à prendre du recul par rapport à lui-même, démontant la machine de leurs réussites les plus miraculeuses quand ils ne l'ont pas fait eux-mêmes, Claudel a grossi la stylisation et organisé en un système les quelques cassures ironiques qui mettaient en garde le spectateur contre la fascination du romanesque. Comme le Dieu de la Genèse, dont il répète inlassablement le geste, il se sent parfaitement maître de sa création et empli par une joie créatrice dont il a retrouvé le souffle dans l'œuvre de Shakespeare. En associant les dramaturges d'autrefois à son nouveau drame, il les accorde à ce grand vent de l'Esprit qu'ils voulurent ignorer et qui les emporta, malgré qu'ils en eussent. Le rapprochement comporte son danger. Claudel en vient à rattacher Shakespeare à une religion. Près de penser, comme Chambers, qu'une conversion s'est opérée entre le moment des « tragédies » et celui des « romances » [44], il retient, au moment même

43. ID., *Théâtre et Religion*, p. 31.
44. E.K. CHAMBERS, *Shakespeare : a survey*, London, Sidgwick & Jackson, 1925, p. 293.

où il vient d'achever son grand drame, le témoignage d'« une très ancienne relation relative à Shakespeare qui porte cette inscription de la main du Rev. Davies : *he died papist* [45] (*J* V, 88). Shakespeare a-t-il été catholique ? Il serait alors tenté de le croire, parce qu'il est sensible à la spiritualité et à la charité des dernières pièces, au caractère béatricien de Thaïsa et d'Hermione ou au pardon de Prospéro, mais surtout parce que, devant cet épanouissement de l'invention théâtrale, il a pu assister au triomphe du génie créateur et s'est senti pénétré d'un sentiment d'enthousiasme joyeux, véritablement divin, qui baigne *Le Soulier de satin* tout entier.

45. Cette note, écrite de la main du Rev. Richard Davies, figure sur les manuscrits Fulman (vol. XV, n° 7, p. 22) déposés à la Bibliothèque de Corpus Christi College, à Oxford. Les critiques lui accordent d'ordinaire peu de crédit.

L'INTERROGATION

De l'achèvement du *Soulier de satin* à la mort de Claudel s'écoulent près de trente années. On ne peut les considérer comme un bloc sans s'exposer au grief de systématisation abusive. Mais il est certain que des éléments nouveaux font leur apparition et obligent à reconsidérer entièrement le problème de l'accompagnement shakespearien.

Claudel prend la décision de renoncer à la littérature profane pour « vi[vre] à genoux dans l'éblouissement sans cesse accru des livres saints » [1]. Ne se souciant plus d'écrire d'œuvre dramatique nouvelle de quelque envergure, il n'a plus besoin de maître. Il considère avec plus de recul le théâtre élisabéthain. Surtout, il est tenté de lui appliquer son regard et ses méthodes d'exégète. Il l'interroge, comme il interroge la Bible.

Pourtant, au même moment, une autre passion grandit en lui, celle de la représentation dramatique. Il remanie ses œuvres anciennes, il assiste aux répétitions, guide les comédiens ; vivant plus souvent à Paris, à partir de sa mise à la retraite, il fréquente davantage les salles de spectacle. Le texte s'anime. Des représentations, oubliables ou mémorables, il tire des leçons pratiques pour la mise en scène et l'interprétation de ses propres pièces. Joués parfois par les mêmes acteurs, le drame shakespearien et le drame claudélien, déjà unis par le souvenir, renaissent ensemble.

Eloignement et rapprochement : le dernier chapitre d'un « Claudel et Shakespeare » commence par une nouvelle contradiction.

1. Lettre à G. Cattaui du 21 avril 1932 (FD).

I. A LA LUMIÈRE DE L'ÉCRITURE

L'exégèse claudélienne tire ses forces vives de la liberté et de la foi. Toujours partiale, parfois irritante, elle porte la marque d'une personnalité puissante où, curieusement, la fantaisie s'allie à la rigueur et la poésie au dogmatisme. Les dernières interprétations shakespeariennes que le poète nous a laissées en apportent encore la preuve.

Cet indépendant va, sans le savoir, et malgré lui, dans le sens des grands courants de la critique contemporaine. Dès 1928, G. Wilson-Knight a posé les principes d'une analyse qui, par l'intermédiaire des symboles, veut atteindre l'expérience spirituelle du dramaturge élisabéthain [1]. L'image d'un Shakespeare chrétien se dessine peu à peu. Plutôt que vers le livre de René Berthelot où Prospéro, au terme de l'itinéraire arcadien, prend les traits du sage goethéen [2], Claudel se tourne vers celui de Louis Gillet, qui découvre dans *Le Conte d'hiver* le sentiment du « Paradis perdu » [3]. Au moment où Gaston Baty assimile le roi Duncan au Christ crucifié et mêle aux sorcières de *Macbeth* des effigies de saints [4], pourquoi n'interpréterait-il pas, à son tour, les grands drames shakespeariens comme des paraboles où les portes du ciel se ferment tandis que s'ouvrent celles de l'Enfer ?

Racine et Shakespeare

Après l'extraordinaire moment du *Soulier*, où Shakespeare et les Elisabéthains bénéficiaient de l'enthousiasme général, le suscitaient même peut-être, on assiste à une retombée sensible. Claudel jette maintenant un regard plus critique sur son maître d'autrefois qu'il renie, comme il renie ses propres débuts, l'œuvre de ses vingt ans [5].

En 1927, il souligne, pour les comparer à l'engloutissement de Wagner dans le crépuscule de ses dieux, les « effondrements » de Shakespeare, ces œuvres écrites quand « l'enthousiasme a disparu », quand « la Grâce n'y est plus » : laissé seul, ne disposant plus que

---

1. Dans l'article intitulé : « The Principles of Shakespeare Interpretation » et publié dans *The Shakespeare Review*.
2. René BERTHELOT, *La Sagesse de Shakespeare et de Goethe*, Paris, Gallimard, 1930. L'auteur était le frère de Philippe Berthelot et c'est sur son conseil qu'il envoya son livre à Claudel. Celui-ci lui en accusa réception en ces termes : « comme vous, j'admire infiniment Shakespeare, mais je n'ai pas du tout le même sentiment à l'égard de Goethe [...] » (cité dans *Bull* XXVIII, 40). L'étude sur Shakespeare, la plus brève, porte sur la continuité de la tradition arcadienne transmise aux Anglais par la Renaissance florentine.
3. Louis GILLET, *Shakespeare*, Paris, Grasset, 1931, pp. 315-316. Claudel rappelle le moment où son prédécesseur à l'Académie Française lui envoya ce livre dans *Disc*, 128.
4. Voir J. JACQUOT, *Shakespeare en France*, Paris, Le Temps, 1964, pp. 76, 78, 86. La première du *Macbeth* de Baty eut lieu le 17 décembre 1942.
5. Lettre à J.-L. Barrault du 6 déc. 1944 : « On n'a peur de rien quand on a vingt ans ! » (inédite).

de ses pauvres ressources humaines, le dramaturge ne peut « avoir assez d'habileté pour donner le change » (*Fig*, 197, 200) ; l'inspiration a brusquement déserté le poète élu de naguère...
Roméo et Juliette, avec son « jargon » qui rappelle désagréablement à Claudel le « lyrisme tapageur et creux » de *Partage de Midi* [6], *Mesure pour mesure*, avec son réalisme agressif [7], *Henry VIII*, « pageant » à la gloire des monstres Tudors, font les frais d'un mépris sans nuance. Pourtant la vision céleste qui donne à Catherine d'Aragon mourante un avant-goût de l'au-delà n'est pas si éloignée de l'ultime dialogue entre Prouhèze et l'Ange Gardien [8]. Et le spectacle auquel assiste avec nous le duc Vincentio permet ces explications paraboliques et ces interprétations multiples auxquelles se plaît l'audacieux exégète de la Bible. On s'étonne qu'il n'ait pas cherché davantage à comprendre le climat spirituel qui baigne ces pièces singulières.

Claudel se laisse arrêter par un manque d'héroïsme qui, par comparaison, l'oblige à réviser son jugement sur Corneille, la victime habituelle de ses sarcasmes (*J* IX, 15). Comment l'auteur de *L'Otage* pourrait-il en effet admettre l'attitude d'Isabelle qui, dans *Mesure pour mesure*, refuse de sacrifier sa virginité pour sauver son frère [9] ? Polyeucte, du moins, avait la force de renoncer au bonheur terrestre. Mais les préférences de Claudel vont surtout maintenant à Racine, qui « n'a cessé de grandir à ses yeux tandis que Shakespeare faiblissait » [10]. Le changement paraît radical. Et tout détracteur de Claudel se hâterait de suggérer qu'un siège à l'Académie [11] — celui de Racine — a suffi à réconcilier l'auteur du *Soulier de satin* et celui d'*Athalie*. Lui qui se moquait en 1925 des « cohortes alexandrines de Corneille, de Racine et de Molière » (*PP* I 22-23), lui qui voyait en Rabelais et en Chateaubriand des poètes plus grands que Racine (*PP* I 87), il chérit maintenant « [s]on pays » [12], avec la tendresse qu'éprouve un vieillard pour la terre dont il est né et l'assagissement d'un novateur repenti qui, au soir de sa vie, plaît à se ranger à la tradition [13].

---

6. Lettre à J.-L. Barrault du 18 août 1948 (extraits cités dans *Th* II, 1344-5) ; et cf. *Fig*, 200, *MI*, 43. Sur ce point, voir *supra*, p. 112.
7. L'œuvre a été souvent critiquée. Johnson la jugeait méprisable. Coleridge la trouvait haïssable et Hardin Craig, si favorable à Shakespeare pourtant, la considère comme la plus mauvaise de ses pièces. Sous la Restauration, sir William d'Avenant avait même cru devoir la refaire.
8. *Henry VIII*, IV, 2, 83-84, p. 659 ; et cf. *Le Soulier de satin*, Troisième Journée, sc. 8, *Th* II, 821.
9. *Measure for measure*, III, 1, 134-145, p. 84.
10. Lettre à J.-L. Barrault du 25 août 1954 (arch. J.-L. Barrault, inédite).
11. Le détracteur, en l'occurrence, serait Arcas dans la *Conversation sur Jean Racine* : « [...] il est mal à vous, qui occupez, si indignement que ce soit, le fauteuil de Jean Racine à l'Académie, d'avoir attendu si longtemps pour lui rendre l'hommage que vous lui deviez » (*JR*, 68, *Pr* 448-449).
12. Lettre à J.-L. Barrault du 25 août 1954 : « je vais donc, moi, m'occuper de Jean Racine, mon pays ! »
13. « Puisque je parle des gloires littéraires de la région, je ne saurais omettre d'évoquer à côté du nom de La Fontaine, celui de Jean Racine, natif de la Ferté-Milon [...] Ceci dit pour répondre à un intelligent universitaire, originaire des Pyrénées, du nom de Pierre Lasserre, qui m'a accusé de m'exprimer non pas en français mais en allemand » (« Mon pays », 1937, dans *Circ*, 23).

A y regarder de plus près, on s'aperçoit qu'il a toujours existé, chez Claudel, une tendance au classicisme, bien comprise par Jean Prévost et par Henri Peyre[14] ; que les « Réflexions et Propositions sur le vers français » contenaient un magnifique éloge de « ce sévère et sculptural premier acte de *Britannicus,* où l'on ne trouverait pas une cheville, pas une impropriété, pas un mot de trop, où tout porte le caractère de la nécessité » (*PP* I, 35) ; qu'enfin, antérieurement même à ce texte, l'« Introduction à un poème sur Dante » de 1921 esquissait un parallèle où Racine, contraint de « céder le pas à un Shakespeare » plus « catholique » et doué de plus « d'énergie », lui était pourtant déclaré « supérieur par certains côtés » (*PP* I, 164).

De 1930 à 1955, cette supériorité encore indéfinie se précise, tandis que Claudel est amené à réviser son jugement sur la « catholicité » des deux illustres dramaturges. Le texte le plus important à cet égard est aussi le dernier : la *Conversation sur Jean Racine.*

Le 20 août 1954, Jean-Louis Barrault écrivait à Claudel pour lui demander une « chronique très libre », à paraître en novembre dans un cahier de la Compagnie consacré à Racine, où il reprendrait les « merveilleux propos » qu'il avait déjà tenus à mainte reprise devant lui sur l'auteur *d'Athalie,* « sur ses personnages féminins amoureux d'hommes qui ne les aiment pas » et sur (son) « opinion de lui par rapport à Shakespeare ». Claudel, de Brangues, répondit cinq jours plus tard, acceptant avec enthousiasme et promettant de se mettre à la tâche dès qu'il aurait le théâtre de Racine sous la main[15]. Il fallut l'occasion d'un séjour à la clinique d'Aix-les-Bains[16], au mois de septembre, pour qu'il « mît en train » cet essai, bientôt achevé. Le 23 septembre, Claudel remerciait Barrault de « cette occasion qu'il [lui avait] donnée de [s'] expliquer enfin à fond avec [s]on illustre prédécesseur à l'Académie française »[17]. Le 7 octobre, il achevait de recopier la *Conversation sur Jean Racine.* Il en organisa une lecture publique chez lui, tenant lui-même le rôle de Paul Claudel, tandis que Jean-Pierre Granval tenait celui d'Arcas. Un fragment fut publié le 1er janvier 1955 dans *Le Figaro littéraire* sous le titre d'« Eloge du vers de Racine ». Ce n'est qu'après sa mort que le texte parut intégralement dans le huitième Cahier de la Compagnie Madeleine Renaud - Jean-Louis Barrault, puis en plaquette chez Gallimard. Selon le vœu du comédien, Claudel a écrit en réalité une « Conversation sur Racine et Shakespeare ». Il y parle surtout de *Macbeth,* qu'il vient de relire[18].

---

14. Jean PRÉVOST, « Les Eléments du drame chez Paul Claudel », *N.R.F.,* 1er mai 1929 ; Henri PEYRE, « Le classicisme de Paul Claudel », *N.R.F.,* 1er septembre 1932.
15. Lettre de Claudel à Barrault du 25 août 1954 (arch. J.-L. Barrault, inédite).
16. A la suite d'une crise de sciatique, selon J. Petit et Ch. Galpérine (*Pr,* 1459) ; pour se faire opérer de la cataracte, selon J.-L. Barrault (*CB,* XXV, 25). Claudel fait lui-même allusion à ce séjour au tout début de la *Conversation* et accuse la sciatique du retard avec lequel il s'est mis au travail (*JR,* 7-8).
17. Lettre de Claudel à Barrault du 23 sept. 1954, post-scriptum, arch. J.-L. Barrault.
18. C'est ce que laissent entendre les paroles d'Arcas, *JR,* 11 : « Figurez-vous, quand

A la « fumigation d'images et de métaphores » dont Shakespeare « empoisonne » son lecteur (*JR*, 17), Claudel oppose la sobriété racinienne :

> Jean Racine, c'est autre chose, un cas unique, scandaleux, un art dépouillé de tout pittoresque, pas d'images, tout ce qu'on appelle conventions mondaines passionnément incorporées, et c'est *Britannicus*, le type du drame parfait. — *Phèdre*, la passion même dans une fournaise d'art et de poésie... Ce seul *Bajazet*, en trouverait-on l'équivalent dans Shakespeare [19] ?

Le poète français subordonne tout à la « nécessité organique » (*JR*, 25) et fait de l'alexandrin lui-même la « balance exquise sur laquelle se pèsent les sentiments » (28). Non que Claudel renonce à condamner l'usage dramatique de l'alexandrin [20] : il admet seulement d'être contredit par Racine, « une des exceptions inouïes de l'art littéraire », un « génie exceptionnel » qui a su faire un « emploi miraculeux » de ce vers narratif que tout autre ne peut appliquer au drame sans commettre un « non-sens » (*MI*, 42).

Certes il arrive, mais d'une manière tout à fait exceptionnelle, qu'un simple vers de Shakespeare donne la même impression de beauté absolue et fasse passer le frisson d'*Anima*. Celui-ci, par exemple, que Claudel se plaît à répéter :

> Didn't I dance with you once in Brabant [21] ?

et qu'il s'obstine à inclure dans *Les deux gentilshommes de Vérone* alors qu'il vient de *Peines d'amour perdues* [22]. Ce sont les paroles par lesquelles se saluent Berowne et Rosaline, qui se sont déjà rencontrés naguère chez le duc d'Alençon : elles ont été parfois considérées comme une survivance, dans le *Quarto* de 1598, du défectueux (et hypothétique) *Quarto* de 1597 [23], ou comme une simple utilité dramatique, laissant au Roi de Navarre le temps de lire le message que lui a transmis la Princesse de France [24]. Mais cette reconnaissance n'est-elle pas le premier et précieux clin d'œil qui nous laisse deviner comment le quatuor des vertueux anachorètes sera bientôt contraint, avec la complicité de quatre malicieuses jeunes filles, à renoncer à d'imprudents serments ?

Claudel prétend éprouver la même impression délicate en lisant « les petits couplets de *Mesure pour mesure* » (*Pr*, 50 n) qui le font

---

vous m'avez réveillé, que je dormais, non pas sur le rivage d'Aulis, mais, *cheek by jowl* (comme on dit), dans votre bibliothèque, avec un exemplaire de ce chef-d'œuvre dans les côtes qui me fichait des cauchemars ».

19. Lettre à Barrault du 20 août 1954 (inédite).
20. Voir *supra*, p. 58 sqq. Cette condamnation reste vive dans *MI*, 41-42, et *JR*, 27.
21. Préface à l'*Anthologie de la poésie mexicaine* (1952), texte repris dans *Pr*, 51 ; lettre à Barrault du 25 août 1954 (« ce vers admirable ») — avec la double réserve d'un « je crois » pour l'origine et pour la lettre du texte, que Claudel cite toujours de mémoire ; *JR*, 35 (« ce vers délicieux »).
22. *Love's Labour's Lost*, II, 1, 114-115, p. 149. Claudel déforme d'ailleurs légèrement le vers. Le texte authentique est :
    Did not I dance with you in Brabant once ?
    N'ai-je pas dansé une fois avec vous en Brabant ? (trad. cit., I, 1094)
23. Sur ce problème cf. H. FLUCHÈRE, éd. de la Pléiade, I, CCXXIX, CCXXX.
24. Voir la note d'H. FLUCHÈRE, *ibid.*, 1425.

« tressaill(ir) ». Le souvenir est, là aussi, probablement assez lointain. Car on ne trouve dans cette comédie qu'un petit couplet, chanté au début de l'acte IV par un jeune garçon dans la maison de Mariana, la fiancée abandonnée par Angelo qui se substituera à Isabelle au cours de la nuit d'amour :

> Take, O take those lips away,
> That so sweetly were forsworn ;
> And those eyes, the break of day,
> Lights that do mislead the morn :
> But my kisses bring again,
>   bring again,
> Seals of love, but seal'd in vain,
>   seal'd in vain[25].

Il n'est même pas sûr que ces vers soient de Shakespeare, puisqu'on les retrouve, augmentés d'une nouvelle strophe, dans *Le Frère sanguinaire* (1636) de Fletcher. Ils jouent dans la pièce un rôle ambigu, apaisant une peine qu'ils avivent pourtant encore par le souvenir, suggérant ainsi l'ambiguïté même de l'amour et son amère douceur.

Même Arcas, dans la *Conversation sur Jean Racine*, concède à son interlocuteur Paul Claudel qu'« à vrai dire dans tout Shakespeare il n'y a pas un beau rôle de femme » (*JR*, 24). Claudel s'était déjà clairement expliqué sur ce point, douze ans plus tôt dans *Seigneur, apprenez-nous à prier*.
Commentant une fois de plus le chapitre VIII des *Proverbes*, il y développait l'idée selon laquelle « il a pu à Dieu d'avoir besoin de l'homme pour la création de la femme » : elle s'est détachée comme un rameau de la souche sans que la racine, au fond du mâle, cessât de persister, sans que pût se refermer « cette énorme déchirure à son flanc que pour apparaître elle lui a faite ». Cette idée lui semble « subjacente à toute une région, la plus importante sans doute, de la poésie depuis le christianisme ». Béatrice, Dulcinée, Bérénice, la Sylphide de Chateaubriand, Madeleine dans *Dominique*, Madame de Mortsauf dans *Le Lys dans la vallée*, et celle qui sous des noms divers, Lâla, Ysé ou Prouhèze, apparaît dans ses propres œuvres, toutes ces « fameuses figures de la poésie » ont le « sens poignant » de la promesse que fit Eve à Adam et qu'elle ne put tenir. Tout le théâtre de Racine « n'est que la prise, sans jamais aboutir à l'étreinte, de deux âmes qui se confrontent, se regardent, se défient, s'étudient, se mesurent, de toute la science éréthisée de cette faculté

---

25. *Measure for measure*, IV, 1, 1-8, p. 88. Guy de Pourtalès a donné de ces vers la traduction suivante :
  Eloigne, oh ! éloigne ces lèvres
  si suavement parjures,
  et ces yeux, aubes du jour,
  lumières qui égarent l'aurore.
  Mais rends-moi mes baisers,
  rends-les moi,
  ces sceaux d'amour scellés en vain,
  scellés en vain.   (Trad. cit., II, 352)

où il entre encore plus d'intelligence que de sentiment et qu'on appelle le tact ».

Au contraire la femme a été, selon lui, ignorée de l'Antiquité ; elle ne tient guère qu'« un rôle épisodique », et encore exceptionnellement (Desdémone, Juliette), dans l'œuvre de Shakespeare qui, « comme Michel Ange, ne paraît compter, pour s'arracher à ses liens, que sur ses propres muscles » (*Seign*, 46-52).

On serait tenté d'appliquer la remarque à certaines pièces de Shakespeare, à *Jules César* par exemple ; mais le rôle de Portia est plus touchant que ne le crut Voltaire : Brutus songe à rester digne de son épouse [26], en qui il voit moins la femme alarmée que la fille de Caton d'Utique, donc le flambeau du stoïcisme. Et comment oublier toute la galerie des héroïnes shakespeariennes, Rosalinde ou Cordélia, Cléopâtre ou Imogène ? Les amants, il est vrai, se révèlent souvent plus fuyants que les amantes soit par un fâcheux concours de circonstances (Roméo, Valentin, Posthumus, Hamlet) soit par une nature elle-même tortueuse (Bertrand, dans *Tout est bien qui finit bien*). Mais Claudel aurait pu prendre comme exemple de « promesse qui ne peut être tenue » celle que fit à Antoine Cléopâtre, la « perfide Egyptienne » [27] naguère évoquée par Rodrigue :

> Une promesse que rien au monde ne peut satisfaire, pas même cette femme qui un moment s'en est faite pour nous le vase,
> Et que la possession ne fait que remplacer par un simulacre désert. (*Th* II, 854)

Antoine, qui oublia pour sa reine l'empire du monde, l'accuse d'inconstance et lui reproche de l'avoir conduit, par un jeu trop subtil, jusqu'au cœur même de la détresse [28] : et elle s'étonne ou feint de s'étonner, de le voir en rage contre son amour...

Un développement sur Cléopâtre semble près de naître au détour de la *Conversation sur Jean Racine* :

> PAUL CLAUDEL. — Ce diamant essentiel, cette source de vie, ce moteur sacré du personnage immortel bon gré mal gré que nous constituons, ce principe de tout effort, de toute société, l'amour, comment expliquez-vous que les poètes s'en soient si peu occupés ?
> ARCAS. — O reproche inattendu ? ils ne s'en sont occupés que trop.
> PAUL CLAUDEL. — Disons ceux d'autrefois. Bien sûr il y a Hélène et Briséis qui sont responsables Homère, il y a Cléopâtre, il y a Dante, il y a le quatrième livre de l'Enéide. En attendant cet océan de limonade aujourd'hui, romans et vers, dont la seule pensée me fait mal au cœur.
> ARCAS. — Moi, j'y nage et j'y surnage. Et pour ce qui est de Cléopâtre... (*JR*, 20-21)

Mais Paul Claudel interrompt Arcas et le nom de Cléopâtre reste suspendu dans le silence...

---

26. *Julius Caesar*, II, 303-304.
27. *Antony and Cleopatra*, IV, 10, v. 23-38, p. 1003 ; trad. cit., p. 1075.
28. *Antony and Cleopatra*, IV, 10, 41-42, p. 1004.

A la subtile progression de l'analyse psychologique dans le théâtre racinien, Claudel oppose le « pittoresque naïf » auquel Shakespeare, dramaturge primitif, « sacrifie tout »[29] :

> [...] Shakespeare, il n'y a pas d'explications ! ça arrive : *it just happens*. Comprenez qu'une pièce de Double Véesse c'est un spectacle qu'on vous sert à regarder. Ce n'est pas un drame, c'est des événements à la file qu'on vous invite à regarder. Le rideau tombe pour vous avertir que c'est fini. (*JR*, 11)

Arcas, le confident racinien, en trouve aisément la raison : « il n'y a pas de confident dans Shakespeare ! » (p. 10). Point de ces « reflets évocateurs » qui, pour ainsi dire, « habillent » le personnage principal de « [s]on écho » et l'éclairent d'une lumière si nécessaire (p. 9).

Il faut alors s'immiscer dans le dialogue pour porter la contradiction. Car il existe bien des confidents parmi les personnages de Shakespeare, même si l'emploi en reste fortuit. Tantôt ils permettent à l'auteur d'agencer une exposition, tels les deux capitaines de vaisseau qui, dans *La Nuit des Rois*, accompagnent Sébastien et Viola[30] ; tantôt ils servent d'intermédiaire complaisant, comme la Nourrice de Juliette[31] ; tantôt ils révèlent véritablement le personnage à lui-même : Cassius permet à Brutus de prendre conscience du dilemme qui le torturait obscurément et de découvrir son véritable rôle :

CASSIUS. — Dites-moi, bon Brutus, voyez-vous votre face ?
BRUTUS. — Non, Cassius, l'œil ne se voit pas lui-même ; il lui faut son reflet dans quelque autre chose[32].

Horatio suit Hamlet avec la fidélité de Pylade pour Oreste. Ariel connaît mieux que tout autre les pensées secrètes de Prospéro. Mais Shakespeare anime d'une vie si colorée chacune de ses créatures qu'au lieu de n'être que de pâles seconds, les « confidents » affirment une personnalité bien dessinée et conquièrent ainsi une apparente autonomie. Alors le héros reste abandonné à sa solitude et Hamlet n'a plus pour confident que le crâne de Yorick[33], ce « confrère déterré » d'Arcas, cette « tête de mort que le prince danois ramasse et fait danser au bout de sa pelle » (*JR*, 10). Dans la bouche de son interlocuteur il attendait des *mots* et il n'entend que *mort*[34].

---

29. Lettre de Claudel à J.-L. Barrault du 25 août 1954.
30. *Twelfth Night*, I, 2 et II, 1, pp. 299-300 et 304-305.
31. *Romeo and Juliet*, II, 4, p. 778.
32. *Julius Caesar*, I, 2, 51-53, p. 821 ; trad. cit., II, 559 :
CASSIUS. — Tell me, good Brutus, can you see your face ?
BRUTUS. — No, Cassius ; for the eye sees not itself,
But by reflection, by some other things.
33. *Hamlet*, V, 1, 201-220, p. 908. Hamlet, après avoir montré le crâne du bouffon défunt à Horatio, le prend directement à partie.
34. Parodiant la célèbre réponse de Hamlet à Polonius (II, 2, 196, p. 882), Laforgue la rejetait dans la scène du cimetière : « Hamlet se campe devant ce fossoyeur qui l'observe, attendant des compliments sur son arrangement des couronnes ; il le toise supérieurement et puis lui aboie par la figure : « Words ! words ! words ! entendez-vous ! des mots ! des mots ! des mots ! » (*Moralités légendaires*, éd. cit., p. 35). Claudel la transpose encore en imaginant une autre scène du cimetière à la manière de Laforgue : « Hamlet consulte Yorick qui lui répond avec dégoût : *worms, worms, worms* ! » (*J X* 53).

Claudel reste fidèle à son ancienne interprétation de *Hamlet* [35], quand il considère Yorick comme la manifestation concrète de cette obsession de la mort qui tourmente le héros et lui apparaît soudain comme s'il se regardait dans un miroir. Et il n'a pas tout à fait oublié depuis *Le Soulier de satin*, que l'art du « contrechant » ne procède pas chez les Elisabéthains par « support », par « écho », comme chez Racine, mais par « opposition » (*JR*, 9), par le jeu des actions conférentes et des caractères complémentaires.

Au lieu d'élucider le déroulement de la tragédie dans la conscience du héros souffrant, Shakespeare nous fait assister aux brusques mutations de son comportement extérieur :

> Dans *Macbeth* il y a ces deux olibrius écossais, le guerrier et sa femelle, sortis on ne sait d'où, qui passent de la vertu au crime sans aucune espèce d'objection ni de transition. Chez nous [dans *Britannicus*], la métamorphose de Néron, cette progression du mal dans une âme pervertie, nous sont exposées avec une lucidité et une puissance dignes de Tacite. (*JR*, 24)

En réalité *Macbeth* nous fait bien assister aussi à la progression du mal dans une âme qui vit la tragédie de la tentation. Quand la première prédiction des sorcières se réalise, son ton d'exultation trahit le nouveau thane de Cawdor et Banquo le met en garde : « une confiance trop absolue pourrait bien allumer vos désirs jusqu'à la couronne » [36]. Le futur roi engage immédiatement un dialogue intérieur, il révèle en lui un indécis, comme Brutus ou comme Hamlet, en proie à des images contraires qui lui tiennent lieu de pensée et où domine, la plus insistante parce que déjà obscurément élue, la vision du meurtre [37].

Sans doute feint-il de se persuader que le hasard fera les choses pour lui. Lady Macbeth, qui le connaît bien, sait qu'il désire agir mais qu'il redoute de se salir les mains [38]. Elle sera l'élément moteur dans l'accomplissement d'un meurtre dont les mobiles fonctionnent déjà. Non qu'elle se réduise à une pure force du mal : elle doit faire effort sur elle-même et appeler, comme le thane lui-même, le concours des ténèbres pour devancer les scrupules qu'elle sent déjà prêts à surgir [39]. Elle est soutenue par l'amour qu'elle voue à la grandeur de son époux [40], et aussi par la conscience qu'elle a de servir un destin dont les volontés semblent claires [41]. Macbeth faiblit-il,

---

35. Dans la lettre à Marcel Schwob du 17 mars 1900 étudiée plus haut, p. 90 : « Ministre de la mort, ce n'est que mort, déjà, lui-même, qu'il pourra en exécuter les œuvres. »
36. *Macbeth*, I, 3, 120-122, p. 848 ; trad. cit., p. 960.
                    That, trusted home,
          Might yet enkindle you unto the crown,
          Besides the Thane of Cawdor. [...]
37. *Ibid.*, *loc. cit.*, v. 134-142.
38. *Macbeth*, I, 5, 24-25 et 21-22, p. 849.
39. *Ibid.*, I, 4, 50-53, et 5, 51-53, pp. 849-850.
40. *Ibid.*, I, 4, V, 12 : Macbeth lui-même l'appelle « my dearest partner of greatness », p. 849.
41. *Ibid.*, *loc. cit.*, I, 4, 30-31.

confondu par la douceur et la générosité du roi, elle croit devoir ranimer son courage, non seulement pour gonfler ses titres, mais pour grandir sa personne même. Elle conquiert moins une couronne que la force de caractère d'un homme qui, elle le sait, en est dépourvu. Par une étrange contradiction, elle vient finalement à bout de ses hésitations, non en piquant son orgueil de mâle, mais en dissipant ses craintes, en lui garantissant l'impunité de son crime[42]. Telle est l'étrange faille dans la complicité des deux sinistres époux : Lady Macbeth n'a pas la même conception de la grandeur que Macbeth et, en croyant l'élever, elle fait appel à ses sentiments les plus bas. La seule frénésie de l'acte entrepris suffira ensuite à le faire agir.

Comme Claudel, bon nombre de critiques shakespeariens ont été surpris par la rapidité avec laquelle Macbeth passe de la « vertu » au « crime », de la tendresse humaine[43] à la frénésie sanguinaire. Mais le dramaturge a analysé toute la profondeur de ce revirement : la grandeur morale du thane de Glamis, en laquelle croyait Duncan, recouvrait d'un vernis chevaleresque une faiblesse réelle où la tentation devait trouver un terrain d'élection. De l'éclat de la bataille, Shakespeare nous fait passer par les apartés, par les monologues, à l'intérieur même des consciences. Sans doute Macbeth ne livre-t-il pas à Banquo ses pensées secrètes ; mais le silence est bien plus significatif. Son compagnon d'armes lui apparaît déjà, par sa descendance, comme le chagrinant rival dont, instinctivement, il se méfie. Sa réserve implique le sourd cheminement d'une idée qui progresse. Lady Macbeth elle-même est-elle une confidente ? Habile tacticienne, elle joue, non seulement avec les vies humaines, mais avec les faiblesses de Macbeth. La confidence n'est pour elle qu'un argument supplémentaire[44] et chacun avance seul, mais à côté de l'autre, dans la nuit qu'il s'est créée.

Est-il sûr, alors, qu'il n'y ait pas d'« explication » dans le théâtre de Shakespeare ? que les protagonistes ne se mesurent pas, sur le champ de bataille fourni par la scène, en un « combat [...] où chaque coup est calculé » (JR, 25-26) ? Chez Racine, note Claudel, le rideau ne retombe pas sans que quelque chose ait été tiré au clair » : « on s'est expliqué [...], la querelle a été vidée, le débat a été vidé ; le parterre a eu son compte, il est content. Tandis que Macbeth par exemple ! » (JR, 11).

Dans Macbeth, il est vrai, l'hésitation dure peu, car le temps presse. Les meurtriers ne peuvent manquer l'occasion qui ne se présentera plus[45]. S'ils ne la saisissaient pas, la tragédie s'épuiserait en vaines tergiversations. De même, Brutus, dans Jules César, échappe à l'hamlétisme parce qu'il tire de son indécision la raison

42. Macbeth, I, 7, 59-82, p. 851.
43. Macbeth, I, 4, 17-18, p. 849.
44. Macbeth, I, 1, 47-48, p. 851.
45. Ibid., I, 5, 58-62, p. 850.

même de son acte [46] et que le drame ne lui laisse pas de répit : les conjurés se présentent chez lui, au petit matin, et dans un instant aura lieu l'irréparable couronnement au Sénat [47].

Surtout, la tragédie shakespearienne ne s'achève pas avec le meurtre, comme *Britannicus* ou *Bajazet ;* elle commence avec lui et il détermine la véritable crise que rien, sinon la mort, ne pourra arrêter. Bien plus qu'une tragédie de l'ambition, *Macbeth,* tragédie de la tentation, est aussi une tragédie de l'expiation où le crime et le châtiment vont de pair, puisque chaque crime nouveau, accompli pour reculer le châtiment, ne fait que l'avancer et en grossir la menace. Aussi Macduff, la plus grande victime de Macbeth, doit-il lui servir de bourreau [48].

C'est également après l'assassinat de César que commence la véritable tragédie de Brutus : il a beau affirmer à Antoine que si les mains sont sanglantes, les cœurs sont purs [49], il a beau s'inventer des justifications [50], un geste instinctif le pousse à donner le signal d'un bain lustral dans le sang de César, ce qui revient à reconnaître obscurément sa faute [51]. Que se lève le spectre de l'*imperator,* et Brutus aussitôt comprend qu'il doit se tuer pour apaiser les mânes de sa victime [52].

La tragédie shakespearienne n'est-elle, en fin de compte, qu'« un conte dit par un idiot, plein de vacarme et de furie, ne signifiant [...] rien »[53], comme le prétend Claudel (*JR,* 12) ? Macbeth ne diffère pas radicalement de Phèdre ou d'Athalie : ici et là un être ruse avec le destin qu'il s'est forgé, et subit la même punition, progressive, implacable, d'une faute cachée.

Le sens de cette expiation est clair, pour Shakespeare : il est inséparable du thème de l'ordre et du désordre, constant dans son œuvre depuis les premiers drames historiques.

Ce thème permet à Claudel, en 1937, de réunir pour une fois sous le même signe Racine et Shakespeare :

> [...] le drame d'un Shakespeare ou d'un Racine, s'il se passe comme séparé par les planches d'une terre que le Christ a rachetée, accepte du moins comme sous-entendue l'idée d'un ordre, d'une vaste hiérarchie morale dont le régime est incontesté [54].

46. Cette raison a été passionnément discutée. Voir l'analyse que donne André ABBOU de la sc. I de l'acte II, dans *Cohérence et Vraisemblance dans « Jules César » de Shakespeare, op. cit.,* pp. 24-25.
47. *Julius Caesar,* II, 1, p. 825-828.
48. *Macbeth,* V, 7, 33-35, p. 868.
49. *Julius Caesar,* III, 1, 163-172, p. 832.
50. *Ibid.,* III, 2, 1, 21-23, p. 834.
51. *Ibid.,* III, 1, 103 sqq., p. 832.
52. *Ibid.,* IV, 3, 274-284, p. 841 ; V, 5, 17-20 et 50-51, p. 844.
53. Ce n'est pas exactement « à la fin de son élucubration », comme le dit Claudel, que Shakespeare place ces mots dans la bouche de Macbeth, mais au moment où il apprend la mort de sa femme (V, 5, 26-28, p. 868) :
[...] it is a tale
Told by an idiot, full of sound and fury,
Signifying nothing.
54. « La Poésie au XIXe siècle », texte d'une conférence prononcée en 1937 dont il ne reste aux Archives P. Claudel qu'un manuscrit incomplet ; *Pr,* 1406-1407 et 1416.

Avec l'ensemble de ses contemporains, Shakespeare croit qu'un même ordre divin règle l'univers, la société et la conscience de l'homme [55]. La correspondance étant étroite entre ces trois ordres, la moindre atteinte aux règles fixées par Dieu retentit sur le cosmos tout entier. Un acte contre nature déchaîne la révolte de la nature. « Quand je ne t'aimerai plus, ce sera le retour du chaos », s'écrie Othello qui jure par l'univers, et s'attend, après avoir étouffé Desdémone, à ce qu'il y ait « une immense éclipse du soleil et de la lune » et que « le globe épouvanté [s'entr'ouvre] à ce bouleversement » [56]. Après la mort du roi Duncan, « les cieux troublés par l'acte de l'homme menacent son sanglant théâtre » [57].

Cet univers est éminemment tragique, puisqu'à chaque instant son équilibre risque d'être remis en question. Il se situe, bien plus que ne le croit Claudel, dans la continuité de la vision médiévale [58] ou, pour reprendre ses propres expressions, d'une « poésie catholique, c'est-à-dire une poésie réellement universelle, c'est-à-dire embrassant suivant l'expression du *credo* les choses visibles et invisibles » (*Pr*, 1416).

Shakespeare ou le paradis perdu

La stabilité de l'univers est menacée à la fin de l'époque proprement élisabéthaine. Les progrès du savoir, la cosmologie nouvelle de Copernic, l'influence de Machiavel parviennent, écrit H. Fluchère, à « désagréger cette conception harmonieuse du monde qui, malgré les dérèglements et les conflits qui pouvaient le mettre en danger n'avait pas encore sérieusement été entamée ». L'équilibre se rompt, « et ce sont les aventures de l'âme humaine décontenancée, inquiète, hésitante, désespérée, à la recherche d'une foi, d'un ordre nouveau, de nouvelles raisons d'espérer, qui font la substance de la tragédie » [59]. Claudel, une fois formée sa philosophie de l'histoire, va bien voir dans le théâtre élisabéthain une aventure de l'âme humaine. Mais il explique son désarroi par une seule cause : le schisme, la « grande tribulation » (*Apoc*, 290) de l'époque de Thyatire.

L'idée cheminait depuis quelque temps dans son esprit. Elle est encore nuancée dans sa conférence de 1937 sur « La Poésie au XIXe siècle ». S'il est vrai qu'« à partir du XVIe siècle s'inaugure un divorce lamentable » par lequel « la réalité se partage en deux, la religion d'une part, le monde et l'art de l'autre, comme s'il y avait deux créations » (*Pr*, 1416), Shakespeare constitue précisément l'heureuse exception par sa « catholicité ».

55. *Troylus and Cressida*, I, 3, 85 sqq., p. 672 ; *Henry V*, I, 2, 183-220, p. 473. Etc...
56. *Othello*, III, 3, 91-92, p. 958 ; v. 384, p. 961 ; V, 2, 97-100, p. 973.
57. *Macbeth*, II, 4, 4-6, p. 855 ; trad. cit., II, 975.
58. Sur ce point, voir H. FLUCHÈRE, *Shakespeare dramaturge élisabéthain*, pp. 278 sqq.
59. H. FLUCHÈRE, *op. cit.*, p. 281.

Mais bientôt il entre dans la danse macabre des victimes de l'Hérésie avec ses confrères, les naguère si souriants « grands vieux dramaturges anglo-saxons » : le théâtre élisabéthain se transforme en « un pandémonium déchaîné » où brillent de noires créatures, « des œuvres comme celles de Cyril Tourneur, comme le *Titus Andronicus* de Shakespeare » (*Apoc*, 291, n.). Dans *Macbeth*, l'arrière-monde ne se fait pas prier pour vomir son personnel de démons et de fantômes » (*JR*, 16).

Les exemples choisis par Claudel sont en effet des plus frappants. L'accumulation des crimes et des péchés ne parvient pas à étouffer la terreur de l'enfer où ils conduisent. Spurio et la Duchesse, dans *La Tragédie du Vengeur*, ne peuvent goûter les plaisirs d'un amour interdit sans que leurs baisers soient gâtés par l'amour du péché [60]. Et Vendice, l'assassin du vieux Duc, accepte, après un temps d'étonnement, l'arrêt qui l'envoie à la mort, parce que « quand les meurtriers restent secrets, cette malédiction les scelle : si personne ne les découvre, c'est eux-mêmes qui se trahissent » [61]. L'Athée d'Amville voit apparaître le fantôme du frère qu'il a tué [62], vivante image d'un remords auquel il ne voulait pas croire.

Le même remords, dans Macbeth, « est devenu de la peur, une panique, génératrice sous le coup de l'accélération onirique, de nouveaux forfaits, qui peu à peu dévore à son profit la réalité » (*JR*, 16) : le meurtre de Banquo, celui de la femme de Macduff et de ses enfants ne comptent plus pour un homme qui ne veut pas avoir en vain souillé son âme [63], mais qui, en appelant les ténèbres [64], veut se cacher à lui-même la portée de sa faute. Il tue afin de pouvoir dire « à la crainte au cœur pâle qu'elle ment, et dormir en dépit du tonnerre [65]. Le remède que Lady Macbeth, obsédée par la tache de sang, ne parvient à trouver, c'est pour lui l'action frénétique [66], et, gorgé d'horreur, il croit avoir presque oublié le goût de la peur [67]. Il reste toutefois ce « presque » qu'aggravent l'apparition du spectre de ses victimes [68] et le lent accomplissement de la prophétie. Macbeth doit se ressaisir au moment ultime, après avoir failli céder contre son destin qui l'emporte. C'est probablement Aaron, dans

---

60. Cyril TOURNEUR, *The Revenger's Tragedy*, III, 5, 294 : « Had not that kiss a taste of sinn, twere sweete », éd. H. FLUCHÈRE, *La Tragédie du Vengeur*, Paris, Aubier, coll. Bilingue, 1938, p. 256.

61. *Ibid.*, V, 3, 143-144, éd. cit., pp. 322-323 :
When murders shut deeds closse, this curse does seale'em
If none disclose'em, they them selves reveale'em !

62. ID., *The Atheist's Tragedy*, V, 1, éd. Ribner, London, Methuen, 1964, p. 102.

63. *Macbeth*, III, 1, 64-72, p. 856.

64. *Ibid.*, III, 2, 46-53, p. 857.

65. *Macbeth*, IV, 1, 84-86, p. 861, trad. cit., II, 990 :
[...] thou shalt not live ;
That I may tell pale-hearted fear it lies,
And sleep in spite of thunder.

66. Voir le dialogue de Macbeth et du médecin, V, 3, 45-49, p. 867, et la scène du délire de Lady Macbeth, V, 1, pp. 865-866.

67. *Ibid.*, V, 5, v. 9, p. 867 :
I have almost forgot the taste of fear.

68. *Ibid.*, III, 4 ; pp. 857-859 ; IV, 1, pp. 860-862.

Titus Andronicus, qui nous présente le cas le plus pur de frénésie dans le mal : point d'autre repentir, chez lui, que de n'avoir commis plus de crimes encore :

> Je ne suis pas un enfant, moi, pour avoir recours à de basses prières et me repentir des méfaits que j'ai commis. J'en commettrais dix mille, pires encore, si je pouvais agir à ma volonté ; si dans toute ma vie j'ai fait une bonne action, je m'en repens du fond de l'âme [69].

Le « villain » ne redoute pas d'affronter les démons, puisqu'il se considère déjà comme l'un d'eux et que l'enfer est son domaine d'élection — encore qu'il ait parfois des doutes sur son existence [70]. Aussi apparaît-il aux yeux des autres personnages comme le « démon incarné » [71] et pourtant Shakespeare lui a laissé l'épaisseur humaine d'un père qui peut sourire à son rejeton, aussi noir de peau qu'il l'est lui-même d'âme. Macbeth, Vendice ou d'Amville sont, comme bien des personnages du théâtre élisabéthain, des « possédés ». Le meurtrier de Duncan a brusquement conscience, à la fin de la pièce, qu'il a été le jouet des « démons jongleurs » [72]. Claudel juge qu'à sa volonté s'est substituée une volonté étrangère dans une « conscience morale [...] paralysée » : il évoque « ce poignard qui flotte aux yeux hallucinés du thane de Cawdor et puis, plutôt que saisi, c'est lui qui se saisit de cette main criminelle » (*JR*, 16).

La référence est claire au monologue qui clôt la première scène de l'acte II. Tout le monde est couché dans le château, même le dernier serviteur que Macbeth vient de congédier pour accomplir seul son forfait, quand le héros est saisi par une hallucination : un poignard qui tend la garde vers sa main et n'est autre que le sanglant projet qui prend corps à ses yeux [73].

A l'heure du crime, « les sorcières célèbrent le culte de la pâle Hécate » [74]. Leur intervention avait frappé tout particulièrement Claudel qui, dans un billet adressé le 18 décembre 1953 à Henri Mondor pour le remercier d'un dessin qu'il lui avait envoyé, reproduisant un chat siamois, sentit naturellement venir sous sa plume le nom de Graymalkin, le chat auquel s'adresse, sur la lande déserte, la première des *weird-sisters* [75].

Comment a-t-il compris leur rôle ? A lire la *Conversation sur Jean Racine,* on sent que ce drame infernal « n'est pour lui qu'un « gui-

---

69. *Titus Andronicus,* V, 3, 185-190, p. 763 ; trad. cit., II, 440 :
  I am not a baby, I, that with base prayers
  I should repent the evils I have done.
  Ten thoùsand worse than ever yet I did
  Would I perform, if I might have my will :
  If one good deed in all my life I did,
  I do repent it from my very soul.
70. *Titus Andronicus,* V, 1, 147-150, p. 759.
71. *Ibid., loc. cit.,* v. 40, p. 758 : « the incarnate devil ».
72. *Macbeth,* V, 7, 48, p. 869 : « these juggling fiends ».
73. *Ibid.,* II, 1, 33-49, pp. 851-852.
74. *Ibid., loc. cit.,* 49-56.
75. *Macbeth,* I, 1, 8, p. 846 : « I come, Graymalkin » ; H. Mondor, *Claudel plus intime,* pp. 287-290.

gnol » (p. 13) sinistre dont Satan tient les ficelles. Le noble Macbeth se transforme brusquement en un criminel, par suite d'une irruption des forces démoniaques qui correspond, dans la pièce, au moment où les sorcières rencontrent pour la première fois près de Forres le thane de Glamis [76]. Alors, il n'agit plus vraiment ; il est mû par une force qui le dépasse et vit dans un état « somnambulique » où « la conscience morale est paralysée, la résistance abolie » et où « les événements se suivent plutôt qu'ils ne s'enchaînent » (*JR*, 16). Comme dans *Phèdre*, interviennent ici les « forces surnaturelles », du moins « celles du mal », avec Hécate et ses sorcières ; mais le drame est moins poignant, parce que leurs victimes restent dans un état d'inconscience (45-47).

Tout se passerait donc comme si Macbeth était prédestiné au mal et à la damnation par une puissance supérieure qui semble l'apanage des sorcières. Tel était le sentiment de Mallarmé qu'il exprima, tardivement il est vrai, dans son essai sur « la fausse entrée des sorcières dans Macbeth » [77] : le dialogue des trois sœurs fatales qui ouvre la pièce est non pas une apparition soudaine, mais une présence, non pas un incident, mais le « complot », ancien déjà, de « latents pouvoirs » [78]. De fait, elles en veulent bien à Macbeth seul [79] et la fable du patron du « Tigre », racontée par la première d'entre elles, préfigure le destin du héros [80].

La pièce de Shakespeare reste cependant plus complexe et plus humaine que ne le pense Claudel. Les sorcières ne sont que les servantes d'Hécate et appartiennent autant à ce monde qu'à l'arrière-monde dont il les fait surgir. Or la déesse n'intervient qu'au milieu de la pièce et pour se plaindre d'avoir été tenue, elle « l'agent secret de tous les maux », à l'écart de ces affaires de mort manigancées par Macbeth [81]. Alors elle décide d'intervenir et fait peser sur lui la force démoniaque. Mais à ce moment-là seulement, qui représente le moment de l'expiation, après la tragédie de la tentation. Car Macbeth, comme Brutus, comme Hamlet, comme tant d'autres héros de la « période tragique » de Shakespeare, ranime le type de l'Indécis. Il n'a pris une décision brutale que pour mettre fin à ses hésitations et pour devancer la marche du temps vers cet avenir qui, depuis la révélation, l'intriguait et l'inquiétait, irritant son impa-

---

76. *Macbeth*, I, 3, p. 847.

77. Cet essai, destiné peut-être à une revue de Chicago, *Chap Book*, et daté de « Valvins, 1897 », n'a été publié qu'en janvier 1942 par Henri Mondor dans la revue *Le Divan* ; il a été repris dans l'édition de la Pléiade en 1945, pp. 346-351. Claudel l'a-t-il lu ? il ne semble pas possible de l'inférer du témoignage d'H. MONDOR, *Claudel plus intime*, pp. 287-290.

78. MALLARMÉ, *Œuvres complètes*, éd. cit., 349-350.

79. *Macbeth*, I, 1 (en dépit de Mallarmé qui note, à juste titre, l'hérésie de cette numération des éditeurs « nul critique sagace ne consent à reconnaître, dans l'évasif morceau, la scène première ; quelque chose d'autre, non la scène ; la tragédie commence de plain-pied, classiquement, dans l'explosion, ou scène du soldat blessé ») v. 6-7, p. 846.
FIRST WITCH. — Where the place ?
SECOND WITCH. — Upon the heath.
THIRD WITCH. — There to meet with Macbeth.

80. *Macbeth*, I, 3, 4-29 ; voir sur ce point, l'introduction de G.K. HUNTER à *Macbeth*, London, « New Penguin Shakespeare », 1967, p. 11.

81. *Macbeth*, III, 5, 3-9, p. 859.

tience. Cette tragédie de la tentation suppose la liberté fondamentale de celui qui la vit. Le rôle des sorcières est donc moins de faire le mal que d'en créer la possibilité [82] et, pour mieux le souligner, Shakespeare a placé à côté de Macbeth le prudent Banquo qui est lui aussi l'objet d'une sollicitation flatteuse mais sait y reconnaître d'emblée l'agent des ténèbres [83]. A ne considérer que le couple criminel, à nier toute motivation psychologique, Claudel donne de la pièce une interprétation déformante.

Il faut rattacher cette interprétation à l'essai de Thomas de Quincey, « Du heurt à la porte dans *Macbeth* », dont Claudel cite un passage dans le deuxième dialogue *Au milieu des vitraux de l'Apocalypse* pour commenter le silence d'une demi-heure qui commence à la levée du Septième Sceau (*Mil*, 40). Ce texte paru en 1823 dans le *London Magazine* avait déjà attiré l'attention de Mallarmé qui le citait longuement [84].

A chaque représentation de *Macbeth*, et singulièrement au cours de celles qui avaient été données par Williams sur la scène de Ratcliffe Highway à partir de 1812, De Quincey s'était senti arrêté par une émotion paradoxale quand, même après la mort de Duncan, le heurt à la porte, si insistant, ébranlait sa sensibilité. Après de longues recherches, la solution lui apparut enfin : « l'assassinat, dans le cas ordinaire où la sympathie est dirigée sur la personne assassinée, est un incident d'une horreur grossière et vulgaire » [85] et ne saurait assurément convenir aux desseins du poète. Celui-ci doit alors reporter l'attention sur le meurtrier, éveiller en nous la sympathie — entendons par là une sympathie de compréhension, non une sympathie compatissante ou approbatrice : « chez le meurtrier, s'il est de la sorte à laquelle un poète puisse condescendre, doit faire rage quelque grande tempête de passion, — jalousie, ambition, vengeance, haine, — qui crée un enfer en lui ; et c'est en cet enfer que notre regard doit plonger » [86].

Tel est, selon Quincey, le sens que Shakespeare affecte à notre regard : « nous devions être mis à même de sentir que la nature humaine, c'est-à-dire la divine nature d'amour et de merci répandue dans le cœur de toutes les créatures et dont il est rare qu'elle fasse complètement défaut chez l'homme — s'était retirée, évanouie, éteinte ; et que la nature démoniaque avait pris sa place » [87]. Pour

---

82. Voir G.K. HUNTER, introd. cit., p. 11.
83. *Macbeth*, I, 3, 120-127, p. 848
84. Au début de sa méditation sur « La Fausse entrée des sorcières dans *Macbeth* », éd. cit., pp. 346-348.
85. *De Quincey's Collected Writings*, éd. David Masson, Edinburgh, Adam et Charles Black, 1890, t. X, *Literary Theory and Criticism* : « On the knocking at the gate in *Macbeth* » (pp. 389-394), p. 391 « Murder, in ordinary cases, where the sympathy is wholly directed to the case of the murdered person, is an accident of coarse and vulgar horror ».
86. *Ibid.*, p. 392 : « [...] in the murderer, such a murderer as a poet will condescend to, there must be raging some great storm of passion, — jealousy, ambition, vengeance, hatred, — which will create a hell within him ; and into this hell we are to look ».
87. *Ibid.*, *loc. cit.* : « We were to be made to feel that human nature, — i.e. the divine nature of love and mercy, spread through the hearts of all creatures, and seldom utterly withdrawn from man, was gone, vanished, extinct, and that the fiendish nature had taken its place ».

rendre sensible cette substitution, le dramaturge a eu recours à un expédient, sachant pertinemment que « toute action, dans quelque domaine que ce soit, c'est par la réaction qu'elle est le mieux exposée, mesurée et rendue appréhensible ». Le moment le plus touchant, lors de la crise d'évanouissement d'une fille, d'une épouse et d'une sœur, n'est-il pas celui où un soupir, un tressaillement annoncent le retour à la vie suspendue ? De même, après le suspens que constitue dans *Macbeth* le meurtre de Duncan, le monde ordinaire s'étant éclipsé pour laisser place au monde démoniaque, les coups frappés à la porte pour la plus grande terreur du couple criminel [88] préparent le retour à la vie de tous les jours dont le portier sera la pittoresque incarnation [89].

Cette parenthèse démoniaque, Claudel l'a étendue à l'ensemble de la pièce. Aussi les coups frappés à la porte changent-ils pour lui de signification. « C'est autour de ces coups de bélier [...] que s'est construit tout le drame dans la pensée de Shakespeare » ; « ce sont ces coups à plein cœur dans cette caisse résonnante qu'est l'imagination d'un poète, qui ont convoqué tous les éléments du drame et le tiennent encore aujourd'hui dans leur ténébreuse vibration suspendu » (*JR*, 14,15). Ils annoncent l'irruption du destin qui frappe à la porte, comme au début de la Cinquième Symphonie de Beethoven, que Claudel se plaît ailleurs à rappeler [90] :

> Avec quel art le poète terrifié a su mettre dans *Macbeth* en valeur cette brutale intervention du destin ! Vous vous rappelez le dialogue du portier ivre avec l'épouvantable inconnu qui frappe de l'autre côté à coup de bûche ! Et pendant ce temps dans la nuit le sang chaud du monarque égorgé, filtrant goutte à goutte à travers le parquet, tombe sous le nez de la brave sentinelle qui roupille au-dessous. Et au dernier acte, quand Lady Macbeth, une chandelle à la main, erre, dormante, à l'intérieur de son crime inextricable, ce n'est pas l'acte lui-même, ce sont ces coups affreux, fatidiques, qu'elle se remémore. *Au lit, au lit, on frappe à la porte ! Come, come, come, come, come, come, donne-moi la main, Macbeth ! Ce qui est fait est fait ! Au lit ! Au lit !* [91]   (*JR*, 15)

Claudel met ainsi en évidence à l'intérieur même de la pièce une correspondance remarquable. Dans son rêve de somnambule, Lady Macbeth revit les instants qui ont suivi le meurtre de Duncan et où elle se moquait de la peur éprouvée par Macbeth à entendre les coups frappés à la porte [92]. Dans ce délire où l'on voit trop communément l'expression de la terreur engendrée par le crime, elle continue à s'emporter contre le tremblant Macbeth, tout en laissant elle-même paraître sa propre horreur devant cette tache que seules les ténèbres infernales doivent pouvoir cacher :

---

88. Voir *Macbeth*, II, 2.
89. *Macbeth*, II, 3.
90. Le souvenir de l'anecdote qui est rattachée à ce début de la Cinquième symphonie est frappant par exemple dans la deuxième version de *La Jeune Fille Violaine* (Th. I, 572).
91. Citation de *Macbeth*, V, 1, 72-75, p. 866 : « To bed, to bed : there's knocking at the gate. Come, come, come, come, give me your hand. What's done cannot be undone. To bed, to bed, to bed. » Sur la traduction que Claudel donne à ces lignes voir *supra*, p. 84.
92. *Macbeth*, II, 2, 65-73, p. 853.

Va-t-en, tache damnée ! Va-t-en, dis-je... Une ! deux ! eh bien, il est temps de le faire !... L'enfer est sombre !... Fi, monseigneur ! Fi, un soldat avoir peur !... pourquoi redouter qu'on le sache, quand nul ne peut demander compte à notre puissance ?... Mais qui donc aurait cru que le vieillard eût encore tant de sang dans le corps !...[93].

A deux pas de la mort, abandonnée aux révélations incontrôlées de l'inconscient, elle garde ce « raidissement surhumain »[94] qui l'a caractérisée dès le début, ce mépris de la peur sous lequel maintenant sourd, puis ruisselle la peur.

La peur du poète lui-même ? Laissons à Claudel la responsabilité de cette hypothèse hasardeuse dont s'étonne et s'irrite Arcas, le critique qu'il porte en lui-même (*JR*, 13-15).

Et pourtant cette hypothèse, il est impossible de la négliger, car elle nous conduit au point même où Claudel veut nous mener.

Le délire de Lady Macbeth se transforme en effet insensiblement en une parabole des égarements de l'Ame humaine où se trouve impliquée l'âme de l'auteur, ce Shakespeare qui vivait dans une époque et dans un pays égaré loin de la *via recta* de l'Eglise catholique :

> Lady Macbeth, c'est l'âme humaine, privée de cette lumière sacrée qui illumine tout homme venant au monde et à laquelle supplée mal ce lumignon fumeux[95] qui tremble dans sa main, la nuit s'est faite ! Elle a perdu ses repères, elle ne sait plus où elle est.
>
> (*JR*, 16)

Sa faute répète le péché d'Eve, l'acte de désobéissance par lequel l'homme a perdu la Grâce (*Em*, 28) et auquel Macbeth, comme Adam, s'est laissé entraîné par sa compagne. Mais c'est aussi le péché de l'Angleterre à l'époque de Thyatire, la « grande tribulation » (*Apoc*, 290) dont sont menacés les amants de la nouvelle Jézabel et dont la littérature protestante nous dévoile les chemins embrouillés.

« Quand Shakespeare commence à écrire », déclarait Claudel en 1947 dans son *Discours de réception à l'Académie française*, il est arrivé une catastrophe [...]. Cette catastrophe, c'est que le Paradis a été perdu, je dis le paradis de la Foi. C'est en vain que les héros de Shakespeare, hommes et femmes, se le redemandent l'un à l'autre avec toutes les ressources de la poésie, de la passion et du désespoir. Il s'est évanoui, il est perdu, et c'est en vain que les enchantements de Prospero essayeront de le faire resurgir de l'Océan, sous la forme d'un de ces nuages dont les amis d'Hamlet n'ont pas fini de discuter s'il a la ressemblance d'une belette ou d'une baleine » (*Disc*, 129-130).

---

93. *Ibid.*, V, 1, 38-44, **p.** 865 : « Out, damned spot ! out ! I say ! One, two : why, then, 'tis time to do't. Hell is murky ! Fie, my lord, fie ! a soldier, and afeard ? What need we fear who knows it, when none call our power to account ? Yet who would have thought the old man to have had so much blood in him ? »

94. H. FLUCHÈRE, *Shakespeare dramaturge élisabéthain*, p. 330.

95. Au cours de sa promenade de somnambule, Lady Macbeth erre une chandelle à la main et elle a ordonné qu'on laissât toujours de la lumière près d'elle (V, 1, 24-26, p. 865).

Le passage est particulièrement important. A travers une interprétation libre du début de *La Tempête* et un souvenir très déformé de *Hamlet*[96], on voit le théâtre de Shakespeare s'organiser en une vaste parabole qui raconte les aventures de l'âme humaine devenue aveugle. Les personnages qui le peuplent cherchent en vain Dieu parce qu'ils se sont refusés à voir sa lumière. Lady Macbeth a les yeux ouverts et ne voit pas[97]. Et le refus d'Israël, celui de Pensée de Coûfontaine dans *Le Père humilié* et de Joseph K... dans *Le Procès* de Kafka[98], n'est plus seulement incarné sur la scène élisabéthaine en Shylock, le Juif du *Marchand de Venise*, acharné à garder sa part au point d'en abuser (*Em*, 177), mais aussi dans les deux filles ingrates du roi Lear, Regan et Goneril, « longues, minces, souples, le type de la Synagogue de la cathédrale de Strasbourg » (*Pr*, 435).

Il faut noter ici la convergence des principales interprétations paraboliques de ce genre vers la même date 1946-1947. Le *Discours de réception à l'Académie française* (écrit entre le 5 novembre et le 17 décembre 1946), l'article sur *Le Roi Lear* (inspiré par la représentation du 26 novembre 1946 et paru dans *Le Figaro littéraire* du 4 décembre) sont exactement contemporains. L'article sur « *Le Procès* de Kafka, ou le drame de la justice » (paru le 18 octobre 1947 dans *Le Figaro littéraire*) n'en est pas très éloigné. Tous sont fortement marqués par le sens parabolique du *Père humilié* sur lequel le poète a longuement médité à la suite des représentations de cette pièce données au théâtre des Champs-Elysées par la troupe dirigée par Jean Valcourt en mai 1946 (*Th*. II, 1456-57). Le schisme anglican, les entreprises contre le pouvoir temporel de la Papauté en 1870, répètent le refus juif incarné par Pensée. Le « Père humilié », c'est le Pape, c'est Dieu ; c'est encore Lear ou Gloucester. Ainsi s'expliquent les singularités du commentaire assez déroutant que nous a laissé Claudel du *Roi Lear* (*Pr*, 434-437).

---

96. *Hamlet*, III, 2, 398-409, p. 891 :
POLONIUS. — My lord, the queen would speak with you, and presently.
HAMLET. — Do you see yonder cloud that's almost in shape of a camel.
POLONIUS. — By the mass, and 'tis like a camel, indeed.
HAMLET. — Methinks it is like a weasel ?
POLONIUS. — It is backed like a weasel.
HAMLET. — Or like a whale ?
POLONIUS. — Very like a whale.
HAMLET. — Then I will come to my mother by and by. (*Aside*) They fool me to the top of my bent.

97. *Macbeth*, V, 1, 27-28, p. 865 :
DOCTOR. — You see, her eyes are open.
WAITING-GENTLEWOMAN. — Ay, but their sense is shut.

98. Egalement transformé en parabole dans l'article « *Le Procès* de Kafka, ou le drame de la Justice » paru dans *Le Figaro littéraire* du 18 octobre 1947 :
[...] retirons-nous de lui au plus vite. Dégageons-nous de lui. Laissons-le seul avec son délit.
Il reste Dieu, vers qui notre K. élève son appel, et Kafka qui est juif ne recueille pour réponse que la confirmation de sa culpabilité radicale à l'égard du créateur, envers qui il est sous le coup d'une dette. Sur le seuil du christianisme, il sombre, aveugle, sans comprendre. Il n'y a plus qu'à s'en débarrasser. N'importe comment. Avec un couteau de cuisine. (*Pr*, 590)

Deux interprétations symboliques s'y superposent. Le fait s'explique aisément quand on connaît le goût de Claudel pour l'exégèse multiple. Ainsi la fumée de sauterelles qui se répand sur la terre quand sonne la cinquième trompette de l'Apocalypse [99] a-t-elle pu représenter tour à tour pour lui les « fanatiques », « tous ces grands passionnés, hérésiarques et ravageurs » (*Mil*, 65), « les intellectuels du type d'Anatole France » ou d'Ernest Renan (*Introd*, 34-35), « la vapeur de refus et de négation, perdition et déperdition » que tout pécheur peut voir s'exhaler de son propre cœur (*Apoc*, 40-42). Ici, jouant sur le triple sens du Père (le Père, le Pape, Dieu), Claudel laisse s'avancer son commentaire du *Roi Lear* dans trois directions différentes, mais en passant insensiblement, en quelques lignes d'une interprétation à une autre.

Regan et Goneril, en dépit de leur promesse [100], ont repoussé leur père venu leur demander l'hospitalité [101], comme l'Angleterre des Tudors a « répudié le Pape, représentant de Celui-là en qui est toute paternité au ciel et sur la terre ». Le reniement du père est à l'image du reniement du Père de l'Eglise catholique, et celui-ci suppose le reniement de Dieu le Père, car, pour Claudel, le Christianisme ne saurait exister qu'au sein de l'Eglise romaine :

> Le Moyen-Age n'est pas loin et cependant la foi a aussi totalement disparu du théâtre de Shakespeare que si l'Evangile n'avait jamais été prêché aux hommes. Le Paradis est perdu. Ce manque est spécialement douloureux dans le Roi Lear.

Dieu, à l'époque de Thyatire, a mis l'humanité à l'épreuve en se destituant volontairement, comme le Roi Lear, et en décidant de « partager « sa substance » entre les siens comme dans la parabole » de l'enfant prodigue [102]. La chrétienté se trouve soudain divisée par les hérésies qui refusent d'accueillir celui qui a reçu de Son Père le trône et la règle de Pierre (*Apoc*, 293), et particulièrement par la plus acharnée, l'hérésie anglicane.

Cette rupture du lien originel entraîne un effondrement général dont Shakespeare nous présente le noir tableau. « Avec lui le lien qui relie les enfants à leur père, le lien qui relie les créatures humaines entre elles a disparu ». Regan et Gonéril, « filles monstrueuses », ne peuvent être que des « épouses adultères » qui, recherchant le même homme, le bâtard Edmund, « finissent par un assassinat réciproque » [103]. Partout, ce ne sont que « parents en armes les uns contre les autres » : un désaccord naît entre Albany et Cornouailles [104], et le troisième beau-frère, le Roi de France, envahit l'Angleterre [105]

---

99. APOC, IX, 1-12. L'image se trouvait déjà dans la prophétie de JOEL, I, 4, et les juifs l'interprétaient historiquement (les envahisseurs). L'interprétation symbolique la plus couramment admise en fait le symbole de tourments spirituels provoqués par les démons.

100. *King Lear*, I, 1, 289-290, p. 911.

101. *Ibid.*, I, 4, et II, 4.

102. LUC, XV, 11-32.

103. Ce n'est pas très exact : Goneril empoisonne bien Regan (V, 3, 96-97 ; 228-229), mais elle-même se tue (*ibid.*, 243).

104. *King Lear*, III, 1, 19-21, p. 924.

105. *Ibid.*, actes IV et V.

tandis que de l'autre côté Edmund calomnie et fait chasser son demi-frère Edgar [106]. « C'est la réalisation de l'antique prophétie : ils se dévoreront la chair de leur propre bras », c'est « l'avènement, la résurrection de cette humanité païenne que saint Paul a caractérisée en deux mots : sans pacte, sans miséricorde » [107].

Dans ce chaos, l'image du Père se trouve « défigurée », suprême humiliation ! Sa décision a été une faute. Il n'a pas su discerner le bon grain de l'ivraie, quand il a déshérité et chassé Cordélia, le visage « méconnu » de l'Amour [108]. Alors il perd la raison et « le voici errant seul dans la nuit et le désert, fou lui-même et se heurtant à toutes les formes de la folie, et leur demandant cette raison qu'il a perdue, cette raison d'être dont il s'est oublié par sa faute » : il « apparaît et disparaît dans les éclats intermittents de la foudre » [109] et cet « obscurci » en est réduit à presser de ses questions un autre « obscurci », Edgar, le « pauvre Tom », s'attendant sans doute à ce que ce dément halluciné par la vision de l'impur démon qui a nom Modo et Mahu lui délivre la suprême philosophie [110]. Le « troisième Fou, le Fou comme au jeu d'échecs professionnel », l'amuseur du Roi, « pousse des éclats de rire » sardoniques, comme s'il incarnait le Diable réjoui de son succès, tandis que l'attentif Gloucester, ce « quelqu'un qui est arrivé d'[on] ne sai[t] où avec une lanterne pour les regarder » [111] représente Dieu.

Quand l'amour vient « à sa rencontre et à sa recherche sous la forme de la touchante Cordélia » [112], il est trop tard. Il a beau revenir sur son erreur de jadis, il a fait mourir l'Ame humaine. « C'est en vain que le Vieillard désespéré secoue entre ses bras ce pauvre petit pantin cassé. Elle est sourde. Elle ne répond pas. Elle est morte. [113] » « Ce père [...] n'a pas été capable d'engendrer autre chose que la mort ».

Le désespoir, tentation suprême, mène au suprême échec... Lear y succombe [114]. Et « on nous montre pour finir un aveugle qui se jette en bas la tête la première : il a profité pour s'y jeter la tête la première de cet abîme qu'un guide complaisant lui a procuré. Le rideau tombe. »

Cette conclusion présente le meilleur exemple du traitement abusif que Claudel fait subir au texte de Shakespeare. L'aveugle (qu'une lecture inattentive de l'article pourrait faire prendre pour Lear) est Gloucester, qui a commis une erreur analogue à celle de Lear, en chassant son fils légitime Edgar au profit d'Edmund, le

106. *Ibid.*, I, 2 ; II, 1.
107. ROM, I, 31.
108. *King Lear*, I, 1, 89 sqq., p. 909.
109. Cf. *ibid.*, III, 2, 4-6, p. 924 :
    You sulphurous and thought-executing fires
    Vaunt-couriers to oak-cleaving thunderbolts,
    Singe my white head !
110. III, 4, 132-137, p. 927.
111. III, 4, 118, p. 926 : « *Enter Gloucester with a torch* ».
112. IV, 4, pp. 932-933.
113. V, 3, 259 sqq., p. 941.
114. V, 3, 307-313, p. 942.

bâtard qui l'avait calomnié [115]. Accusé de favoriser l'envahisseur, il a les yeux arrachés sur l'ordre de Cornouailles, avec l'aveu d'Edmund [116], et se retrouve errant sur la lande où il rencontre, lui aussi, le fou de Bedlam, son propre fils. Il lui demande de le conduire sur une falaise près de Douvres, au bord de l'effrayant abîme marin [117]. Edgar, le faux dément, parvient, en usant d'un subterfuge, à l'empêcher de se jeter du haut de cette falaise [118]. Quand il lui dévoile enfin sa véritable identité et lui raconte son « pèlerinage », le cœur de Gloucester se brise et il meurt en souriant [119]. Claudel, en jouant de la confusion rendue possible par le destin parallèle des deux pères, en bouleversant l'ordre du déroulement dramatique, en interprétant à contresens le rôle d'Edgar (qui loin d'ouvrir complaisamment l'abîme aux pieds du vieillard, l'en éloigne), en substituant au dénouement du drame de Gloucester un dénouement de son invention, est bien le premier responsable de cette déformation de l'image du père dans la pièce.

On peut penser au contraire que le sourire de Gloucester mourant apporte, grâce au procédé de la double intrigue, un correctif discret au désespoir du roi. Lear, abusé par son exigence au point de prendre l'apparence pour la réalité, finit par découvrir le véritable amour. Il doute un instant de pouvoir jamais être détaché de sa « roue de feu » [120]. Seule l'épreuve dernière que le destin lui impose — la mort de Cordélia —, parvient à ce résultat. Il me semble impossible de voir avec A.C. Bradley les joies de l'extase dans la mort de Lear [121], mais le texte autorise à souligner le regard qu'il jette [122], au terme de ses épreuves, sur une réalité autre que ce dur monde, que ce chevalet sur lequel il fut étendu [123]. Le Roi Lear ne s'achève pas, comme le prétend Claudel, dans une chute à l'abîme. « Comme du temps de la foi », la mort est bien ici « l'essor de l'âme, quelque chose de préliminaire à l'ascension ».

La marque la plus caractéristique de la déformation claudélienne est la surimposition d'interprétations contradictoires. Gloucester, après avoir été le symbole de la « conscience » qui « regarde » les deux filles monstrueuses de Lear et à qui l'on « arrache les yeux », ou l'image de Dieu qui contemple l'étreinte des deux déments dans l'orage, se retrouve finalement dans la peau du simple pêcheur qui

---

115. Cf. I, 2, et II, 2.
116. Cf. III, 7, pp. 929-930.
117. IV, 1, 74-79, p. 931.
118. IV, 6, 1-81, pp. 933-934.
119. V, 3, 183-201, p. 940.
120. IV, 7, 45-48, p. 937.
121. A.C. BRADLEY, Shakespearean Tragedy, p. 241.
122. King Lear, V, 3, 312-313, p. 842 :
    Do you see this ? Look on her, look, her lips,
    Look there, look there !
Sur ce point voir H. FLUCHÈRE, Shakespeare dramaturge élisabéthain, p. 348.
123. Voir les paroles de Kent après la mort de Lear, V, 3, 315-317, p. 942 :
    Vex not his ghost : O ! let him pass ; he hates him
    That would upon the rack of this tough world
    Stretch him out longer.

succombe à la tentation du désespoir. Le Roi Lear, après avoir été présenté comme une « image de Dieu [...] » sur cette terre », ainsi que « tout vieillard » et « tout père », devient une « image défigurée du seul père, qui est au ciel », un « Père qui n'a pas été capable d'engendrer autre chose que la mort ». A la faute de Regan et de Goneril que « déclarent solennellement qu'elles ne veulent plus de père » [124] se substitue sa propre faute, — avoir perdu sa « raison d'être ». Après avoir été le Père humilié par les hérésiarques et les schismatiques, il devient l'image caricaturale de Dieu que les hérésiarques et les schismatiques ont substituée au véritable Dieu.

Claudel a, comme inconsciemment, appliqué à un texte littéraire, Le Roi Lear, la méthode exégétique qu'il applique aux Saintes Ecritures. J. Petit et Ch. Galpérine ont jugé son commentaire « bien insuffisant » (Pr, 1455). Je dirais plutôt : « génialement erroné ». Car il reste si loin du drame de Shakespeare (Claudel sourd l'a regardé sans guère l'entendre) qu'il faut le considérer comme une autre de ces « figures et paraboles » qui viennent illustrer et soutenir la constante méditation du poète sur la Bible.

---

124. A aucun moment de la pièce elles ne le déclarent aussi explicitement ; Claudel l'infère de leur attitude.

II. SOUS LES FEUX DE LA RAMPE

Après *Le Soulier de satin* commence également, dans la vie de Claudel, une période que J. Petit et J.P. Kempf appellent celle des « expériences dramatiques » [1]. Se détachant de son œuvre profane, le poète procède à des remaniements parfois déroutants et s'essaie à de courtes pièces, des « exercices de style » où il tente, à chaque fois, d'apporter une solution originale à un problème technique. On ne doit donc pas s'étonner de le voir s'intéresser, parallèlement, à la mise en scène de ses propres drames et à la représentation des chefs-d'œuvre élisabéthains, ou écrire l'une de ses dernières pochades en marge de Shakespeare.

Un spectateur difficile

Il serait trop long d'énumérer toutes les représentations qui furent données en France au cours de ses années de vieillesse. Le Cartel continue sur sa lancée : Copeau sert les comédies (*Comme il vous plaira* en 1934, *Beaucoup de bruit pour rien* en 1936) auxquelles le public continue de se montrer réticent ; Pitoëff et Baty montent les tragédies (*Roméo et Juliette* en 1937, *Macbeth* en 1942). La Comédie-Française, dont seul le *Hamlet* mérite d'être signalé avant la guerre, reprend la tradition shakespearienne après la Libération, dans ses deux salles. Les nouvelles troupes ne négligent pas le grand dramaturge : Jean-Louis Barrault monte *Hamlet* à Marigny ; Jean Vilar inaugure le premier festival d'Avignon, en 1947, avec *Richard II* qu'il transporte ensuite sur la scène du théâtre des Champs-Elysées et, en 1953, sur le vaste plateau du Palais de Chaillot. *Macbeth* est également l'un de ses grands succès [2]. Si les autres dramaturges élisabéthains restent trop négligés ou déformés par des adaptations trop libres (celle de Lenormand pour *Arden de Feversham* que monte Baty en 1938, par exemple), on enregistre en revanche avec satisfaction, dans le cas de Shakespeare, le souci de « restitution du texte authentique, dans son mouvement authentique » [3]. Mais pour Claudel, la lettre n'était pas le plus important.

---

1. Préface à Paul CLAUDEL, *Mes Idées sur le théâtre*, p. 8.

2. Claudel s'y intéressa beaucoup. Mais il n'est pas sûr qu'il ait vu le spectacle. En janvier 1953, il a l'occasion d'en parler avec Gérard Philipe (*J* X, 64). Le 25 août 1954, il parle, dans une lettre à Barrault, de « cette pièce de *Macbeth* qu'on vient de jouer à Orange » — il pense sans doute aux représentations données à Avignon avec Jean Vilar et Maria Casarès (voir compte rendu de Jean DUVIGNAUD dans *la Nouvelle N.R.F.* du 1er septembre 1954, pp. 526-529). Mais l'imprécision du lieu indique déjà qu'il ne s'y est certainement pas rendu. De plus il était souffrant à cette époque et devait être hospitalisé quelques jours plus tard.

3. Jean JACQUOT, *Shakespeare en France*, p. 138. Pour un tableau complet des représentations shakespeariennes en France à cette époque, on se reportera aux chapitres III à V de cet ouvrage.

Toujours est-il qu'il se révèle un spectateur exigeant et difficile. La découverte de l'art dramatique, lente chez lui, aboutit à un état d'attention qui peut confiner à l'extase devant les possibilités merveilleuses de la scène. Cet au-delà de la rampe qui effrayait Marthe et laissait sceptique Thomas Pollock Nageoire a pour lui le mystère et l'attrait d'un « autre monde ». Aussi rien ne l'irrite-t-il plus qu'une représentation qui lui paraît manquée et profane véritablement le temple de l'art sacré.

La prédilection qu'éprouvait Claudel pour le drame des amants vieillissants (*J* VIII, 76 ; IX, 21) guida ses pas vers la Comédie-Française où, le mardi 10 mars 1945, les acteurs répétaient *Antoine et Cléopâtre*. Le spectacle était monté par Jean-Louis Barrault dans sept décors de Jean Hugo, qui permettaient vingt-trois changements de scène [4]. Claudel, ce jour là, ne vit que la dernière scène, suffisamment pour porter un jugement féroce sur la représentation :

> C'est très mauvais. Cléopâtre s'accroupit dans un coin pour y procéder près d'un panier à son petit ménage avec l'aspic [...] [5] les trois f[emmes] se flanquent par terre et meurent. Octave arrive, constate, s'en va, (tout au plus s'il ne les remue pas du bout de sa botte) et tout est fini. (*J* IX, 30)

A cette simplicité excessive, il voudrait substituer la majesté de la scène des adieux de Rodrigue et de Prouhèze et la solennité nécessaire à la conclusion de cet autre drame aux dimensions de l'Univers :

> Au lieu de cela, il aurait fallu au milieu de la scène une espèce de trône occupé par Cléopâtre. Autour d'elle, une demi-douzaine de figurants immobiles. On lui apporte solennellement le feuillage où se trouve le serpent et elle lui tend son sein. Grand mouvement respiratoire où elle inhale toute l'Egypte. Elle reste assise toute droite sur son trône, les yeux fixes, les deux servantes jonchant le sol devant elle. Octave apparaît un moment derrière elle et s'en va. Musique. Rideau. (*J* IX, 30)

Cette conception lui tient tellement à cœur qu'il en fait part à Barrault (*J* IX, 31). Il se trouve à Brangues quand a lieu la première représentation publique, le 27 avril (*J* IX, 32). Mais il profite d'un voyage à Paris, du 25 mai au 9 juin, pour aller voir la pièce (*J* IX, 33), sans nous communiquer ses impressions cette fois.

Assistant lui aussi à ce spectacle, François Mauriac concluait à l'actualité de Shakespeare pour les survivants de la guerre [6]. La remarque vaudrait davantage encore pour *Le Roi Lear*, cette

---

4. Id., *ibid.*, p. 95.

5. Illisible ; les trois femmes sont Cléopâtre et ses suivantes Iras et Charmian.

6. François Mauriac écrivait dans *Opéra*, le 9 mai 1945 : « Shakespeare est terriblement actuel. Il l'est plus que jamais aujourd'hui, où pour reprendre la distinction de Péguy, nous ne vivons pas une période de l'histoire, c'est-à-dire un temps de transition dénué d'événements essentiels, mais une époque et qui impose une forme au destin de l'humanité, qui le fixe pour des siècles peut-être ».

« tragédie de l'absurde » [7], qui semblait promise à un certain succès. Dullin pourtant échoua, quand, en 1945, il la monta. L'année suivante, l'Old Vic la présentait de nouveau, à Paris, au théâtre des Champs-Elysées, dans le cadre des manifestations artistiques organisées par l'U.N.E.S.C.O. Claudel assista à la représentation du 16 novembre 1946 (*J* IX, 58) et en fit le compte rendu dans *Le Figaro littéraire* du 4 décembre (*Pr*, 434-437).

Le texte l'a moins intéressé que le spectacle. Sans doute « la diction des auteurs » lui a-t-elle « paru excellente », mais il avoue que l'anglais, « l'idiome explosif à quoi [il] tend[ait] [s]on attention » lui a fait « regretter cette longue coulée mélodique du franÇais ». Les décors sont ici d'une grande importance, et tout en admirant la virtuosité des machinistes qui « ont pu se débrouiller avec [d]es changements continuels sur un plateau qu'ils ne connaiss[aient] pas », il regrette beaucoup qu'on leur ait conféré « un rôle purement occasionnel », à tel point qu'ils auraient pu « aussi bien convenir à tout autre drame que *Le Roi Lear* » [8] :

> C'est l'action qui doit avoir l'air de les créer et ils ne sont là à leur tour que pour lui prêter contenance et support. Dans *Le Roi Lear*, ce qu'il fallait souligner par la symétrie, c'était l'opposition des palais des deux filles aux portes desquels le malheureux père vient successivement heurter pour se voir successivement rejeté. Le voilà qui chemine lamentablement entre les deux. De même dans les scènes de folie. Pourquoi ne pas imaginer quelque ruine patibulaire à la Victor Hugo ?

Au décor sobre, au décor abstrait, il préfère donc l'élément pittoresque qui crée une atmosphère, à la manière romantique, et la mise en valeur d'un thème majeur par la présence d'un objet symbolique. C'est pourquoi il a trouvé « les éclairages excellents », surtout dans les scènes sur la lande, avec « les éclats intermittents de la foudre ».

Reste le jeu des acteurs proprement dit. Impressionné par leur « taille impressionnante », qui l'a fait penser à « l'humanité de la broderie de Bayeux, de la bible d'Utrecht », Claudel les juge dans l'ensemble « quelconques » (*J* IX, 58), tout au plus « honorables » (*Pr*, 435). Cordélia l'a peu touché, mais il considère que ce rôle, « comme celui d'Ophélie », est une de ces « pannes » féminines dont abonde le théâtre de Shakespeare ». Laurence Olivier, dans le rôle du Roi Lear, l'a également « impressionné » (*J* IX, 58) et le laisse perplexe. Il lui est impossible de se faire « une idée [de son] talent personnel », car « son rôle l'oblige à rester d'un bout à l'autre dans le même registre. Ce n'est qu'un long hurlement, passant du sanglot à l'invective, qui ne laisse guère à l'interprète l'occasion de montrer d'autres ressources que la puissance de ses convictions » (*Pr*, 435). En revanche les scènes de démence portent,

---

7. Voir J. Jacquot, *op. cit.*, pp. 90-91, à propos de la représentation donnée par Dullin.

8. Le jugement est plus élogieux dans le *Journal*, à tel point que Claudel songe à reprendre à son compte certains éléments de cette mise en scène : « Décors et éclairages bien. Effet impressionnant des projecteurs diagonaux. Je trouve la réalisation du décor pour mon acte III de *L'Annonce* » (*J* IX, 58).

« dans l'interprétation » la « marque du génie », en raison sans doute du talent d'Alec Guiness, qui jouait le rôle du Fou. Claudel a surtout été frappé par les deux méchantes sœurs, Regan et Goneril.

Ce sont des types superbes que seule sans doute est capable de fournir la race nordique. Longues, minces, souples, le type de la Synagogue de la cathédrale de Strasbourg. C'est une joie de les voir marcher. Toutes les deux jouent fort bien. Au premier tableau, quand on les voit se faire face, aux côtés de leur père, couronnées d'or, l'effet est saisissant. Une paire extraordinaire [9].

On songe à l'apparition de la Princesse telle qu'il la souhaitait, en 1894, dans la deuxième version de *Tête d'Or*, après avoir fait l'expérience du théâtre chinois de New York : « revêtue d'une robe rouge et d'une chape d'or qui la recouvre de la tête aux pieds » et « les yeux fermés », elle aussi, comme la Synagogue (*Th* I, 200).

On peut alors se demander s'il ne reste pas tributaire des conceptions de sa jeunesse en matière d'interprétation et de mise en scène.

L'expérience du théâtre extrême-oriental, très précoce chez Claudel, lui a fait prendre conscience de l'importance que prend l'action corporelle. Les indications scéniques des drames de *L'Arbre* révélaient déjà que pour lui l'art du comédien était inséparable de l'art du mime et du danseur. Aussi faut-il le croire quand il écrit à Jean-Louis Barrault, le 25 avril 1939 :

Vous êtes un acteur étonnant, celui que j'ai toujours désiré ! qui comprend que l'on doit jouer non seulement avec la langue et les yeux, mais avec tout le corps, se servir des ressources infinies d'expression que fournit le corps humain [10].

Il assiste enfin à la réalisation d'un idéal ancien, et dans un rôle auquel il était autrefois très attaché, celui de Hamlet.

De tous les acteurs qui ont joué *Hamlet*, Jean-Louis Barrault est certainement celui qui a entretenu la plus grande intimité avec le personnage du « sweet prince », au point qu'il a pu lui-même l'appeler « ce frère parfait » [11]. Quand, en 1940, il fait ses débuts dans ce rôle, à la Comédie-Française, où il vient d'être engagé par Jean Copeau, il a trente ans et tourne déjà depuis dix ans « autour de [son] fantôme ». Ce n'est plus, pour lui, « la silhouette romantique et naïve » qu'il avait dressée dans la nuit, en 1931, à l'école de l'Atelier ; ce n'est plus seulement le *Hamlet* de Jules Laforgue, qu'il avait osé jouer en 1939 [12], ce « Hamlet artiste », plus proche

---

9. Et cf. *J* IX, 58 « Très (impressionné) en revanche par les deux femmes, Regan et Goneril, hautes, minces, souples, le type de la Synagogue de Strasbourg, avec des visages de goule. Au 1er acte, quand elles se tiennent là, immobiles, couronnées d'or, elles sont positivement effrayantes. » Le rôle de Regan était tenu par Margaret Leighton.

10. Lettre inédite (archives Jean-Louis Barrault) à propos des représentations de *La Faim* de Knut HAMSUN.

11. J.-L. BARRAULT, « Le Plus grand rôle de tous les temps : Hamlet », dans *Shakespeare*, coll. « Génies et réalités », p. 286.

12. Claudel a assisté à ce spectacle ; voir sa lettre à Barrault du 25 avril 1939 : « dans *Hamlet* dont je n'ai pas le temps de vous parler — si intéressant ! — vous avez été magnifique ! » (arch. J.-L. Barrault, inédite).

de nous, d'une sensibilité plus moderne, qui tient du « clown triste », l'humour étant la face familière de la grandeur ; ce n'est pas non plus le Hamlet de Belleforest, découvert à la Bibliothèque Nationale, « viril, sportif et surtout royal ». A la lumière des indications de Guy de Pourtalès[13], il le considère désormais comme « le héros de l'hésitation supérieure », un « super-héros » [...], qui atteint le haut degré de l'hésitation » et qu'il croit reconnaître dans de nombreux personnages de Shakespeare.

Claudel, malgré son impatience[14], ne voit Barrault dans ce rôle qu'en juin 1942, quand le Théâtre-Français reprend la mise en scène de Charles Granval, encore profondément marquée par la tradition post-romantique et donc gênante pour l'acteur[15] qui, lui, a surtout découvert, dans *Hamlet*, un drame de la pensée : celui d'un être viril, mais déchiré entre le doute et la foi, dédoublé, contraint à la démesure, mais conscient de cette démesure[16]. Claudel se sent « ému » par cette « interprétation magnifique » comme il l'a été « bien rarement au théâtre ». Il a compris les « idées excellentes » d'un acteur qui pour se mettre « tout à fait dans la peau du bonhomme, a longuement médité sur son rôle et suscite la réflexion chez le spectateur.

Dans un projet de lettre, daté du 2 juin 1942 et écrit au crayon[17], il met au net ses remarques critiques et dessine ainsi sa propre conception du rôle et de la mise en scène. Sans donner entièrement raison aux malveillants qui reprochent à Barrault de « trop bouger », il lui rappelle qu'« il y a des moments où on doit sentir davantage le Prince et aussi cette noble mélancolie si touchante ». Ainsi, dans la scène avec la mère, on doit « sent[ir] cet enfant qui a besoin d'elle » : « Ah ! c'est trop tout de même ! Un brusque sanglot désespéré — Et puis une reprise brusque »[18]. D'une manière générale, d'ailleurs, le « train » n'est pas assez varié ; les fins de scène sont toujours semblables.

> Vous sortez toujours en galopant. C'est conventionnel et mauvais. Pourquoi une fois ne pirouetteriez-vous pas sur vous-même ? *-Et les tablettes ?* si importantes dans l'esprit de Shakespeare. Pourquoi

13. *La Tragique histoire de Hamlet, prince de Danemark*, trad. G. de Pourtalès, Paris, Société littéraire de France, 1923 ; version de bonne qualité littéraire malgré ses maladresses (voir Ch. Pons, art. cit., p. 125).
14. Lettres à Barrault du 28 octobre 1941 : « Que je suis heureux de vous voir jouer *Hamlet* ! C'est un rôle fait pour vous. Vous y avez été excellent » ; mais il ne le sait sans doute que par ouï-dire, car il lui écrit le 6 avril 1942 : « Tout le monde me parle de votre interprétation de *Hamlet* au Français. Quel chagrin pour moi de n'avoir pu vous entendre ! » La première de cette reprise eut lieu le 16 mars 1942.
15. Mise en scène écrite par Charles Granval pour *Hamlet*, 1932, bibliothèque des régisseurs de théâtre ; sur cette mise en scène et sa reprise en 1942, voir Jean Jacquot, *Shakespeare en France*, pp. 92-93.
16. J.-L. Barrault, art. cit., et *A Propos de Shakespeare et du théâtre*, Paris, Presses littéraires de France, La Parade, 1949, pp. 31 sqq. Barrault lui-même reconnaissait cette gêne dans sa lettre à Claudel du 11 mars 1942 : « Depuis quatre semaines je me débats avec Hamlet. C'est passionnant. Mais le cadre officiel a un peu peur de l'" humour noir " de ce jeune Danois. J'y ferai ce que je pourrai ! »
17. Lettre inédite, APC.
18. *Hamlet*, III, 4, 34-35, p. 892 :
Leave wringing of your hands ; peace ! sit you down,
And let me wring your heart [...].

ne pas sortir comme en étudiant un rôle ? ou en vérifiant la manière dont il l'a exécuté ? Il écrit — c'est pour regarder de temps en temps ce qu'il a écrit [19].

Quand Hamlet rompt avec Ophélie, et qu'« elle se détourne en pleurnichant dans ses mains », le héros doit, « après une fausse sortie, [revenir] à pas de loup derrière elle tout près et puis [s'en aller] en faisant de la main gauche le geste, *Fini ! fini ! fini !* [20]. Et la rencontre du fossoyeur demande davantage de gestes pour exprimer cette « avidité », cette « fascination devant la tombe » sur laquelle Claudel insistait déjà en 1900 dans sa lettre à Schwob :

Il faudrait qu'il touche la pelle, qu'il joue avec (peut-être qu'il s'en serve pour prendre le crâne de Yorick) — qu'il le fasse sautiller dessus. *Ceci douteux* [21] ?

Claudel regrette aussi le manque de « variété dans le débit ». La diction monotone de Barrault permettait sans doute à l'acteur de faire sentir l'unité d'un personnage qui, loin d'être un vulgaire histrion, est, au plus fort de son angoisse, en quête d'une sérénité transcendante. Claudel insisterait davantage, pour sa part, sur le côté histrionique du rôle. « Il y a », écrit-il, « des moments où il faut nettement *changer de registre*. Par exemple la scène de la flûte [22]. Il faut faire le clown, le niais ». Il trouve « faible et mal dit[e] » la fameuse réplique « des mots, des mots, etc. » [23] et voit deux manières possibles de l'interpréter :

1) Des mots — des mots — geste de cracher ou de mâcher avec dégoût.
2) Des mots, des mots, des mots, des mots, etc. (très rapide et continu), le dernier très ralenti.

Comme s'il avait senti combien Barrault était gêné par le cadre officiel de la Comédie-Française, Claudel lui proposait, le 31 août 1945, de fonder un théâtre à lui où l'on monterait *L'Annonce faite à Marie* et *Le Soulier de satin* mais aussi du Shakespeare, par exemple *Troïlus et Cressida*, cette « pièce extrêmement vivante et amusante » [24]. Le théâtre Marigny allait faire revivre surtout, une nouvelle fois, *Hamlet* [25]. Le grand acteur, seul responsable du spectacle, pouvait enfin donner pleinement sa véritable interprétation du Prince danois. Pour l'occasion, Gide avait enfin terminé sa traduction où la démesure se trouvait tempérée par une

19. Cf. *Hamlet*, II, 2, 170, p. 881 : « *Enter Hamlet, reading* ».
20. Cf. *Ibid.*, III, 1, 158, p. 887.
21. Cf. *Ibid.*, V, 1, p. 902.
22. Cf. *Ibid.*, III, 2, 367-396, pp. 890-891 ; Hamlet, prenant la flûte d'un des acteurs, demande à Guildenstern s'il sait en jouer, puis, s'emportant, lui demande pourquoi alors il essaie de jouer de lui : « 'Sblood, do you think I may easier to be played on than a pipe ? Call me what instrument you will, though you can fret me, you cannot play upon me ».
23. *Ibid.*, II, 2, 196, p. 882.
24. Lettre inédite ; archives J.-L. Barrault.
25. A noter la reprise d'*Antoine et Cléopâtre*, déjà monté à la Comédie-Française et peu goûté de Claudel.

rigueur toute classique [26] et qui, selon le vœu de Barrault, exprimait « le réalisme profond » du chef-d'œuvre élisabéthain [27].

Claudel a vu cette nouvelle interprétation en matinée à la Toussaint 1946 (*J* IX, 56). Il se contente de noter le fait sans indiquer ses réactions. En confiant à son *Journal*, le 6 novembre, celle de Ludmilla Pitoëff qui « n'aime pas Barrault dans *Hamlet* », le trouvant « trop extérieur et trop agité : un mime, pas d'émotion » (*ibid.*), il trahit sans doute son propre sentiment.

Pourtant il est curieux de constater que Barrault a finalement de *Hamlet* une conception parabolique qui semble inspirée par Claudel lui-même, par son *Discours de réception à l'Académie française* et son article sur *Le Roi Lear*, écrits l'un et l'autre cette même année 1946 :

> [...] Hamlet me semble symboliser le drame de l'homme resté pur, devant le Paradis Perdu.
> "Tandis que je dormais dans mon verger, un serpent me mordit... et c'est le serpent qui me mordit qui porte aujourd'hui ma couronne " [28].
> Le mal règne, le Paradis est perdu, le Paradis de la foi est perdu, le désordre a gagné le monde, Hamlet est l'homme pur chargé de rétablir l'équilibre universel et de remettre sur le trône, sinon le Bien, du moins l'Action, c'est-à-dire la Vie.
> C'est en essayant de ressentir avec humour cette hésitation supérieure, cette chasteté foncière, cette virginité d'âme et, par conséquent, cette profonde mélancolie que j'essaye aujourd'hui d'aborder le *sweet prince Hamlet* [29].

« La Lune à la recherche d'elle-même » ou le dernier Songe d'une nuit d'été

Au cours de ses entretiens radiophoniques avec Jean Amrouche, en 1951-1952, Claudel reconnaissait bien volontiers sa dette à l'égard de Shakespeare (*MI*, 41), et il se référait en particulier à la série des derniers chefs-d'œuvre. Aussi avait-il accepté [30] de voir monter le début de *La Tempête* au cours d'un hommage que la Comédie-Française lui avait rendu en 1945 et où l'on avait voulu évoquer ses sources (Rimbaud, Shakespeare, Virgile, Eschyle, la Bible) [31].

26. La traduction du premier acte avait paru en décembre 1929 dans la revue *Echanges* ; Gide l'a achevée à la demande de Barrault ; cette traduction a été reprise dans l'éd. cit. de la Pléiade .

27. Déclaration de J.-L. Barrault au sujet de *Hamlet* dans *Combat* (21 septembre 1946), *Paris-Matin* et *Le Figaro* (12 octobre 1946).

28. *Hamlet*, I, 5, 59 et sqq. (le Spectre),p. 877.

29. J.-L. BARRAULT, *art. cit.*, p. 290.

30. Lettre de Claudel à Barrault du 13 février 1945 « IV. Shakespeare. Pas d'objection » (inédite, arch. J.-L. Barrault).

31. Lettre de Barrault à Claudel du 6 février 1945 :

> III. Virgile : une trentaine de vers de l'Enéide (au moment de la tempête), passage repris en latin par un chœur, imitatifs des bruits de la mer, pendant lesquels on découvrirait le château arrière du *Soulier de satin* et dans lequel on jouerait le prologue de *La Tempête* de / IV. Shakespeare.   (APC, inéd.)

Barrault avait déjà fait part de ce projet à Claudel dans une lettre du 11 décembre 1944 ; Claudel en avait alors refusé le principe (lettre du 29 décembre 1944).

Mais il rendait lui-même hommage à son vieux maître quand, en 1947, il réalisait son dernier « Songe d'une nuit d'été », *La Lune à la recherche d'elle-même*. Avait-il eu l'occasion de voir la reprise de la comédie féerique à la salle Luxembourg[32], dans le théâtre même où il l'avait sans doute découverte soixante ans plus tôt ? A vrai dire, de *L'Endormie* à *Protée* et au *Soulier de satin*, *Le Songe* n'avait jamais cessé de l'accompagner. En août 1944, deux vers en témoignent, où le poète s'amuse au jeu des rimes équivoquées

> Le multiple souci dont nous nous obérons
> Effarouche Ariel et meurtrit Obéron.   *(J* IX, 22)

Et c'est à Puck (même s'il le confond avec la reine Mab) qu'il attribue les retours, en lui, de

>   l'esprit
> Qui chatouille et qui enivre et qui fait rire !   *(OP*, 237)

Cette fois-ci, le « noir lutin enfermé dans la cartouche d'ébonite s'est révolté » : il a poussé Claudel, qui recopiait *L'Endormie*, à « écrire autre chose »[33]. Car il ne s'agissait pas, dans cette « extravaganza radiophonique », de refaire l'œuvre ancienne, mais de la reprendre pour s'en débarrasser, pour l'« annuler »[34] en tentant de faire l'exégèse de cette « syzygie »[35] où la Lune, non contente d'« aller chercher la mer là-bas à l'autre bout de la Création [...] pour l'amener » (*Th* II, 1334), a la haute main aussi sur les marées de l'inspiration poétique, que représenteraient, dans *Le Songe d'une nuit d'été*, les fées accompagnant le char de la triple Hécate[36].

Partant du moment où, pour la première fois, il a été livré aux sortilèges de la Reine des Nuits, Claudel va en réalité tenter d'élucider le mystère de « l'ivresse poétique » dont l'a empli le « lait blanc de la nuit »[37]. L'image initiale du « petit garçon[38], à la plus haute fenêtre d'un vieux château, tous les poils de son corps en érection, en train de se mettre plein l'âme, plein les yeux, plein le cœur, plein tout, de cet océan extatique » (1323) doit venir la première dans l'album de photographies du poète, avant celle du jeune homme « ivre et joyeux » qui se promène au clair de lune, avec sa bien-aimée (*Th* II, 596) ou du poète en sa maturité que « la

---

32. Voir J. Jacquot, *op. cit.*, p. 94.

33. Lettre de Claudel à Henri Mondor du 18 septembre 1948 (citée dans H. Mondor, *Claudel plus intime*, p. 63).

34. J. Petit, « Claudel relit *L'Endormie* : *La Lune à la recherche d'elle-même* », RLM II, pp. 133-136.

35. *Th*. II, 1327. Mais on songe immédiatement au début de « La Muse qui est la Grâce ».

36. V, 2, 13-17, p. 191 :
Puck. — And we fairies, that do run
    By the triple Hecate's team,
From the presence of the sun,
    Following darkness like a dream,
    Now are frolic [...].

37. Expression fréquente dans cette série d'œuvres de Claudel qui commence avec *L'Endormie* ; cf. la chanson des Faunes, C. Can I, 164.

38. Claudel date, dans *La Lune à la recherche d'elle-même*, *L'Endormie* de ses quatorze ans (1322) ; la pièce en réalité m'a paru dater en réalité de sa vingtième année, 1887. Voir *supra*, p. 23.

nuit [...] revient [...] rechercher » par « la fenêtre qui s'ouvre » (*OP*, 264).

Car l'inspiration et l'amour constituent un seul et même mystère, celui d'Erato : mis en scène dans le grotesque égarement du Poëte de *L'Endormie* après les chassés-croisés du *Songe d'une nuit d'été*, revécu dans les *Cinq grandes odes*, conjuré (du moins le poète tenta-t-il de le faire) dans *L'Ours et la Lune*, il doit maintenant être expliqué. Et cette explication prendra le sens d'un ultime exorcisme. Le « contemplateur » ne veut pas être « dupe de cette orgie triomphale qu'il a été chargé d'accompagner au travers de toutes les heures de ce mois auguste » (*Th* II, 1323). Il va une fois de plus, « le dormir », ce moment privilégié, en projetant sous les feux de la rampe le songe lui-même.

Pour réaliser son projet, il aura recours, non à la féerie d'Obéron, mais à l'art artisanal des Athéniens qui jouaient « Pyrame et Thisbé » pour les noces du roi Thésée, à ce « théâtre à l'état naissant » qui étale naïvement ses grossiers subterfuges. Le Chœur tient le rôle du Prologue quand il exprime, à l'avance, les intentions de l'auteur [39] ; il a pour adjoint le Préposé aux indications scéniques qui, non content d'expliquer les artifices du décor [40], en tient lieu, puisque la pièce est ... radiophonique ! On reconnaît la technique inaugurée dans *L'Ours et la Lune* et exploitée avec délices dans *Le Soulier de satin*.

Il ne s'agit plus ici de parodier un sujet galvaudé, de se moquer d'une troupe rivale ou de conjurer le tragique, mais de souligner la médiocrité humaine de l'élu de la Muse, le « maigre petit moutard » (*C. Can* I, 168) de *L'Endormie*, le « fils de la terre », le « pataud aux larges pieds », le « lourd compère de la Quatrième Ode (*OP*, 268, 272), le « gros homme [...] sur son âne » de *Protée* (*Th* II, 334), l'Aviateur sans pieds de *L'Ours et la Lune* et le Rodrigue boiteux du *Soulier de satin*. Ce « bougre de maladroit » (1325) que les policemen faunesques conduisent devant le tribunal agreste constitué par Volpilla et Danse-la-nuit, est « venu faire la culbute [...] aux travers de la frontière mystique qui sépare la réalité de l'expression (1324), l'« endroit » du monde de l'« envers » qu'il avait la prétention de découvrir.

Strombô représente le premier emportement du poète. Son « étonnante personnalité » (1324) n'est qu'une des faces de la Lune (1326) quand elle se déchaîne au moment des équinoxes, elle, « ce cheval jaune là-haut dans le hourra des Valkyries qui galope à travers un ciel déchiqueté » (1323). Le poète est si pressé d'enfourcher ce Pégase qu'il s'élance en fermant les yeux (1331), en s'abandonnant à sa seule Imagination. Elle lui refuse des « yeux [...] pour regarder » (1331) et Volpilla remarque, au moment où Danse-la-Nuit analyse l'idéogramme occidental de l'« œil » : « Tout ça n'est pas pour Strombô » (1329). Son apanage n'est qu'une avalanche de

39. Cf. *A Midsummer-Night's Dream*, V, 1, 108-117, p. 188.
40. Cf. *ibid.*, *loc. cit.*, v. 129-138.

mots « à l'état continuel d'interjection », ces taches malpropres par terre que le garçon de café (nouvel avatar de l'Homme-dans-la-Lune du *Songe*) doit sans cesse essuyer ... « Séléné là-haut sait aussi s'appeler Hécate » (1323) ; elle ne reparaît dans *Macbeth* que pour susciter des hallucinations qui entraînent le héros en enfer. C'est elle qui a égaré le poëte en le conduisant à « l'envers de l'endroit où [il était] » (1325) ou, comme le déclare plaisamment Danse-la-Nuit, « de l'autre côté de la métaphore » (*ibid.*), de l'autre côté de sa propre métaphore sur laquelle il a culbuté ...

Entendons bien que cette impulsion est bonne, que « cet appel d'air » (1328) est nécessaire et que Strombô ne s'est pas pour rien éprise du Poëte :

> DANSE-LA-NUIT. — La vérité toute pure est que notre charmante Strombô...
> VOLPILLA. — ... en pince...
> Voix, *en haut en bas et de tous les côtés passant de l'aigu au grave.* — Pince, pince pince pince pince.
> LE POËTE, *éperdu...* —
> LE PRÉPO. — ... et presque sanglotant !
> LE POËTE. — ... pour moi ?
> EXPLOSION, *de tous les côtés.* — Juste Auguste ! Tu l'as dit, bouffi ! Tu parles, Charles ! Tu l'as deviné, Dieudonné !
> LE PRÉPO N° 1. — Et caetera.
> LE PRÉPO N° 2. — Silence.
> LE POËTE. — ...
> LE PRÉPO. — Comme précédemment.
> LE POËTE. — ... Je croyais être à sa recherche...
> VOLPILLA. — Et c'est toi, parfaitement ! c'est toi que l'on poursuivait !   (1328)

Le Poëte est aussi étonné que Bottom quand Titania s'éveillant le couvre d'éloges ...

Ce renversement est très exactement celui de l'aspiration à l'inspiration, de l'invocation à la vocation. Le Poëte partait à la recherche de Strombô, de l'envers du monde, alors qu'elle le poursuivait, qu'elle avait besoin de lui, elle qui n'a précisément que son envers pour retrouver son endroit ...

Les jeux de mots continuels, le commentaire complètement à contre-sens que donne Claudel de l'idée de son « extravaganza » dans les *Mémoires improvisés* (p. 32) donnent au lecteur ou à l'auditeur cette impression de vertige que ressent sans doute le Poëte dans le tohu-bohu des voix faunesques. Le sens est pourtant clair, même s'il n'est pas clairement exprimé (et comment le serait-il quand Claudel veut faire naître du tumulte intérieur l'intuition confuse d'une voix...). Au lieu de s'égarer, comme les Symbolistes (et comme ce jeune homme qui, en pleine époque symboliste, écrivit *L'Endormie*), à la recherche de l'envers du monde, le Poëte a pour tâche d'en découvrir l'endroit :

> DANSE-LA-NUIT. — Sa-vraie-fi-gure, tu comprends ? Sa propre figure pour de vrai, c'est rien ce qu'on doit avoir envie de la connaître [...].
> (1331)

Ce n'est pas pour rien qu'il y a « ce tréma, ces deux yeux sur [lui] au-dessus de [lui] » (1329) ; et, s'il le gêne, qu'il « relève son tréma sur [son] front » et se serve de « [ses] yeux pour regarder » (1331). Au monde des fantasmes se substitue celui des choses, aux sortilèges d'Hécate la chasse de l'Artémis terrestre.

Mais pourquoi précisément cette poursuite, pourquoi cette sollicitude à l'égard du Poëte « à qui l'on prenait la peine tendrement d'indiquer dans la nuit toutes ces places où [il] n'es[t] pas pour qu'[il] y soi[t] » (1328) ? Pourquoi, disons-le, le perpétuel exil de Claudel ballotté d'Amérique en Chine, d'Allemagne en Italie ? C'est qu'il ne s'agit pas seulement de la connaître, cette Strombô, mais de la « comprendre »,

> Et pas seulement sa propre figure, mais tout ce qu'elle voit, tout ce qu'elle regarde avec sa propre figure de cet autre côté du monde qu'elle ne connaît pas ! Tout ce qu'elle montre aux gens de l'autre côté avec sa propre figure qu'elle ne connaît pas !   (1331)

Il semble alors que Claudel brûle les étapes, comme s'il frémissait de la même impatience que le Poëte qu'il met en scène, et le texte, un peu plus développé, eût certainement été plus explicite.

Une chose est certaine. L'approfondissement du réel conduit à la découverte de l'âme :

> LE POËTE. — Et moi donc, de mon côté, vous croyez que je n'ai pas besoin d'être renseigné sur ma propre figure ?
> DANSE-LA-NUIT. — Pas seulement votre propre figure, cher Monsieur, mais quelque chose avec.
> LE POËTE. — Quoi donc ?
> VOLPILLA. — Viens qu'il te le dise à l'oreille...
> LA VOIX, *du haut de l'arbre, à tue-tête.* — L'âme !   (1331)

Le Poëte s'aperçoit que c'était bien ce dont il avait toujours rêvé, mais qu'il se méprenait sur l'objet de ses rêves ; il avait pris Strombô, l'Imagination, pour Galaxaure, l'Ame, ou encore, pour reprendre les termes même de Claudel, Hécate pour Séléné. J. Madaule écrit que Galaxaure « manque » dans *La Lune à la recherche d'elle-même*, mais qu'elle est « avantageusement remplacée par la Lune elle-même, personnage muet, comme autrefois Galaxaure, qui ne cesse d'apparaître et de disparaître »[41]. Mais Galaxaure, si elle n'est pas nommée, est bien là : c'est « cette grosse jeune fille blonde » que le Poëte « tient tendrement enlacée », une fois qu'il est passé à l'endroit du monde (1333). Dans *L'Endormie,* on découvrait la crainte que Galaxaure ne s'éveillât Strombô[42]. *La Lune à la recherche d'elle-même* présente l'inverse : Strombô se réveille Galaxaure, l'étreinte de la Poésie révèle l'Ame au terme d'une évolution qui suppose l'attirance fallacieuse de l'Imagination, puis le renoncement à ses prestiges au profit du Réel. Comme dans les contes, le Poëte « couche avec » un monstre (1331) et découvre à son réveil une jeune fille blonde :

---

41. J. MADAULE, *Le Drame de Paul Claudel,* p. 393.
42. Voir *supra,* p. 26.

Il est bien sage maintenant. Ce qu'on lui a mis dans les bras, ce n'est plus un météore en rupture d'équation, ni le sanglier d'Erymanthe, ou je ne sais quel poisson monstrueux, c'est une grosse jeune fille blonde. Une grosse jeune fille blonde, je ne peux pas dire autre chose. Une jeune personne en robe blanche avec une couronne de fleurs sur la tête. Et il lui suffit [...] de cette respiration régulière à son côté pour comprendre que c'est le sacrement à la fin entre ses bras qui triomphe. Le sacrement de la paix. Les voyez-vous endormis, tous les deux, l'une blanche, l'autre noir, au beau milieu de cette flaque de bière lumineuse. (1333)

Comment ne pas connaître l'Anima de la parabole ? Et s'il reste quelque ironie dans cette version « bouffonne », elle n'est que « le dernier écho de ce pays de l'envers, de ce pays à l'envers de l'endroit » (1333).

J. Petit voit à juste titre dans ce passage « la clé de cette seconde version » (*RLM* II, 135) et juge que cette « explication (...) trop claire » nous montre « l'effort » du vieux poète « pour baptiser la païenne *Endormie* ». Il n'est pas sûr pourtant que Claudel ait voulu reprendre *L'Endormie* parce que la « sensualité » de ce texte le « gê[nait] » : l'expérience sensuelle, ou sensible, est nécessaire pour que « la musique des sens » soit « liée » et permettre à « l'endormie », « l'âme », « Anima », cette musique aérienne aux ailes de Paradis —, de s'éveiller (1333). Et « l'échec du poète », thème de *L'Endormie* — il est vrai — ne devient pas « plus net encore dans *La Lune à la recherche d'elle-même* » (*RLM* II, 135). Bien au contraire ! à l'échec se substitue ici le plein succès qui supposait cet échec : la « main gauche » est là pour « enchanter, pour enchaîner la main droite et l'empêcher de commettre des dégâts » (1333). « Rien ne nous empêche plus d'ouvrir notre âme toute grande à cette splendeur nocturne, à ce soleil là-haut de l'intelligence, Monna Luna » (cette transposition poétique du monde qui est par rapport au sensible ce que Monna Lisa, la Joconde, est par rapport à la femme qui a inspiré ce portrait à Léonard de Vinci). A l'amertume de *L'Endormie* qui s'achevait sous le ricanement railleur de la Lune succède ici la Joie exprimée — car nous restons dans la farce — à la faveur d'un dernier jeu de mots, de l'envers, non, de l'endroit de la métaphore :

La comprenez-vous qui se prépare et qui se gonfle et qui arrive sur vous, cette puissance incoercible de l'élément bienheureux, avant qu'une autre et une autre et encore une autre, soit cela que Madame là-haut ne se lasse point d'aller demander pour vous aux réserves du Pacifique. (1334)

La clé de ce dernier « Songe d'une nuit d'été » est donc le triple sens de Diane, l'un des motifs constamment exploités par les poètes du XVIᵉ siècle [43], que Shakespeare indiquait clairement par la bouche de Puck et dont Claudel s'inspire ici librement. L'Imaginaire (Hécate), le Sensible (Artémis), le Divin (Séléné) sont les trois étapes de l'aventure poétique amorcée dans *L'Endormie*, achevée dans cette « nouvelle version », *La Lune à la recherche d'elle-même*.

---

43. Cf. le dizain XXII de la *Délie*, ou le sonnet 2 des *Amours* de Jodelle.

CONCLUSION

Ce retour au *Songe d'une nuit d'été* donne l'impression qu'un cycle se referme. *La Lune à la recherche d'elle-même* fait écho à *L'Endormie* et le poète dit adieu au théâtre en se rappelant les premiers balbutiements de son génie, en saluant le maître qui les suscita.

Dans l'ombre de Shakespeare l'œuvre claudélien acquiert une continuité singulière. Dès l'origine le tragique s'y mêle au comique, ou plutôt à la parodie de soi-même qui permet de dominer la crise en la considérant de haut et substitue au regard naïf de l'homme le regard critique du démiurge sur sa propre création. Il faut replacer dans cette perspective les grands thèmes shakespeariens repris par Claudel : la rupture de l'ordre dans l'Histoire et cette brisure plus secrète qu'introduit la passion dans une vie. Projetés sur la scène de l'Univers, scandés par les palpitations d'une nature toujours attentive, magnifiés par un spectacle infiniment divers et un langage somptueux, ils sont aussi soumis à l'épreuve de la dérision.

Claudel sort de l'ombre, et Shakespeare y rentre. C'est que les deux dramaturges se séparent quand ils tentent d'apporter des solutions aux problèmes qui les ont l'un et l'autre concernés. S'ils croient ensemble au retour de la « strophe » après la « catastrophe », ils lui assignent des voies différentes : Shakespeare se réfère au présent, — le salut apporté par les Tudors — ou à l'idéal lointain du roi médiéval ; Claudel, repoussant l'apologie des souverains schismatiques, s'évade dans son rêve catholique ouvert sur le futur où se brisent toutes les barrières. De même, ne pouvant accepter l'engloutissement des êtres dans la passion, malgré le fascinant dénouement d'*Antoine et Cléopâtre*, il propose une éthique du renoncement et du sacrifice dont il finit par regretter l'absence chez son modèle.

On s'explique mieux ainsi le mélange d'admiration et d'irritation dans les sentiments de Claudel à l'égard de Shakespeare. Au fur et à mesure que son œuvre progresse, les réponses s'affirment, se durcissent même, obligeant la résignation au destin ou l'apologie de l'ordre élisabéthain à passer dans la trappe. Pour y parvenir, il faut résister à l'attrait de l'interdit, des tentations dénoncées mais tenaces, des dénouements rêvés — la vision élyséenne d'Antoine, combien plus séduisante que la déchéance de Rodrigue !

Cette contradiction peut s'enfler en un conflit qui oppose l'esthétique et le religieux. Les Elisabéthains exhalent une odeur de soufre, et Claudel ne tarde pas à vouer aux démons de l'Angleterre le Shakespeare de *Macbeth* et du *Roi Lear*. Et pourtant, au moment du *Soulier de satin*, l'infinie liberté de leur création lui était apparue comme un signe de la Grâce et une ouverture sur le Salut.

C'est dire que l'accompagnement shakespearien prend l'allure d'un drame qui tient constamment l'esprit en alerte. On craint, à chaque instant, de voir resurgir les plus basses accusations, les hantises de Claudel, et s'effondrer l'enthousiasme aussi vite qu'il est né. On s'attend à une rupture qui, dans la *Conversation avec Jean Racine*, est évitée de justesse. Mais le disciple pouvait-il renier le maître sans se renier lui-même ? Comme d'instinct, il laisse intacts quelques liens et, jusqu'à sa mort, il reconnaît sa dette...

Malgré le fléchissement final, ce drame n'incite pas au pessimisme. De Mounet-Sully à Jean-Louis Barrault, Hamlet n'a pas vieilli ; bien au contraire. Essentiellement mouvantes, mais enracinées dans une foi, les interprétations de Claudel, en débarrassant les chefs-d'œuvre shakespeariens de conventions séculaires, révèlent leur noyau vivant et leur profondeur si longtemps ignorée en France. De *Tête d'Or* au *Soulier de satin*, le grand Elisabéthain apparaît, par son influence, comme un ferment de renouveau. Et si, en remontant de *La Lune à la recherche d'elle-même* jusqu'à *Protée*, de *Protée* jusqu'à *L'Endormie*, de *L'Endormie* jusqu'au *Songe*, on croit retrouver le temps, c'est pour constater que ce temps qui flétrit les êtres souffle sur la poussière des masques et permet à l'œuvre d'art de connaître de nouvelles naissances.

BIBLIOGRAPHIE

Sauf indication contraire, nos références à Shakespeare sont faites d'après les éditions suivantes :

The Oxford Shakespeare. — *Complete Works,* éd. W.J. Craig, London, Oxford University press, 1905, rééd. 1964.

Shakespeare. — *Œuvres complètes.* Tome I : Poèmes, drames historiques, comédies I. Tome II : Comédies II, tragédies. Avant-propos d'André Gide, introduction et notes d'Henri Fluchère et Jean Fuzier. Paris, Gallimard, coll. « Bibliothèque de la Pléiade », 1959-1963.

Pour les œuvres de Claudel, on voudra bien se reporter à la table des sigles, pp. 5-6.

*
* *

ABBOU (André). — *Cohérence et Vraisemblance dans « Jules César » de Shakespeare,* Paris, Minard, coll. « Archives des lettres modernes », 1966.

ALAIN-FOURNIER (Henri) et RIVIÈRE (Jacques). — *Correspondance,* Paris, Gallimard, 1926, 2 vol.

ALTER (André). — *Paul Claudel,* Paris, Seghers, coll. « Théâtre de tous les temps » n° 8, 1968.

ANDERS (France). — *Jacques Copeau et le Cartel des Quatre,* Paris, Nizet, 1959.

ANDERSEN (Margret). — *Claudel et l'Allemagne,* Editions de l'Université d'Ottawa, 1965 (*C. Can.* III).

ANTOINE (Gérald). — « L'Art du comique chez Claudel », in *CC* II, 104-154.

ANTOINE (André). — *Lettres à Pauline,* éd. Francis Pruner, Dijon, impr. Berrigaud-Privat, 1962.

ANTOINE (André-Paul). — « Les Mises en scène shakespeariennes d'Antoine », in *Etudes anglaises,* XIII, 2.

AQUILON (Pierre). — « Claudel, traducteur d'Eschyle », in *RLM* I, 7-43.

BAILEY (Helen). — *Hamlet in France, from Voltaire to Laforgue,* Genève, Droz, 1964.

BARRAULT (Jean-Louis). — *A propos de Shakespeare et du théâtre,* Paris, Presses littéraires de France, La Parade, 1949.
— « Le Plus grand rôle de tous les temps : Hamlet », in *Shakespeare,* coll. « Génies et réalités ».

BATY (Gaston) et CHAVANCE (René). — *Vie de l'art théâtral des origines à nos jours,* Paris, Plon, 1932.

BAYFIELD (M.A.). — *A Study on Shakespeare's Versification,* Cambridge University press, 1920.

BEAUMONT (Ernest). — *Le Sens de l'amour dans le théâtre de Claudel,* Paris, Minard, coll. « Thèmes et Mythes », n° 5, 1958.

BEAUNIER (André). — « Les Chapelles littéraires », in *La Revue de Paris,* 1er juillet 1921.

BERTHELOT (René). — *La Sagesse de Shakespeare et de Goethe*, Paris, Gallimard, 1930.

BERTON (Jean-Claude). — *Shakespeare et Claudel ; l'espace et le temps au théâtre*, Genève, La Palatine, 1958.

BEVINGTON (David M.). — *From « Mankind » to Marlowe*, Cambridge (Mass.), Harvard University press, 1962.

BLANCHART (Paul). — *Firmin Gémier*, Paris, L'Arche, 1954.

BLANCHET (André). — « Tête d'Or est-il païen » in *Etudes*, déc. 1959.

BOAS (Frederick S.). — *Christopher Marlowe : a Biographical and Critical Study*, Oxford, at the Clarendon press, 1940.

BONNEFOY (Yves). — « Shakespeare et le poète français », in *Preuves*, juin 1949.
— Trad. de Shakespeare : *La Tragédie d'Hamlet, prince de Danemark*, in *Œuvres complètes de Shakespeare*, Paris, Club français du Livre, 7 vol., t. IV, 1957, pp. 963-1262.

BRADBROOK (M.C.). — *Themes and Conventions in Elizabethan Tragedy*, Cambridge University press, 1960.
— *The Growth and Structure of Elizabethan Comedy*, London, Chatto & Windus, 1955.
— *Shakespeare and Elizabethan Poetry*, London, Chatto & Windus, 1951.

BRADLEY (A.C.). — *Shakespearean Tragedy*, London, Macmillan 1904 ; rééd. « Pocket Papermacs », 1966.

BROILLIARD (Jacqueline). — « La Réhabilitation de Mara », in *RLM* II ; 73-94.

BROOK (Peter). — « Le Point de vue du metteur en scène », in *Shakespeare*, coll. Génies et Réalités ».

BRULÉ (A.). — « Panorama du théâtre élisabéthain en France », in *Le Théâtre élisabéthain*, Cahiers du Sud.

BRUNEL (Pierre). — « *L'Otage* » *de Paul Claudel ou le Théâtre de l'énigme*, Paris, Minard, coll. « Archives des lettres modernes » n° 53, 1964.
— « *Le Soulier de satin* » *devant la critique*, Paris, Minard, coll. « Situation », n° 8, 1965.

CAMPBELL (Lily B.). — *Shakespeare's « Histories », Mirrors of Elizabethan Policy*, San Marino (California), Huntington Library publications, 1947.

CARRÉ (Jean-Marie). — « Maeterlinck et les Influences étrangères », in *Revue de littérature comparée*, juillet-septembre 1926.

CATTAUI (Georges). — « Claudel et l'Age baroque », in *La Table ronde*, mars 1964.

CAYROU (Alcide). — *Chefs-d'œuvre de Shakespeare* (trad.), Paris, Plon, 1876.

Le Centenaire de Maurice Maeterlinck, Académie royale de langue et de Littérature françaises, Bruxelles, Palais des Académies, 1964.

CHAIGNE (Louis). — *Vie de Paul Claudel et Genèse de son œuvre*, Tours, Mame, 1961.

CHAMBERS (E.K.). — *Shakespeare ; a Survey*, London, Sidgwick & Jackson, 1925.

CHAMPION (Pierre). — *Marcel Schwob et son temps*, Paris, Grasset, 1927.

CHIARI (Joseph). — *The Poetic Drama of Paul Claudel*, London, The Harville press, 1954.

CHURCHILL (R.C.). — *Shakespeare and his Betters*, London, Max Reinhardt, 1958.

CLEMEN (Wolfgang). — *English Tragedy before Shakespeare*, trad. T.S. Dorsch, London, Methuen, 1955.

CLIFFORD LEECH (V.). — *Shakespeare's Tragedies, and other Studies in Seventeenth Century Drama*, London, Chatto & Windus, 1950.

COHEN (Jean). — *Structures du langage poétique*, Paris, Flammarion, 1964.

COPEAU (Jacques). — « La Première tragédie domestique », in *La Revue d'Art dramatique*, 15 sept. 1902.
— *Les Tragédies de Shakespeare* (trad.), en collaboration avec Suzanne Bing, Paris, Union latine d'Editions, 1939, 5 vol.

CORNEILLE (Pierre). — *Œuvres complètes*, éd. A. Stegmann, Paris, Seuil, coll. « L'intégrale », 1963.

CRESSONNOIS (Lucien) et SAMSON (Charles). — trad. de Shakespeare, *Hamlet*, Paris, Ollendorf, 1886.

DAICHES (David). — *A Critical History of English Literature*, London, Secker & Wartburg, 1963, 2 vol.

DAUDET (Léon). — *Fantômes et Vivants*, troisième série : *L'Entre-deux-guerres*, Paris, Nouvelle Librairie Nationale, 1915.

DAVRIL (Robert). — *Le Drame de John Ford*, Paris, Didier, 1954.
— « Jacques Copeau et le cartel des Quatre », in *Etudes anglaises* XIII, 2.
— « Les Mises en scène de Pitoëff », *ibid.*

DEKKER (Thomas). — *The Dramatic Works*, éd. Fredson Bowers, Cambridge University press, 5 vol.

DELCOURT (Marie). — « Claudel et Euripide », in *Revue d'Histoire littéraire de la France*, oct.-déc. 1961.

DE QUINCEY (Thomas). — *Collected Writings*, éd. David Masson, Edinburgh, Adam & Charles Black, 1890.

DORAN (Madeleine). — *Endeavors of Art : a Study of Form in Elizabethan Drama*, Madison, the University of Wisconsin press, 1964.

DOUMIC (René). — « Shakespeare et la Critique française », in *La Revue des Deux-Mondes*, 15 oct. 1904.

DULLIN (Charles). — *Souvenirs et Notes de travail d'un auteur*, Paris, Odette Lieutier, 1946.

DURON (Jacques). — « Le Mythe de Tristan », in *NRF*, 1ᵉʳ sept, 1955.

DUTHIE (G.I.). — *Shakespeare*, Hutchinson's University Library, 1951.

DUVAL (Georges). — *L'Œuvre shakespearienne : son histoire*, Paris, Flammarion, 1910.

ELIOT (T.S.). — *Selected Essays*, London, Faber and Faber, 1932.

Elizabethan Plays, éd. H. Spencer, Boston, Heath & Cᵒ, 1965.

EMPSON (William). — « La Double intrigue et l'ironie dans le théâtre élisabéthain », in *Le Théâtre élisabéthain*, Cahiers du Sud.

ESCHYLE. — *Agamemnon, Les Choéphores, Les Euménides*, éd. P. Mazon, Paris, Les Belles Lettres, 1925-1965.

ETIEMBLE. — « Claudel et le Vin des rochers », in *NRF*, 1ᵉʳ sept. 1955.

EURIPIDE. — *Hélène, Les Phéniciennes*, éd. H. Grégoire et L. Méridier, Paris, Les Belles Lettres, 1950.

FLUCHÈRE (Henri). — *Shakespeare dramaturge élisabéthain*, rééd., Paris, Gallimard, coll. « Idées », 1966.
— « Shakespeare en France », in *Le Théâtre élisabéthain*, Cahiers du Sud.
— « La Science du drame et la Magie du verbe », in *Shakespeare*, coll. « Génies et Réalités ».

FORD (John). — *John Fordes Dramatische Werke*, éd. W. Bang, Louvain, A. Mystprunyst, 1908. Voir aussi MAETERLINCK et PILLEMENT.

FORT (J.B.). — « François-Victor Hugo, traducteur de Shakespeare », in *Etudes anglaises*, XIII, 2.

FOWLIE (Wallace). — *Paul Claudel*, London, Bowes and Bowes, 1957.

FUMET (Stanislas). — « Doña Merveille », in *Etudes carmélitaines*, avril 1931.
— « De l'Esprit qui chatouille et qui enivre et qui fait rire », in *CC* II, 209-220.

GADOFFRE (Gilbert). — *Claudel et l'Univers chinois*, Paris, Gallimard, 1968 (*CC* VIII).

GANDERAX (Louis). — « Une Féerie de Shakespeare à l'Odéon », in *La Revue des Deux-Mondes*, 15 mai 1886.
— « *Hamlet* à la Comédie-Française », in *La Revue des Deux-Mondes*, 15 octobre 1886.

GANNE (Pierre). — « De l'Humour et de la Foi », in *CC* II, 236-269.

GIDE (André). — *Journal*, Paris, Gallimard, coll. « *Bibliothèque de la Pléiade* », 1965.

GILLET (Louis). — *Shakespeare*, Paris, Grasset, 1931.
— *Stèle pour James Joyce*, Marseille, Sagittaire, 1941.

GINISTY (Paul). — « Causerie littéraire : un prédécesseur de Shakespeare : le théâtre de Marlowe traduit par M. Félix Rabbe », in *Gil Blas*, 21 juin 1887.

GOITEIN (Denise). — « La Figure de Pensée », in *CC* VII, 103-110.

GOUHIER (Henri). — « La Trilogie », in *RLM* IV, 31-42.
— *L'Œuvre théâtrale*, Paris, Flammarion, 1958.

GRAMONT (Louis de). — trad. de Shakespeare, *Roméo et Juliette*, Paris, Librairie théâtrale, 1912.

GREENE (Robert). — *The Works of* —, éd. Grosart, London, 15 vol., 1881.

GRIVELET (Michel). — *Thomas Heywood et le Drame domestique élisabéthain*, Paris, Didier, coll. « Etudes anglaises », 1957.
— « La Critique dramatique française devant Shakespeare », in *Etudes anglaises*, XIII, 2.

GUICHARD (Léon). — *L'Œuvre et l'Ame de Jules Renard*, Paris, Nizet, 1936.

GUILLEMIN (Henri). — *Claudel et son art d'écrire*, Paris, Gallimard, 1955.

HART (Joseph C.). — *The Romance of Yachting*, New York, Harper, 1948.

HENRY (Hélène). — « Charles Dullin et le Théâtre élisabéthain », in *Etudes anglaises*, XIII, 2.

HEYWOOD (Thomas). — *The Dramatic Works*, éd. Pearson, London, 1874, 6 vol.
— *Une Femme tuée par la douceur*, pièce en 5 actes dont un prologue, mise à la scène française, éd. de la Nouvelle Revue Française, 1924.

Hommage de la Bohême à Paul Claudel, numéro spécial de la revue *Rencontres*, 1965, n° 1.

IRIGOIN (Jean). — *Recherches sur les mètres de la lyrique chorale grecque*, Paris, Klincksieck, 1953.

IRVING (sir Henry). — « Shakespeare and Bacon » in *The Complete Works of William Shakespeare*, The Literary Digest, Funk and Wagnalls, New York, 1927.

JACQUOT (Jean). — *Shakespeare en France : mises en scène d'hier et d'aujourd'hui*, Paris, Le Temps, 1964.
— « Gaston Baty et les Elisabéthains », in *Etudes anglaises*, XIII, 2.

JONSON (Ben). — *The Works of* —, éd. C.H. Herford & Percy Simpson, Oxford, at the Clarendon press, 1927, 11 vol.

JUSSERAND (Jean). — *Shakespeare en France sous l'ancien régime*, Paris, Armand Colin, 1898.

KEMPF (J.P.) et PETIT (Jacques). — *Etudes sur la Trilogie de Claudel*, Paris, Minard, coll. « Archives des Lettres modernes », nᵒˢ 69 (*L'Otage*), 77 (*Le Pain dur*), 87 (*Le Père humilié*), 1966-1968.

KOCHER (Paul H.). — *Christopher Marlowe : a Critical Study of his Thought, Learning and Character*, New York, Russell, 1962.

KOENIG (Goswin). — *Der Vers in Shakespeare Dramen*, Strasbourg, Trübner, 1888.

LAFORGUE (Jules). — *Moralités légendaires*, rééd., Paris, Mercure de France, 1964.

LAMBIN (Georges). — *Les Voyages de Shakespeare en France et en Italie*, Genève, Droz, 1962.

LASSERRE (Pierre). — « Les Chapelles littéraires : M. Paul Claudel et le claudélisme », in *La Minerve française*, août 1919.

LEFÈVRE (Frédéric). — *Une Heure avec*, troisième série, Paris, Gallimard, 1925.

LE GOFFIC (Charles). — « Le Petit Théâtre de marionnettes », in *La Revue encyclopédique*, 18 juin 1894.

LEGOUIS (Emile) et CAZAMIAN (Louis). — *Histoire de la littérature anglaise*, Paris, Hachette, 1924.

LELAND (Charles). — *The Gypsies*, Boston, Houghton & Mifflin, 1881.
— *Gipsy Sorcery and Fortune Telling*, London, T. Fisher Unwin, 1891.
— *The Algonquin Legends of New England*, London, Searle & Rivington, 1884.

LEMAITRE (Jules). — *Impressions de théâtre*, cinquième série, Paris, Lecène-Oudin, 1891.

LESORT (Paul-André). — *Paul Claudel par lui-même*, Paris, Seuil, coll. « Ecrivains de toujours », nᵒ 63, 1963.

LEVIN (Henry). — *Christopher Marlowe the Overreacher*, London, Faber, 1952.

LUGNE-POE (Aurélien). — *Dernière Pirouette*, Paris, Sagittaire, s.d.

MACKTAIL (J.W.). — *The Approach to Shakespeare*, Oxford, at the Clarendon press, 1933.

MAETERLINCK (Maurice). — *Le Trésor des humbles*. rééd., Paris, Mercure de France, 1921-1924.
— *Théâtre*, tome I, Paris, Fasquelle, 1929.
— *Annabella et Giovanni*, d'après John Ford, Paris, Ollendorf, 1895.

MAGNY (Claude-Edmonde). — *Histoire du roman français depuis 1918*, Paris Seuil, coll. « Pierres-Vives », 1950.

MALLARMÉ (Stéphane). — *Œuvres complètes*, éd. H. Mondor et G. Jean--Aubry, coll. « Bibliothèque de la Pléiade », 1945.

MARCEL (Gabriel). — *Regards sur le théâtre de Claudel*, Paris, Beauchesne, 1964.
— *Théâtre et Religion*, Lyon, Vitte, 1958.

MARLOWE (Christopher). — *The Works of —*, éd. C.F. Tucker-Brooke, Oxford, at the Clarendon press, 1910-1957.
— *Plays*, London, Dent and sons, coll. « Everyman's Library », nᵒ 383, 1909-1950.
— *Théâtre*, trad. Félix Rabbe, Paris, Savine, 1889, 2 vol.

MAUCLAIR (Camille). — *Mallarmé chez lui*, Paris, Grasset, 1935.

MAURER (Lily). — *Gestalt und Bedeutung der Frau im Werke Paul Claudels*, Zürich, E. Lange, 1947.

MENARD (Louis). — trad. de Shakespeare, *Hamlet*, Paris, Perrin, 1886.

MESSIAEN (Pierre). — *Théâtre anglais : Moyen-Age et XVIᵉ siècle, Prédécesseurs et contemporains de Shakespeare*, Paris, Desclée de Brouwer, 1948.

MIDDLETON et ROWLEY. — *The Changeling*, voir *Elizabethan Plays*.

MONNIER (Adrienne). — « Randonnée shakespearienne », in *Les Lettres nouvelles* n° 12, février 1954.

MOORE (George). — *Avowals*, New York, privately printed, 1919.

MORAND (Eugène) et SCHWOB (Marcel). — trad. de Shakespeare, *La Tragique histoire d'Hamlet, prince de Danemark*, Charpentier-Fasquelle, 1898, rééd. B. Grasset, 1932.

MORISOT (Jean-Claude). — « *Tête d'Or* » *ou les aventures de la volonté*, Paris, Minard, 1959.

PAOLETTI (Floriane). — « *Tête d'Or* », 1889-1894 », in *RLM* II, 25-46.

PARIS (Jean). — *Shakespeare par lui-même*, Paris, Seuil, coll. « Ecrivains de toujours » n° 22, 1954.
— « Qui était Shakespeare ? » in *Shakespeare*, coll. Génies et Réalités.

PÉLISSIER (Georges). — « Le Drame shakespearien sur la scène française » in *La Revue d'Art dramatique*, janvier-mars 1886.

PETIT (Jacques). — « Claudel anarchiste », in *La Table ronde*, mars 1964.
— « Claudel relit *L'Endormie : La Lune à la recherche d'elle-même* », in *RLM* II, 133-136.
— *Pour une explication du « Soulier de satin »*, Paris, Minard, coll. « Archives des Lettres modernes », n° 58, 1965.

PEYRE (Henry). — « Le Classicisme de Paul Claudel », in *NRF*, 1ᵉʳ sept. 1932.

PILLEMENT (Georges). — trad. de John Ford, *Dommage qu'elle soit une putain*, Paris, Charlot, 1947.

PINDARE. — *Olympiques*, éd. A. Puech, Paris, Les Belles-Lettres, 1949.

PITOËFF (Georges). — *Notre Théâtre*, Paris, librairie Bonaparte, coll. « Messages », 1949.

POE (Edgar). — *The Works of* —, éd. J.H. Ingram, Edinburgh, Adam & Charles Black, 1883.

PONS (Christian). — « Les Traductions de *Hamlet* par des écrivains français », in *Etudes anglaises*, XIII, 2.

POPE (Alexander). — *Collected Verses*, London, Dent and sons, coll. « Everyman's library », 1965.

POURTALÈS (Guy de). — trad. de Shakespeare, *La Tragique histoire de Hamlet prince de Danemark*, Paris, Société littéraire de France, 1923.

PRÉVOST (Jean). — « Les Eléments du drame chez Paul Claudel », in *NRF*, 1ᵉʳ mai 1929.

RACINE (Jean). — *Œuvres complètes*, éd. P. Clarac, Paris, Seuil, coll. « L'Intégrale », 1962.

REED (R.R.). — *Bedlam on the Jacobean Stage*, Cambridge (Mass.), Harvard University press, 1952.

RÉGNIER (Henri de). — *Nos Rencontres*, Paris, Mercure de France, 1931.

RENARD (Jules). — *Journal*, Paris, Gallimard, coll. « Bibliothèque de la Pléiade », 1966.

RENAUD (Jean-Jacques). — « Le Théâtre de Shakespeare en France », in *La Grande Revue*, 15 oct. 1904.

Roberto (Eugène). — *L'Endormie de Paul Claudel ou la Naissance du génie*, éd. de l'Université d'Ottawa, 1962 (*C. Can.* I).
— « Le Théâtre chinois à New York en 1893 », in *C. Can* V, 109-133.

Robertson (J.M.). — *An Introduction to the Study of the Shakespeare Canon*, *The Shakespeare canon*, London, Routledge, 1922-1932.
— *Montaigne and Shakespeare, and other Essays on Cognate Questions*, London, Adam & Charles Black, 1909.

Robichez (Jacques). — *Le Symbolisme au théâtre*, Paris, L'Arche, 1957.

Rolland (Romain). — *Mémoires*, Paris, Albin Michel, 1956.

Rougemont (Denis de). — *L'Amour et l'Occident*, Paris, Plon, 1939 ; rééd. Union générale d'éditions, 1962.

Roussou (Matée). — *André Antoine*, Paris, L'Arche, 1964.

Saint-Vel. — « Le Théâtre symboliste, Shakespeare et les marionnettes », in *La Revue d'Art dramatique*, 1er déc. 1888.

Saint-Victor (Paul de). — « *Les Deux masques* », *tragédie-comédie*, Paris, Calmann-Lévy, 1880-1884, 3 vol.

Samson (Joseph). — *Paul Claudel poète musicien*, Genève, Milieu du monde, 1948.

Scalzitti (Yvette). — *Le Verset claudélien : une étude de rythme* (« *Tête d'or* »), Paris, Minard, coll. « Archives des lettres modernes » n° 63, 1965.

Segrestaa (Jean-Noël). — « Regards sur la composition du *Soulier de satin* », in *RLM* V, 59-81.

Shakespeare, Paris, Hachette, coll. « Génies et Réalités », 1962.

Shakespeare et le Théâtre élisabéthain en France depuis cinquante ans, numéro spécial d'*Etudes anglaises*, XIII, 2, avril-juin 1960.

Shirley (James). — *The Dramatic Works of* —, éd. W. Gifford, London, John Murray, 1883, 6 vol.

Sidney (sir Philip). — *An Apologie for Poetrie*, éd. M. Lebel, Québec, Les Presses de l'Université Laval, 1965.

Slaughter (Helena Robin). — « Jacques Copeau metteur en scène de Shakespeare et des Elisabéthains », in *Etudes anglaises*, XIII, 2.

Smith (W.H.). — *Was Lord Bacon the author of Shakespeare's plays ?*, London, Skeffington, 1856.

Stoll (E.E.). — *Shakespeare's Young Lovers*, Oxford University press, 1937.

Swinburne (A.C.). — *The Complete Works of* —, New York, Russell, 1968.
— *A Study of Shakespeare*, London, Heinemann, 1880.

Taine (Hippolyte). — *Histoire de la littérature anglaise*, neuvième éd., Paris, Hachette, 1895.

Le Théâtre élisabéthain, numéro spécial des *Cahiers du Sud*, rééd. José Corti, Paris, 1940.

Thérive (André). — « Les Livres : *Le Soulier de satin* », in *Le Temps*, 24 janvier 1930.

Tillyard (E.M.W.). — *Shakespeare's History Plays*, London, Chatto & Windus, 1944.
— *Shakespeare's Last Plays*, London, Chatto & Windus, 1954.

Tissier (André). — « *Tête d'Or* » *de Claudel*, Paris, SEDES, 1968.

Touneur (Cyril). — *The Revenger's Tragedy*, éd. H. Fluchère, Paris, Aubier, coll. bilingue, 1938.
— The Atheist's Tragedy, éd. Irving Ribner, London, Methuen, 1964.

Traversi (Derek). — *The Age of Shakespeare*, London, Penguin Books, 1955.
— *Shakespeare from « Richard II » to « Henry IV »*, London, Hollis & Carter, 1957.

Trépanier (Estelle). — « L'Hispanisme dans le théâtre de Claudel », in *Revue de Littérature comparée*, juillet-septembre 1962.

Tricaud (Marie-Louise). — *Le Baroque dans le théâtre de Claudel*, Genève, Droz, 1967.

Vachon (André). — *Le Temps et l'Espace dans l'œuvre de Paul Claudel*, Paris, Seuil, coll. « Pierres vives », 1965.

Valensin (Auguste). — *Regards*, deuxième série, Paris, Aubier, 1955.

Varillon (François). — « Repères pour l'étude du symbolisme de la porte dans l'œuvre de Paul Claudel », in *CC* I, 185-220.

Viprey (Gilbert). — « Images de la mort », in *RLM* III, 27-37.

Voltaire. — *La Mort de César*, éd. A.-M. Rousseau, Paris, SEDES, 1964.

Watanabe (Moriaki). — « Claudel et le Nô », in *Etudes de Langue et Littérature françaises*, n° 6, Tokyo, 1965.

Webster (John). — *The White Devil*, éd. R. Merle, Paris, Aubier, coll. bilingue, 1950.

Willems (Dom Walther). — *Claudel rassembleur de la terre de Dieu*, Bruxelles, La Renaissance du Livre, 1964.
— *Ce cœur qui m'attendait : Doña Musique et l'Amour, de la note unique à l'accord final*, Bruxelles, SODI, 1967.

Wilson-Knight (G.). — *The Crown of life : Essays in Interpretation of Shakespeare's Final Plays*, Oxford University press, 1947.
— *The Wheel of Fire*, London, Methuen, 1949.
— *The Imperial Theme : Further Interpretations of Shakespeare's Tragedies, including the Roman Plays*, London, Methuen, 1958.

INDEX

Œuvres de Shakespeare

Autres œuvres élisabéthaines

Œuvres de Claudel

TABLE DES MATIÈRES

Chapitre II

L'IMPRÉGNATION

Chapitre III

LE TOURNANT

Chapitre V

L'ÉPANOUISSEMENT

Achevé d'imprimer
sur les presses de
L'IMPRIMERIE CHIRAT
42 - Saint-Just-la-Pendue
en janvier 1971
Dépôt légal 1er trimestre 1971 N° 906
N° d'ordre A. Colin : 5 500

CHEZ LE MÊME ÉDITEUR